守望者的凝思
读懂学校
读懂校长
系列论丛

教育部哲学社会科学研究重大课题攻关项目“我国学校教育创新研究”成果
“守望者的凝思：读懂学校、读懂校长”系列论丛

主编 裴娣娜

QUANSHUI CHANCHAN YUN TAOSHENG

泉水潺潺蕴涛声

——青岛二中教育创新研究

孙先亮 等 著

U0846002

教育科学出版社
·北京·

泉水潺潺蕴涛声

——青岛二中教育创新研究

论 丛 主 编：裴娣娜

论丛编委会：项贤明　高洪源　郑新蓉
金盛华　周　林　陈如平
王嘉毅　刘志军　郝京华
陈佑清　王本中　李松林
张铁道　孙　鹏　曾令格
金文华　何咏忠　熊　瑛

本 册 主 编：孙先亮

本 册 编 委：王祖荣　项　骏　闫洪全
王　剑　杨庆忠　李晓轮
严贤付　矫　蕾　法少鹏
丁　磊　韩　潇　王忠政
杨冠夏　李建新　王新宇
杨　可　孙　萍　曾　莉
赵春雨　李庆富　于　坤
邹　欣　洪兴华　张媛媛

基于学校教育变革性实践的反思与建构
——中国基础教育改革创新之路

裴娣娜

学校教育创新是目前世界各国基础教育改革中的一个具战略意义重要问题。如何变革学校教育观念，培养具有创新精神和实践能力的高素质人才，是世界各国共同关注的问题。事实证明，以创新挑战危机，谁最先把握了时代发展变化的需求，谁就掌握了发展的主动权。

"守望者的凝思：读懂学校、读懂校长"系列论丛，是"十一五"期间教育部哲学社会科学研究重大课题攻关项目"我国学校教育创新研究"的研究成果，是对改革开放三十多年来中国基础教育阶段学校教育创新发展的思路、策略及方法基本脉络的全面系统的反思梳理。这套论丛有着独特的时空定位，限定在我国改革开放以来学校办学层面的改革与创新，采取自下而上的分析思路，是对学校已有的基于变革性实践的学校现代发展经验的总结提升。系列论丛中一本本研究性的专著翔实地记录了这些学校的校长基于不同的办学实际带领各自团队所走过的学校发展之路，这些学校的办学理念及经验经过了时间积淀和实践的检验，是富有鲜明特色、带有中国本土气息的原创性实践。

反思总结来自实践的学校创新经验，从中解读并汇集学校教育创新力指标，从而为进一步探讨学校教育创新发展理论模型与实践模式的建构、形成有较强的实践操作策略奠定坚实的基础。因此，我们的研究，以反思与建构为主线，聚焦“两个读懂”：读懂学校、读懂校长。这套系列论丛所呈现的不仅是每个学校独特的“我”，更重要的是通过一个个独特的“我”集合形成的具有一定典范意义的学校变革性实践的基本认识。

一、学校教育创新理论反思与现实建构的战略性意义

进入21世纪，面对世界各国对于经济社会可持续发展目标的诉求以及日益激烈的国际竞争对高素质人才提出的更高要求，面对工业社会和信息社会发展的要求，面对极不平衡的区域性社会经济发展以及多元文化价值取向、伦理道德问题、文化生态危机等一系列严峻挑战，中国基础教育的改革与发展进入一个十分关键的时期，正是社会转型凸显了中国学校教育创新发展的主题。

教育创新是学校教育发展的根本动力。学校需要变革，学校必须变革，变革的目的在于坚持“以人为本”的科学发展观，办好让人民满意的学校。学校教育创新研究的重要意义在于以下三个方面。

（一）为构建优质高效的学校办学模式提供一种理论分析框架

学校教育创新研究旨在对中国学校教育创新发展进程中的若干重要问题作出理性的思考和科学的回答，探索适应社会发展和人的自身发展需要的、优质高效的学校教育发展模式与育人模式。通过教育学、心理学工作者的跨学科研究，跨校际的教育工作者协同研究，以及理论与实践工作者的合作研究，为有中国特色的基础教育改革和发展提供思路，为构建优质高效的学校教育提供一种理论准备和分析框架，为促进青少年儿童全面发展提供一种新的教育方式，为教育行政部门和教育机构的相关决策与措施的制定提供科学依据。因此，这一研究成果是中华民族的，也是世界的；既有本土性，又有国际的普遍意义。

（二）通过典型个案研究，呈现我国当前具有特色的和有代表性的学校教育创新发展实践模式、评价指标、推进机制及成功经验

系列论丛的内容强调以下三点。

一是以学校教育改革与发展为中心线索，阐明项目学校从学校教育价值观念的重新定位到学校教育体系的全面更新，从改造教育过程到改

变教育教学各个环节中的方法与手段，从全方位地营造育人环境到创造性地开拓各种教育教学模式，从而提升学校整体的综合实力，形成学校教育创新的思路和特色的历程。

二是尝试揭示学校教育创新主体的培育与生成过程。论丛力图在深层次上揭示创新主体如何建构一种创新的观念、思想与目标，从而进一步生成具体的办学行为的复杂过程。

三是表明学校创新发展是基于学校自身条件的特殊性，展现我国中小学校现代发展的多样化发展形态，同时也展现我国中小学校长追求持续发展和创建一流教育的特色与智慧。

（三）通过解读，将学校办学理念与行为提升到自觉和自为层面，进一步促进学校教育创新的实践探索

通过对不同学校教育创新力形成与发展过程的审视，有效促进科学的质量意识、特色意识的确立，提升对学校办学特色和学校潜在的创新能力的认识。

当然还应看到，项目研究成为高师院校集教育科研、人才培养、为基础教育改革提供咨询服务三种职能于一体的重要平台，从而对参与研究的高等院校在凝练学术方向、汇聚学术队伍、开展高水平学术交流等方面同样发挥重要作用。

通过研究，我们认识到，尽管学校发展存在差异，但有一点是共同的。那就是随着国家教育体制改革的推进，学校作为办学主体，面临前所未有的生存和发展的压力。实质是，变革的时代要求学校通过变革进行根本性的转型。我国的中小学校，正是顺应时代发展的潮流，不失时机地抓住发展机遇，凭借校长的胆识和战略思想，挖掘学校的优势和潜力，形成应对变革的自我更新机制，提升学校整体的综合实力，从而走出竞争中的劣势处境，构筑起了学校新的竞争优势。创新已成为学校发展的内在生命力。

论丛的撰写是一个大工程，不仅推动了学校对自我办学理念、举措的反思，而且为项目研究在理论的概括提升上提供了丰富厚实的思想资源。研究具有开拓意义，而且是原创性的，是项目研究重要的标志性

成果。

二、项目研究的共识与思考

作为一项国家级的高端科研项目，论丛从实践研究层面反映了研究成果的创新性及实践效益，我们概括为以下几个主要方面。

（一）回应了我国社会转型时期政治、经济、文化变革关于教育的现实诉求

一个具有强大生命力的思想和理论的孕育形成与发展，关键在于它对所处时代改革中重大的理论和实践问题的回答。始于20世纪末的中国社会转型，将现代化、市场化、社会主义改革三重重大的社会变革浓缩在同一时空，构成了一场极特殊复杂又波澜壮阔的社会变迁。正如有的学者所指出的，社会变迁的核心在于人的生存方式的变化。

正是当前中国社会的现代转型，从根本上决定了中国基础教育学校创新发展的主题，而回应中国社会的现代化发展与基础教育改革提出的新矛盾、新问题，在很大程度上又进一步决定了中国学校教育创新发展过程中关注和研究的问题。

现代教育的本质在于解决人自身的发展与价值问题，是人的发展的潜在可能的现实实现，而不是把人作为社会的被动客体来塑造。人的个体与群体的发展是现代教育的出发点和归宿，是使学校实现跨越式超常发展的生命力，是激发教育工作者潜在创造力的原动力。将这一主题置于中国社会的特殊语境中，置于中国基础教育现代化发展的历史进程中，置于多元文化的多种价值选择并存的环境中，从而形成了目前研究的论域（范畴）和主线。这就是在学校教育中，关注学生的文化生存环境和活动方式，关注学生的生存状况和生命价值，尊重学生的主体地位和主体人格，培养学生自主性、主动性和创造性，使他们在掌握人类优秀文化基础上学会学习、学会创造。这一价值目标定位，从根本上反映了学校教育创新发展研究主题从工具理性到价值理性的转化。

学校教育的创新发展，不仅是对工具化的教育追求、人的发展目标偏离、主体缺位的反动，而且是对迷茫的教育理论、观念的价值澄清。正是敏锐地抓住了时代的挑战，回应了时代发展的需求，才形成了学校

现代发展的视阈，导致学校教育进行结构性调整而实现了功能、形态上的根本性转变。

（二）形成我国学校教育创新的基本理论分析框架

1. 学校教育创新是学校教育主体，通过新的创意、新的构想、新的思维和行为方式、新的教育技术和手段，对原有不合理的理论观点、思想方法、技术手段进行突破和超越，在学校变革与发展中更有效地实现教育目的的一种创造性活动。这一定义强调通过创新性活动，构建有变革创新能力的学校教育，从而突破种种阻碍学校改革与发展的限制，使学校实现根本性的变革。

2. 学校教育创新的基本内涵是以科学发展观为核心的现代教育理念，是一种勇于变革的实践活动，是一种先进的学校文化，是一种在不断回答每一时代提出的重大问题的过程中获得发展的内在生命力。创新是一个过程，创新的实质在于变革、超越和发展。

3. 学校教育创新的目标是促进高素质人才的培育成长和学校的现代发展。(1) 培养学生的自主性、主动性和创造性，使他们具有正确人生观、价值观，基础扎实，有创新精神、独立思考和实践能力，从而最大限度地实现每个人的个性与才能的发展。(2) 形成锐意改革、张扬个性、鼓励探索、宽容失误的有特色的学校教育创新文化。(3) 创建具有生成性的学校生态制度与管理系统。(4) 营造内外部良好育人环境。(5) 塑造具有“生成”意识、“理论”气质、“变革”能力的校长。

（三）初步构建学校教育创新力评价指标

学校教育创新力评价指标，旨在用统计体系构建学校教育创新的内涵与本质。通过研究，我们初步构建了由四个要素组成的学校教育创新力评价指标体系：办学理念、办学目标组成的价值目标系统；课程开发、课堂教学、班级建设组成的育人模式系统；人事制度、组织管理制度组成的制度与管理系统；战略性谋划能力、领导者品格组成的校长领导力。通过四个子系统以及系统的优化组合，学校不断调整内部结构，扩大自组织的功能，成为一个自我更新、自我发展的有机体，成为一个具有强适应能力的教育生态系统，以期达到提高质量、增长效益、有序运行的效果。

（四）形成学校育人模式创新的基本思路和举措

立足于读懂变革性实践，我们将“优质高效的学校教育发展模式及育人模式”作为探讨的重要内容。汇集众多学校的实践探索，形成的基本思路是：依据学校的培养目标及办学方略，重点在育人模式的创新。

1. 学校课程系统的创新

取得的主要突破如下。

第一，以人为本的课程目标的创新以及课程功能的创新。

基础教育的课程功能，由普及功能与选拔（筛选）功能、个体功能与社会功能、适应功能与超越功能之间的矛盾关系所构成。然而应试教育在将“课程考试化”的同时，也造成基础教育课程功能关系的错位、扭曲和失谐。学校课程开发首先要正确处理不同功能之间的矛盾，课程的设置应关注学生学习能力、实践能力和创新能力的培养，并坚持能力培养的层次性。

第二，课程领导力的提升以及基础教育课程结构与形式的变革。

课程领导力指学校按照一定的办学定位、培养目标进行课程开发建设，全面提升学校教育质量的能力。课程领导力的内涵，指校长领导教师团队创造性地实施国家课程计划的能力，合理开发和整合教育资源建设校本课程的能力，组织学校课程实践的决策、引领和调控能力。

针对以学科课程为主课程形态的弊端，我们探索新的课程结构体系的构建，使分科课程与综合课程、必修课程与选修课程、普通教育课程与职业技术教育课程相结合，并设置旨在指导学生进行专题研究性学习的综合实践课程、地方自主选择的课程，体现灵活性、多样性和选择性，从而为不同地区、不同学校以及学生发展提供更大的选择余地。

学校课程结构与形式的变革，大致呈现为以学生素养发展目标为依据，按照课程功能和学习领域知识的重新整合来构建学校课程结构，以及基于学校办学特色的体现对国家规定的课程进行重组和改造几种不同的思路，展现了中国课程存在形态的丰富多样性。

课程建设的创新，还表现在面向社会、生活实践的课程内容的创新以及校本课程开发中的创新。

2. 学校教学系统的创新

学校教学创新发展研究聚焦于从多视角讨论学科教学本质，学生的学习与创造性思维的培养，发展性教学策略，教学内容改革，课堂教学质量观与有效教学的水平评估，教师专业化发展等问题，并形成了若干有创意的认识。

第一，确立现代教学观，关注学生的文化生存环境和活动方式，实现学生的发展。

第二，学生的学习具有选择性、研究性、体验性和反思性，教学设计应体现学生学习的内在机制及学习特点。

第三，教学内容的选择与设计，重在理解和掌握知识，加强学科知识的整合，面向生活实际，体现教学的实践性以及文化性。

第四，通过教与学的行为分析，实施以主体参与、合作学习、差异发展、体验成功为内涵的发展性教学策略。

第五，确立体现学生发展的课堂教学质量观，进行有效教学的水平评估，促进教与学方式变革，使学生会学习、会创造。

第六，揭示现代课堂教学的基本特色，形成教学的不同流派与风格。教师应有发展意识、反思意识、效率意识、特色意识。教学系统要创新就要读懂教师，要培养一批学科带头人并形成教学风格与特色。

3. 学校德育系统的创新

主要包括以下几点。

第一，对德育功能的重新理解。

以“人在社会中生活”为主线，揭示德育的正义功能、意义功能与幸福功能。旨在培养具有独立人格、民主意识、人权理念和公共责任的公民基本特质。对意义的追寻，构成了人之独特的存在方式。通过人性化、个性化和创造性，使人的自由本性得以充分展呈。

第二，构建了“经验—体悟”定向的德育创新体系。

强调通过经验和体悟过程来培养受教育者的价值取向体系，并通过行为实践经验及内在的自我调整和重构的体悟过程，形成稳定的行为驱动体系，并在此基础上逐步养成稳定的行为习惯，形成固化为内在的自觉价值取向体系和外在的习惯化行为方式的稳定品德特点。

第三，在分析当今中国德育实践及其根本性挑战基础上，形成学校德育创新的几个基本命题：

(1) 批判德育中的工具论立场，确立“人是目的”的核心理念；

(2) 道德教育的逻辑起点、核心是价值取向与行为习惯；

(3) 通过对道德教育内容与形式加以审美化改造，实现“价值引导”与“道德主体的自主建构”的统一；

(4) 德育实践需要创造性地拓展有促进意义的资源，引导学生积累经验与重构性体悟（体验）。

项目研究实现了15所高校的跨校际、10个专业方向的跨学科整合，以及高校理论工作者、地方教育行政领导干部、中小学实践工作者多方研究力量的整合，组成优势互补的科研群体协作攻关①，从而使研究体现原创性、过程性和整合性。

三、论丛撰写的特色

论丛从历史、现实和未来三个视角把握总体，每一部专著内容框架由三部分组成。第一部分是学校发展历史及传承文化传统的审视，第二部分是全书主体，以学校教育创新力指标为依据，对学校办学的目标与价值系统、育人模式系统、制度与管理系统以及校长领导力几个方面的改革创新进行全面系统总结，第三部分是学校未来发展的设想。

每部专著的撰写前后历时2—3年，是一个再研究再思考的过程。我们深感每所学校、每位校长本身就是一个故事，而每部专著的问世也

---

① 15所高等师范院校分别为北京师范大学、西北师范大学、哈尔滨师范大学、南京师范大学、华中师范大学、河南大学、东北师范大学、天津师范大学、广西师范大学、首都师范大学、山东师范大学、四川师范大学、上海师范大学、浙江师范大学、江西师范大学鹰潭分院；3所科研机构分别为中央教育科学研究所、天津教育科学研究院、四川省教育科学研究所；7个区域性教育行政部门分别为北京市海淀区、湖北武汉市武昌区、四川成都市、河北石家庄市桥东区、深圳市南山区、甘肃省兰州市、四川阿坝藏族羌族自治州理县的教育行政部门；参加项目研究的中小学共有95所。

是一个故事。要保证著述的质量，关键在于如何对每所学校多年积淀的丰富鲜活的实践研究成果进行筛选、整理与提升，而不仅是对事实材料的罗列。

反思论丛撰写的全过程，在以下几方面呈现出其独特性。

1. 起点高位。立论于“中国具有进行原创性研究的优势，这种优势潜力的挖掘，主要在于充分调动深厚的本土资源、经验和智慧”这一论断，立论于学校的现代发展实质是变革性实践的判断，所以采用从变革实践的经验中提升的研究范式，定位于读懂学校、读懂校长、读懂变革性实践。

2. 立足研究。每本书的问世，是一系列的选择、提炼、重组、建构的过程。经过多次研讨碰撞，几上几下的反复修改，凝结的是每所学校对变革性实践的基本认识，同时也渗透了热情参与和关注基础教育改革发展的有识之士的心血，它是用“心”写出来的。

3. 理性思考。遵循“问题—思路—举措”这一叙事逻辑，尽可能处理好反思与建构、理论的概括提炼与实际问题的阐述解释、继承与超越、共性与个性的关系，认真搜索和挖掘创新点，在这个过程中不断提升研究意识和研究能力。

4. 个性特色。教育研究需要宽容、尊重和理解。二十余所学校有不同的身份和角色，每位校长也有不同的成长背景和工作风格，正是每个独特的“我”带来了丰富和生动，而在每个个别中展现的是学校锐意改革、开拓创新的可贵精神，因为高尚的心灵都是相通的。

本论丛是教育部哲学社会科学重大攻关项目的研究成果，我们在此谨对教育部社科司批准立项，对社科司杨光司长、张东刚副司长，基础教育司王定华副司长，以及社科司的同志们给予本项目研究的关怀和指导表示衷心感谢。以德高望重的顾明远教授为首的项目指导专家组——谈松华、郭振有、卓晴君、张民生、文喆、谢维和、朱小蔓、周满生、吕达、曹志祥、杨银付等专家，他们四年来对项目研究发表了富有启发性的重要见解并对项目研究寄予了殷切的期盼，他们的很多重要思想和观点对项目研究产生深远影响，我们将铭记在心。

论丛出版之际，我们还要特别感谢教育科学出版社，感谢李东总编辑以及教育科学出版社的所有编辑出版人员。教育科学出版社热心奖掖学术与创新，他们不仅为论丛的出版付出了辛劳，更难能可贵的是对论丛出版予以无偿支持，从而使我们的成果远离了“文化包装”之嫌而保持了学术研究的纯洁，他们的支持和鼓励是我们做好这一论丛的重要动力。

对中国基础教育学校创新发展这一具有战略性、全局性问题的探讨和研究还刚刚起步。《国家中长期教育改革和发展规划纲要（2010—2020年）》（以下简称《教育规划纲要》）描绘了未来10年我国教育改革发展的宏伟蓝图，特别强调“改革创新是教育事业发展的强大动力”。我们将遵循《教育规划纲要》的指示精神，继续不懈地探索，以求在学校教育创新问题上不断取得新的认识。我们深知，在中国基础教育改革的大潮中我们是“之一”而不是唯一，若干重要的理论与实践问题还需要进一步的展开、充实、挖掘和进行深层次的理性思考。我们坚信，在这条教育改革创新之路上，我们会越走越踏实。

目　录
CONTENTS

导 论

教育是什么？这个问题常常在我脑海里萦绕。从事教育工作二十多年，我对教育始终有一种敬畏感，因为教育者每一天的工作看似平常，却可能对孩子的一生产生不可磨灭的影响。从事教育工作，就要有一份良知与责任，既要对孩子一生的发展负责，又要时刻关注国家和民族的未来。

学校是什么？当我真正进入学校决策与管理层面时，我的思考有了更多的理性。面对激烈的升学竞争，一所学校很难沉静下来找寻学校发展的正确方向。可是，在我的心目中，学校不应当是学生的升学竞技场，而应是学生健康成长和发展的地方。只有除却了功利主义的追求，使学校远离尘世的浮躁，将学生的发展深深植根于学校的每一个角落，才能让学校真正成为学生的“发展场”。

我所理解的青岛二中就是这样一所学校，她尊崇教育理想，不断超越自我，追求卓越。尽管她生长在各种社会舆论的包围中，几乎没有呼吸的自由，但她始终坚守着教育的信念，并在这一片绿色的校园里坚韧不拔地进行着创造生命附加值的实验。

一

诞生于1925年的青岛二中，并没有显赫的办学源渊，只不过是从一个小学的母体中脱胎而来，可以说是基于自然的生长。其前身是青岛公立女子两级小学初中部，可以说是女性获得受教育权利的见证。这似乎在冥冥之中预示了青岛二中未来的发展特色：既遵循自然法则，又敢于突破。正是以尊重教育规律为基础，以创新与变革为动力，青岛二中形成了自己的特色，获得了社会各界的认可。

社会的演变从来不可能是按部就班的，但学校必须始终按照育人的规律探索教育的真谛。

青岛二中作为女校诞生，其意义不仅仅在于给予女性受教育的权利，还在于突破了传统封建桎梏对女性权利的严重束缚，体现了更高品质的教育追求。这种源头上的突破与超越或许正是奠定青岛二中今后发展的精神基础。从1925年至1930年，短短5年的时间，学校就实现了从初中到高中的招生，从女子初中部到市立女子中学的蜕变。探查学校蜕变的原因，除了社会的需要，还有学校在初创之时就兼容中西文化影响的渊源。青岛二中既重视传统教育，又接纳西方现代教育思想（从课程设置即可看出），这种传统与现代的融合，形成了学校独有的办学特色，从“勤、朴、庄、敬”的校风校训就可以看出她所拥有的深厚的文化底蕴。20世纪30年代，一大批知名学者来到青岛二中任教，他们当中有著名的文学家和教育家吴伯箫、音乐家王云阶（中国音乐家协会原主席）、教育家刘皑风（原教育部副部长）、老舍夫人胡絜青女士，还有陈翔鹤（现代作家）等。在这些教育名家的思想影响下，女中学风浓厚，开始了一段辉煌的发展时期。这一时期学校的课程设置，即使用今天的眼光来看也是极富时代感的，不仅有大量的基础课程，还有许多艺体类、活动类课程，为学生的全面发展提供了保障。

任何时代的教育，如果能把学生培养成具有国家和民族责任感的公民，那么这种教育就是至高境界的。在新中国成立以前那段艰苦的岁月里，女中学生除了具有良好的知识修养和综合素质，还在进步思想影响下积极加入中国共产党，开展反对黑暗统治的斗争。这是时代赋予女中学子的光荣使命与责任，女中学子与祖国同呼吸、共命运，不仅锻炼了自身坚韧的品质，还形成了女中敢为人先、开拓进取的精神与气度。

1953年，对于青岛二中来说，是具有里程碑意义的一年。那是在张子石担任青岛二中校长一年后，经过山东省教育厅严格的考察和评估，青岛二中被确定为省重点中学。是什么成就了青岛二中？2009年7月初，借受邀参加北京大学毕业典礼的机会，我去北京拜访了已是91岁高龄的张子石校长。老人除了眼睛看东西有些模糊，身体很好且头脑特别清楚。老校长谈起当年在青岛二中的工作时兴致特别高。他说：当年到青岛二中任校长后他只是做了一些今天看来并没有什么特别的事情，就是重视教学工作，发挥骨干教师的积极性。张子石校长的话语是谦虚的，因为只是一年的时间，只是“做了一些今天看来并没有什么特别的事情”，青岛二中的面貌就发生了很大的变化，青岛二中也成为当时青岛市唯一的山东省重点中学。其中的奥妙值得我们深思。正是这现在看来并不特别的办学实践，奠定了青岛二中今天发展的基础。

二

青岛二中人办学的优秀文化传统，一直在延续着并成就着这所学校。“文革”后，青岛二中很快从十年浩劫的阴影中挣脱出来，教育教学秩序和质量得以迅速恢复，从而很快确立了这所学校在青岛市乃至山东省的领先地位。只要时代能创造机会，青岛二中就能够把握机遇，勇立潮头。1999年，为了更好地适应教育发展的要求，青岛市政府将青岛二中从“伴着波涛听课”的美丽的回澜阁之濒，东迁至“海上仙境”的崂山脚下，开山东省高中新校建设之先河，青岛二中引领了高中的规模发展，再次成为世人瞩目的学校。

学校硬件设施发生的变化是巨大的。2000年7月24日，时任教育部长陈至立到学校视察时称赞说：学校的硬件条件是一流的。我对陈部长说：青岛二中的软件建设也应当成为一流。是的，正如梅贻琦先生所说：“大学非大楼，乃大师也。”学校的硬件靠资金可以解决，而软件却不是钱所能买到的。在素质教育的引领下，理念创新、制度创新、方式方法创新……一系列适应时代要求的变革，使青岛二中突破了传统教育价值观的束缚，不断在超越自我的道路上追求教育的理想，创造着许多教育的奇迹。2004 年高中新课程改革的实验，更是让青岛二中获得了千载难逢的机遇。课堂教学、课程建设、队伍打造、综合评价……一系列全面的实践探索，使新课程改革在青岛二中这片土地上扎根、开花、结果。青岛二中又一次抓住了历史所创造的良机，在人才培养模式的探索中走出了自己独特的发展道路。实践再次证明，青岛二中追求卓越、领先一步、勇于探索、敢为人先的传统，已经成为其发展的灵魂。

一所学校能够生生不息、枝繁叶茂的根本原因，是她的灵魂、她的精神、她的品格。青岛二中沧海桑田、起伏跌宕，却能够经久不衰、与时俱进，是什么在支持着她？时间与空间的转换，改变的是她的“容颜”，却没有改变她心中永恒的信念，是什么在支持着她？青岛二中从海之滨迁至山之脚，这种转换不正体现了青岛二中的品格和精神追求吗？青岛二中作为有着八十多年历史的名校，立于山海之间，经历史淬炼，其文化积淀铸成学校发展的源动力。海的浸润与山的意蕴，成就了这样一种文化——“山海文化”，一种以“仁智”为核心、以“仁爱宽厚、灵动智慧”为基本价值取向的文化。孔子云：“智者乐水，仁者乐山。智者动，仁者静。”山与海、仁与智，“仁爱天下、智行千里”，正是青岛二中人永恒的追求。“山海文化”以“仁智”丰富学校的教育内涵，以“仁智”提升师生的人格魅力。传承“山海文化”，塑造“仁智”品格，让青岛二中多了一份自然与人文的和谐统一。青岛二中的校歌唱道：崂山巍巍，黄海涛涛，琴岛相伴我们那可爱的学校。山与海的交融，成就了青岛二中海纳百川的胸怀、灵动智慧的品格、雄阔壮丽的气魄、卓然超群的风骨，这就是青岛二中与众不同的品质。

三

2006 年，青岛二中参加了北京师范大学裴娣娜教授主持的教育部哲学社会科学研究重大课题攻关项目“我国学校教育创新研究”，具体承担“高级中学办学模式及教育评价系统创新研究”子课题的研究，这给了青岛二中一个很好的总结学校办学经验、提炼学校办学思想的机会。作为参与研究的成员学校，青岛二中这些年来认真规划、积极探索，做了大量的研究工作，取得了较好的效果。这使得青岛二中能够在更高的层次上审视自己的办学追求和价值取向，为今后的发展奠定思想基础。

在接受了课题研究的任务后，学校成立了以孙先亮、王祖荣、项骏、辛磊、王忠政、王剑、李晓轮、杨庆忠、矫蕾、严贤付、法少鹏、张媛媛、韩潇为主体的课题研究组，并就课题内容进行了如下分工。

课题1. 具有学校育人特色的学生素质构成研究（负责人：王忠政、杨庆忠）

课题2. 研究性学习有效开展的班级组织形式（负责人：王剑）

课题3. 面试在学生学科学业评价中的具体应用研究（负责人：项骏）

课题4. 课堂教学中提升学生思维品质的途径、方法与评价模式研究（负责人：李晓轮）

课题5. 社区服务与社会实践的方式创新（负责人：辛磊）

课题6. 学校课程对学生素质发展支撑作用的研究（负责人：张媛媛）

课题7. 学生发展性评价信息管理系统开发研究（负责人：矫蕾）

课题8. 学生持续发展能力的追踪调研（负责人：王祖荣）

课题9. 学生科技创新活动的有效开展（负责人：王忠政、韩潇）

课题10. “家长学校”到“学校共同体”初步研究（负责人：法少鹏）

课题11. 学生自主发展模式的建构研究（负责人：杨庆忠）

课题12. 学生的课堂表现力考察与思维品质的培养研究（负责人：严贤付）

2007年夏天，青岛二中承办了课题研究的第一次工作会议，全国二十多所成员学校在会上交流了各自课题研究的开题报告。在这次会议上，青岛二中介绍了所承担的子课题“高级中学办学模式及教育评价系统创新研究”的开题报告和研究的基本思路。在以后的研究过程中，青岛二中多次参加全国的课题研究会议，得到了裴娣娜教授等许多知名专家的指导与支持。

此后，青岛二中各课题组按照课题研究确定的相关方向开展研究，同时聘请学校的兼职研究员参与课题的研究。学校定期召开课题研究的工作会议，加强对研究过程的监控，确保研究工作顺利开展。各课题组的负责人带领相关人员开展了积极而又卓有成效的研究，例如：王剑负责“研究性学习有效开展的班级组织形式”研究，为此她带领相关人员深入班级开展调研，参与研究性学习指导的全过程，掌握了第一手资料；王祖荣负责“学生持续发展能力的追踪调研”，她带领青岛大学的研究生到浙江大学进行调研，通过座谈、问卷等方式了解学生在大学的表现，为课题研究提供了宝贵的资料。

在本书成稿前，裴娣娜教授亲自带领浙江师范大学张天雪教授和北京师范大学杨明全博士参与本书写作提纲的讨论，对本书的成稿给予了大力支持。北京师范大学的博士和硕士研究生温小军、史铭之、陈明怀、丁永霞、尹兆军、颜培培、叶阳永参与了讨论，贡献了自己的智慧。

在本书成稿和修改过程中，李建新、杨冠夏、于坤、韩潇、项骏、娇蕾、法少鹏、邹欣、李晓轮、严贤付、王新宇、杨庆忠、杨可、曾莉、王祖荣、赵春雨、孙萍、李庆富、闫洪全、王剑、洪兴华、丁磊等同志付出了辛勤的劳动，在此深表感谢。

一代又一代的青岛二中人感动于教育的永恒魅力，坚持不懈地探求教育本质，追寻教育理想。今天，我们将继续沿着既定的方向执著向前……

孙先亮

第一章 历史赋予青岛二中的责任

1925年10月，青岛在公立女子两级小学（现青岛江苏路小学）内附设了一个女子中学班。这，就是青岛二中的雏形。时光荏苒，时代变迁，历经85载风雨，今天的青岛二中，已成为具有全国知名度的示范高中，正在素质教育的道路上孜孜以求地探索，不断寻求着自我超越。"领先一步，追求卓越"成为新时期青岛二中人共同的理念与追求。

回顾历史，我们从中感受到青岛二中的发展始终在随历史的脉搏而动，承继着历史赋予的责任。

一、以民族教育为己任，深植立校之根（1925—1949）

（一）历史的选择

青岛的发展历史有其独特性。她是伴随着帝国主义入侵，在19世纪末建立起来的海滨城市，所以她的骨子里浸染着欧陆风习。尽管青岛是偏离农耕中心的沿海之地，它却是我国较早兴办西式学校教育的地区。这最早可追溯到19世纪末20世纪初，德国殖民者为了子女的教育问题在青岛相继建立了几所教会学校。据《胶澳志》载："胶澳教育在未辟租界以前，科举未废，学校未兴，关于文化事业，殊少概见。"①

随着时代的发展，1919年五四新文化运动席卷全国，虽然这场运动主要是为了爱国救亡，但风气所及，民主平等的思想使社会对妇女的地位有了一定程度的认同，妇女自身的思想也开始解放。受这种历史大环境的影响，青岛的女子教育具备了客观的历史条件。

1925年10月，青岛在公立女子两级小学内附设了一个女子中学班，录取学生25人。这是当时青岛除教会学校之外唯一的一所公办女中。女子中学班的设立，意义很大，就社会而言，说明社会开始关注妇女教育问题，关注妇女精神与文化需求。就青岛二中的发展而言，女子

---

① 参见《胶澳志·教育志》卷七。

中学班的建立奠定了青岛二中今后发展的精神基础，即注重学生受教育权利的平等，注重遵循学生成长的天性，这也注定了青岛二中的发展将以其独特之处迥异于其他学校。

随着近代教育的发展，国民对女子受教育的认同程度的提高，女子中学班的报考人数也逐年增加。1927 年，女子中学班迁出原址，成立女子中学，校名为“胶澳商埠公立女子中学”。1929 年又迁校址，更名为“青岛特别市市立女子初级中学”。1930 年，学校决定增设高级班，校址迁至莱阳路 26 号（现太平路 2 号）。

1937 年“七七事变”以后，青岛市各级学校全部停办。女中在莱阳路的校舍为日军占用，被迫迁至朝城路小学内，并改名为“青岛治安委员会会立女子中学校”。抗战胜利后，学校于 1946 年 11 月迁回太平路 2 号。

1949 年 6 月 2 日青岛解放，军管会接管小组接管学校。女中与崂山中学合并，从此初中部开始有男生，学校更名为“青岛市立第二中学”。

短短 24 年间，学校八易其名，五迁校址。但是，从学校各个时期的发展来看，每一次变迁都深深地打上了时代的烙印，形成了青岛二中独有的校风和独特的文化。

（二）传统与现代教育融合，形成独有的办学特色

青岛二中的前身是一所由女性创办的女学，第一任校长是连索兰卿女士。女中的建立，由于受到外国教会学校的影响，在办学之初就接受了西方现代教育思想。在教育教学中，既重视传统教育，又认同新式教育，提出“培养女子应有之道德智识技能”，希望把学生培养成像欧洲各阶层淑女式妇人那样的女性。传统教育与现代教育相融，形成了女中独有的办学特色。

首先，女中在课程设置上作了大胆的尝试：一方面，注重传统文化学习。在国文中把“孔孟学说”列为必修科目，选取了《孔子哲学研究》（杨大膺编，中华书局出版）和《孟子大旨》（胡玉环编，正中书

局出版）作为教材，并规定高中高一年级每周专抽一小时加授孔孟学说，其他各年级也要酌量选习。另一方面，加强西方教育课程学习。把公民、体育、卫生、军训、英语、算学、生物学、化学、地理、中外历史、中外地理、伦理、图画、音乐等列为必修课。学校鼓励学生接受西方现代文明教育，开放、自主，同时要求女中学子秉承中国的传统，继承本民族的传统文化。应该说，女中自成立伊始，便以其独特的、大胆的课程设置给人以耳目一新之感。

青岛地区风景如画，气候宜人，在20世纪30年代，一大批知名学者来到青岛，这其中很多人先后在女中任教，他们当中有著名的文学家和教育家吴伯箫、音乐家王云阶（中国音乐家协会原主席）、教育家刘皑风（教育部原副部长）、老舍夫人胡絜青女士以及现代作家陈翔鹤等。在这些教育名家的影响下，女中学风浓厚，开始了一段辉煌的发展历程。

这个时期的女中，把“勤、朴、庄、敬”作为校风校训，要求学子在学习上勤奋、严谨，在做人处事上朴素、朴实，在仪容仪态上端庄、庄重，在教育教学上尊师敬教，充分彰显了女中独有的校园文化和办学特色，为以后的发展积淀了深厚的文化底蕴。

正是这种开放、大气、尊重个性与自主发展，同时又不失传统文化教育的教风与学风，使女中营造了适合学生全面而自主发展的良好氛围，培养出了一大批卓越的人才。这其中，第一届高中毕业生尹左芬①就是女中学子的代表。尹左芬1933年毕业于女中，她素质全面，尤其擅长体育，多次为女中赢得各类运动会奖章，并成为青岛市女子体育代表队成员。

---

① 尹左芬毕业后就读于山东大学生物系，大学毕业后任山东大学水产系讲师、副教授，山东海洋学院水产系教授、系主任。她以动物学研究、海洋无脊椎动物形态及分类研究而知名，所编著《无脊椎动物学》一书，一直是全国高等水产院校的基础教材。尹左芬对纽虫研究造诣很深，所发表的《纵沟纽虫科·枝吻纽虫属的一新种——湛江枝吻纽虫的研究》《异纽目·纵沟纽虫科一种属新种——中华枝吻纽虫》等论文，填补了我国纽形动物研究的空白，为世界海洋学界所瞩目。她把毕生心血贡献给了我国的水产事业，是我国水产教育事业的先驱之一。

二、认真贯彻教育方针，促进学生全面发展（1950—1976）

1949 年 10 月 1 日，中华人民共和国成立。新中国的成立，标志着新时代的开始，中国的教育也从此掀开了一个新的历史篇章。当时的青岛，有很多久负盛名的教会学校，但公办学校除了男中（一中）和女中（二中）外并不多。为了加强公办学校的力量，青岛市人民政府决定将崂山中学及临时中学一起并入女中，初中部男女合校，成立青岛市立第二中学。1950 年，山东省为了更快更好地发展基础教育，选择了一批学校作为省重点建设学校，青岛市立第二中学以其自身的发展规模、较强的师资力量和厚重的文化底蕴被选中，并正式更名为“山东省青岛第二中学”。

为什么会选择青岛二中？要知道在当时的青岛，历史比较悠久且享有盛誉的学校可不止青岛二中一所。礼贤中学（现青岛 9 中）、崇德中学（现青岛 11 中）、圣功中学（现青岛 7 中）等在当时都是鼎鼎有名的学校，并且每所学校师资力量也都很雄厚。总结起来，当时的青岛二中能够入选省重点建设学校，主要得益于以下两方面办学经验。

（一）理论与实践相结合，培养全面发展的新人

1949 年 9 月中国人民政治协商会议第一次全体会议通过的《中国人民政治协商会议共同纲领》第五章“文化教育政策”规定：“中华人民共和国的文化教育为新民主主义的，即民族的、科学的、大众的文化教育。人民政府的文化教育工作，应以提高人民文化水平，培养国家建设人才，肃清封建的、买办的、法西斯主义的思想，发展为人民服务的思想为主要任务。”同时提出，“对旧教育采取‘坚决改造，逐步实现’的方针；建设新教育要以老解放区新教育经验为基础，吸收旧教育某些有用的经验，借助苏联教育经验”。1951 年 3 月，第一次全国中等教育会议提出：“普通中学的宗旨和培养目标是使青年一代在智育、德育、

体育、美育各方面获得全面发展，使之成为新民主主义社会自觉的积极的成员。”

由此，“德、智、体、美”成为我国教育方针的主要内容。1952 年青岛二中在此基础上提出了自身发展的目标——“以总结路线为动力，改进学校工作，提高教学质量，培养学生成为积极参加社会主义建设和保卫祖国的全面发展的新人”，以“培养全面发展的新人”为学校人才培养的指南。同时指出，对德、智、体尤其应予重视。要坚持以教学为中心，“三育”一起抓。为此，大家统一思想，开始着手打造有利于学校发展的内部和外部环境，构建优秀的师资队伍，吸引优秀生源，在教育质量取得显著成效的同时，将精力投入到“培养全面发展的新人”这一目标上。

由于我国当时特殊的历史背景，青岛二中在寻求发展方向的时候，将目光投向了先进的苏联，并以苏联先进教育理论为突破口，进行教育改革，即在抓好教学质量的同时，坚持德、智、体、美、综合技术教育五育并举，因材施教。

在德育实施过程中，学校加强对学生的教育与管理，制定了《中学生守则》，以此作为对学生进行品德和纪律教育的准则。不仅如此，青岛二中教师始终要求学生把目光放在高处，着眼于未来，让学生从小就树立远大的志向，懂得把自己的命运与祖国的命运联系起来，把祖国的需要作为自己的理想和选择，将来脚踏实地为祖国和人民作贡献。

在智育实施过程中，教师们在摸索中进行改革，开始注意理论与实践的结合。例如：语文课运用了自学与辅导的方法，并注意联系学生思想实际；历史、地理、政治常识等课适当地进行了小组讨论，注意解决学生的思想问题；物理、化学课联系了一些日常生活现象，以引起学生的学习兴趣。青岛二中不仅把课堂作为施教的重点，启发学生独立思考，努力学习科学文化知识，还把智育拓展到课外，积极发展课外研究小组，形成第二课堂。

一些理论问题在课堂上解决不了，学校就让教师指导学生自己动手去做，并配备懂专业知识的教师来担任辅导员。譬如，当时北京师范大学生物系毕业的张玉茹老师担任生物组教研组长，为了让学生真正了解生物知识，她带领学生学播种，栽种苗圃，养小鸡，让学生观察种子发芽和小鸡孵化的过程。这样，一些书本上的知识通过实践，让学生得以真正学懂吃透。

为了让学生弄懂发动机的工作原理，当时的语文教师瞿超南把自己的旧摩托车贡献给学校，物理组的实验辅导教师刘童骥（曾就读于山东大学物理系）把发动机拆下来指导物理小组做实验，通过对发动机的拆装，让学生亲眼观摩发动机的内部构造，明确发动机气缸运动原理。

在课外活动方面，学校大量组织发展课外研究小组，据统计当时共有 19 种 34 个小组，如无线电、航模、化学、物理、数学、生物、摄影、美术、音乐、舞蹈、体育、汽车等研究小组。几乎每个学科都有 1—2 个小组，形成了课后班班有活动，人人都参与的局面。学生根据自己的兴趣能力选择不同的科研小组，极大地激发了学生们的学习兴趣，提高了学生们的观察能力和动手能力。譬如，无线电研究小组的同学制造了一些教具，还成功地制作了矿石收音机 4 台，再生式交流三极管收音机 1 台。他们举办了“无形波浪晚会”，向同学们介绍无线电发明史、无线电发明家波波夫的生平和无线电在国家社会主义现代化建设中的作用，还演示了无线电发报机的实际操作。这些活动让学生开拓了眼界，培养了技能，发展了兴趣，对当时和以后的学习起到了良好的促进作用，很多研究方向甚至成为学生终身的志向，有的学生正是因为研究小组的活动，产生了对学科知识的追求。高歌，因参加航空模型小组有了献身航空事业的兴趣和决心，考大学时放弃了考清华大学的想法，而改考北京航空航天大学，成为我国航空动力学专家，在航空事业上作出了突出的贡献。修瑞娟，微循环专家，她做实验用的很多仪器设备都是自己亲手制作的，她说这完全得益于当年上中学时在研究小组里学到的能力。孙维刚，全国优秀教师，在谈到青岛二中对他的教育和影响时，他深情地说，“是老师的大爱影响了我的一生，我要把这种博爱传播下去……”他那享誉全国的教学法和对教育真谛的理解无不镌刻着青岛二中教育的烙印，使他在教师的平凡岗位上作出了不平凡的业绩。

在师生的共同努力下，很多研究小组取得了良好的成绩并获得了各级表彰。其中，舰船模型小组在全国很有影响，1954 年《文汇报》曾对青岛二中舰船模小组的活动情况进行过专题报道。

青岛二中舰船模小组活动

1956 年，捷克斯洛伐克导演来中国拍摄反映我国中学生课外活动情况的专题片，教育部推荐了青岛二中的学生舰船模小组。纪录片拍好后，在社会主义国家播放，向世界人民展示了青岛二中学生的精神风貌。

捷克斯洛伐克导演在八一电影制片厂导演的陪同下，在青岛二中录制完学生舰船模活动纪录片后的合影。学生手中的模型都是自己动手制作的

在体育实施过程中，学校以苏联中学体育教学大纲为基础改进体育教学：根据学生特点，制定了体育课程标准（分男生和女生两种）；不仅在课内积极主动带领学生进行锻炼，还出现了40多个以运动项目来组织的课后锻炼小组。正是由于教育方法得当，在1958年到1959年，学校涌现出13名体育健将。在全市男女青少年篮球赛、排球赛中，青岛二中获得8个项目中的6个冠军。在田径、球类、体操、航海等多个项目的比赛中，获得32个第一名，并涌现出多名像王荣娟、田麦久这样打破世界射箭纪录和国家田径纪录的运动员。青岛二中乒乓球队还获得过山东省少年乒乓球赛的团体冠军，并代表山东省参加了全国比赛。更为可喜的是，这个时期运动员大部分是劳动与学习的积极分子。在受到学校奖励的劳动积极分子中运动员占80%；1959年在劳卫制（即劳动卫国体育制度）锻炼方面，经山东省教育厅、省体委抽测，青岛二中名列全省第一，及格率达90%。

当时，青岛二中的许多教师多才多艺，吹拉弹唱无所不能。这不仅让很多学生着迷，还引发了学生艺术发展的兴趣。课后，学生成立了文艺小组，在教师的指导下，话剧社、戏剧社排练出很多剧目，在当时非常有名气。1955年，青岛二中的一个班还被选中单独参加了青岛教育文艺汇演。

正是由于教育方针正确，培养目标明确，青岛二中学子得到了全面发展，并为以后的成长奠定了坚实的基础。

通过全校师生的共同努力，学校教育教学开始步入正轨。随后，从1953年上半年开始有重点地确定语文和代数为改进教学的重点科目，着重打造优质的教学资源，并初见成效：当年全市的语文观摩教学会在青岛二中召开；1953年全国高考中青岛二中取得山东省第一名的好成绩；1953年青岛二中成为山东省首批重点中学，这也是当时青岛市唯一的一所省重点中学。

为总结青岛二中的教育教学法，时任山东省教育厅厅长王哲亲自带队来青岛二中调研，听课，抽测，组织公开课，召开座谈会，与参与听课的其他中学的校长们一起总结青岛二中的教育教学法，并在全省推广。

（二）学术与教研相结合，勤奋严谨办教育

新中国成立初期，中国共产党要求从旧时代过来的各个阶级阶层的人都要通过政治学习和思想改造以适应新时代的要求，并将知识分子的思想改造放在首位。当时很多知识分子是带着颇为矛盾和复杂的心情迎接新中国的，尽管他们有满腔热情，但同时缺乏参与新中国建设的心理准备。鉴于这种情况，建立怎样的学校领导班子，办什么样的教育的问题，就摆在了青岛二中面前。

为了加强教育界基层党组织建设，新中国成立初期，中共青岛市委决定在教育界建立基层党组织，并从胶东行政专署抽调骨干委派到大学和中学。当时选中的两所学校是山东大学和青岛二中。青岛二中是唯一一所被选中的中学，可见当时中共青岛市委对青岛二中的高度重视。

为加强青岛二中的领导力量，在军管会第一任校长离任后，山东省政府调青岛师范学校的校长张子石担任青岛二中的校长。组成青岛二中教学领导班子的人也都是学有专长且懂教育的人。校长张子石毕业于山东大学化学系，副校长吴锡涛毕业于北京大学数学系，副校长戚简侯毕业于北京师范大学化学系，教务长王玉珍毕业于北京师范大学英语系。拥有如此高学历且懂得教学科研的领导班子，可谓青岛二中的幸事，也是青岛二中能够在教学上突飞猛进的一个重要原因。

首先，领导干部懂业务，直接管理并参与课堂教学。当时的学校领导班子提出："要求教师做到的，领导干部首先做到。"校长亲自听课，深入教研组，亲自教课，亲自辅导。尽管当时有工农干部，但都能兼课。有的领导为了听课，一边工作，一边加强自学，在业务上做到熟悉和精通，有效地管理着课堂教学，使教学工作踏踏实实地进行。

其次，整顿思想，加强教师队伍建设。当时青岛二中的教师队伍，尽管业务水平较高，但思想觉悟参差不齐。因为大多数人是从旧时代走过来的，还存有很多旧的思想。为了充分调动广大教师的积极性，当时领导班子根据学校教师队伍的特点，利用学习班的方式，组织教师学习党史，每周 5 小时。通过学习，教师思想有了进一步提高，工作热情高

涨，政治上也积极要求进步。同时，学校还加强教师的业务学习，尤其重视青年教师的培养。学样一方面为广大教师提供校外进修的机会；一方面自己组织培训班，让有经验的教师为青年教师讲课。当时的语文教师李希章（北京大学中文系毕业）还为教师培训自编教材，主讲先秦文学。张子石校长也亲自为全体教师讲授苏联教育家凯洛夫的《教育学》，集体学习苏联先进教育经验，推广在教学中运用教学原则和先进的教学法；组织班主任学习苏联教育家杜贺夫的《班主任概论》，提高班主任的业务水平。学校还自建奖惩制度，对教师的先进行为进行表彰和嘉奖。这些举措极大鼓舞了教师们的干劲，成就了一批教师，形成了强有力的教师队伍。在 20 世纪 50 年代第一次教师定级过程中，在青岛市二级教师并不多的情况下，青岛二中的二级教师就占了全市的一半。

正是因为有李希章、戚简侯、罗江云、马庸、刘绪基、吴启坼、王大钵、姬天一、刘世济、马晓林、陈寿荣等这样一大批毕业于北京大学、燕京大学、辅仁大学、北京师范大学、南京大学、南开大学、山东大学等名牌院校并享誉岛城的资深名师，青岛二中才能在新中国成立初期迅速恢复了教学秩序并获得了快速发展。这些优秀的人民教师以其自身特有的品质、扎实的功底、渊博的学识、深厚的造诣、严谨的治学态度以及独特的教学风格，言传身教，为青岛二中的发展奠定了坚实的基础。

再次，抓管理，踏踏实实搞教学，扎扎实实办教育。“勤奋、严谨”一直是青岛二中教育教学中的历史传统。在课堂教学中要求教师们注意贯彻直观性、自觉性与积极性、巩固性、系统性和连贯性、通俗性和可接受性等原则。青岛二中的教育教学从不搞花架子，始终要求教师认真而又扎实地上好每一堂课。为了做到这一点，学校对教师备课提出要求：每堂课要有计划，吃透教材，先试讲，组织小规模试验教学，由同学科的教师一起听课，大家一起找难点，共同寻找解决方法，相互交流教学经验。而且，还专门对教师作了调整，安排“结对子”，桌对桌备课、写教案，教学中如有困难马上交流。这样，课堂教学时教师们便能驾轻就熟，出口成章，脱稿上课。很多教师教学语言言简意赅，诙谐幽默，深受学生欢迎。譬如，数学教师王季娴，她的几何课是边讲课边画图，而且画图常常不看黑板，且能反手画，画圆从不用圆规，堪称一绝。

就在青岛二中蓬勃发展之时，“文革”浩劫席卷全国。“文革”十年，青岛二中是重灾区。许多优秀教师惨遭迫害，身心备受摧残。教学秩序被严重干扰和破坏。当时，青岛二中面临的主要问题有派性严重、教师不团结、教学秩序差、学校管理混乱、部门之间各自为政等。一是师资力量严重削弱。二是教学管理混乱。三是教育思想存在问题。“文革”使青岛二中教育教学工作受到极大破坏，发展缓慢甚至停滞。

三、遵循教育规律，传承敬教乐学美德，形成二中人精神（1977—1999）

1977 年，全国恢复高考，青岛二中在艰难的困境下，抓住机遇，迅速组织师生备战高考，结果 16 人报考，11 人被高等院校录取。1979 年，青岛二中组织 100 名学生参加高考。成绩公布后，除 1 名学生弃考外，剩余的 99 人考上了 97 人。从此，青岛二中教学质量优异的“金字招牌”开始树立起来。

在遭受了“文革”的极大破坏后，青岛二中能很快站立起来，且由于所取得的突出成绩，1980 年又被重新命名为山东省重点中学，并至今一直保持着良好的发展势头。这引起了很多人的好奇。是啊，为什么青岛二中能在这么短的时间内迅速恢复教学秩序和教学质量呢？

（一）加大整顿力度，恢复教育教学秩序

面对“文革”十年青岛二中教学秩序被严重破坏的局面，学校领导班子成员经过反复讨论研究，最后统一思想认识：升学率是办学的结果，学校办好了，升学率自然而然就上去了；不能只注重结果，而忽略了学生在校学习的过程；要遵循教育规律，要各个方面一起抓，要培养

和造就更多的人才，绝不放弃一个学生。学校领导决定：从思想教育入手，抓学校管理，抓教学秩序。

此时，青岛二中采取了以下几种主要措施。

第一，从思想教育入手。校党支部集中精力领导师生拨乱反正，揭发和批判林彪、“四人帮”的反革命罪行，克服派性，不纠缠历史问题。学习十一届三中全会决议并深入理解党的工作重心转移的意义，深刻认识到为实现社会主义四个现代化，科学技术是关键，教育是基础，因此要充分认识教育工作的重大战略意义，消除顾虑，带领全校教职工理直气壮地抓教育质量的提高。要求全体党员忠诚于党的教育事业，提高对革命多作贡献的工人阶级当家做主的主人翁思想。

第二，坚定不移地整顿教学秩序。把大家的注意力引导到教育教学中来，进一步端正办学方向，全面贯彻党的教育方针，爱校，爱生，对学生全面负责，面向全体学生，严格教学全过程的管理力度。从课堂板书到课堂教学效果，从布置作业到作业上交批改，环环落实，层层推进，踏踏实实搞教学。

每个学期开学伊始，要求每位教师必须上交开学两周课的教案，学校进行检查。当时很多人不理解，认为一个教师的课好与不好不在于教案写得如何，而在于课堂上的真功夫。但是，学校坚持从教案检查开始抓起，领导干部不打招呼地进课堂听课，坚决反对“赶进度”的做法，有针对性地提出了“给学生留有自学的空间，发挥学生的自学能力”的主张。对此，当时也有人提出“学生如果能自学还要教师干什么”的问题。针对一系列的矛盾和问题，学校领导与大家一起交流学习，统一教师的思想，与教师共同探讨和分析各种教学方法的利与弊，让教师们通过课堂教学实践和教学效果，去领悟教育规律和教育实质，最后得到广大教师的普遍认同和积极响应。在教育教学检查中发现的问题，学校还及时通过大会进行通报，对好的做法进行表扬，对存在的问题进行严肃的批评，对有争议的问题组织大家讨论。其目的就是让大家重视教育教学的全过程。

同时，整顿学生考试纪律。尽管“文革”已经结束，但“文革”

的流毒甚广，在学生中考试作弊的现象很严重。怎么办？最后大家的一致意见是，发现一批处理一批，绝不姑息。很快，在较短的时间里，考试作弊问题就得到了有效遏制，良好的学风逐步形成。

第三，尊师爱生，加强师德建设。首先从学生抓起，因为“文革”遗毒尚存，很多学生把教师视为“臭老九”，见了教师也没礼貌。学校就此开展了一系列教育活动。通过班会、校会、主题教育活动等，加强学生尊敬教师的教育。同时，基于对教师的尊重、理解和爱护，学校领导积极化解“文革”中遗留下来的矛盾，凝聚人心，让教师排除干扰，发挥所长。在领导面前，教师们没有思想包袱，可以开诚布公、推心置腹地交流各种问题。针对教师中存在的一些有悖于师德的问题和做法，学校加大整顿力度，提高教师对师德重要性的认识，让教师们牢固树立“学高为师，身正为范”的思想，对出现的问题绝不姑息。

第四，重视学生体质，关注学生的身心健康。学校非常重视学生的身心健康，每年对新入学的学生都要查体，检查视力，关注学生课间操活动情况。为了解和掌握学生体育活动情况，让卫生室的教师听体育课，尽管医生对体育是外行，但可以通过跟踪学生上体育课，关注学生体质情况，分阶段地观察和记录体育教师制订的锻炼计划对学生体质的实质影响，然后与体育教师一起制订出更加适合学生锻炼的教学方案和计划。

通过以上几个方面的举措，“文革”时的遗风基本上得到扭转。在此基础上，学校召开了第一次教职工代表大会，重点讨论“三风”问题，即校风、教风和学风。校长在工作报告中代表学校党组织提出了“三风”意见，提请大会和全体师生讨论。从学生到教师，从班级到教研组，大家纷纷发表看法，提出建议。当时征询到的意见多达上千条。其中，“勤奋”、“严谨”、“团结”、“朴实”几项得票最集中。

勤奋：以教育为本，教师勤奋工作，学生勤奋学习，培养合格接班人。

严谨：治教治学的科学态度。

团结：学校是一个整体，整体的力量才是最大的。

朴实：朴素的作风，脚踏实地，反对那种华而不实的东西。

最后，全校师生共同确立了以“勤奋、严谨、团结、朴实”为内涵的校风，并在第一届教职工代表大会上通过。它要求学生和教师：勤奋地学习和工作，有科学严谨的学习和工作态度，团结一致，发扬脚踏实地的朴素作风。

（二）注重教学质量，全面推进课改

“文革”结束后，为了提高教育质量，青岛市教育局提出了“紧扣大纲、不离教材、加强双基、培养能力、发展治理”的要求，强调加强基础学科、基础年级的教学，从理论上注意克服凯洛夫《教育学》的消极影响（如五个环节的形式主义，重视传授而忽视能力培养等）。在加强双基教学的同时，注意培养学生的能力，发展学生的智力。

随着高考的恢复，青岛二中校领导敏锐地意识到教育的春天已经来到，遂即大刀阔斧地实行了一系列教育改革和整顿，展现了青岛二中人的胆识与魄力。

学校主要围绕提高课堂教学质量问题提出要从学生实际出发，有针对性地确定双基重点抓住不放，为培养学生的各科能力、发展智力，打下坚实的基础。

教师在课堂教学方面，通过各种途径努力提高学生的观察能力、想象能力、思维能力、实际操作能力以及运算能力。这些能力综合起来则落实为培养学生的自学能力。多数教师已经认识到不能把学生当成知识篓子，不应把死的知识往里塞，而是在传授知识的同时，着眼于教给他们索取知识获得学问的方法和手段。因此，各科教学加强了预习和课堂看书的指导。教给学生读书的方法，利用书上的注解和查阅工具书、参考书的方法来培养学生的自学能力，努力体现“教为主导”，“学为主体”的教学思想。

地理学科的教学改革尤为突出。当高考取消地理学科的时候，很多

学校干脆从课表上删除了这门课。但是，青岛二中并没有这样做。因为青岛二中的教师从不盲从，他们要探索、开辟适合学生和教育发展的新路子。青岛二中的教师有着对学生高度负责的精神，更着眼于孩子的全面发展，着眼于孩子的未来发展。青岛二中的地理教师没有将高考取消地理学科看成是对自己地位的挑战，反而将这视为提升自我的契机。因为不高考，所以地理的教育教学就有了相对宽松的环境，于是青岛二中开始着手地理教学的改革。"开图教学"是他们的大胆尝试，即教师用地图来统率地理知识教学，也就是说教师将地图发给学生，和学生通过地图来探究地理。从此，地理课堂教学不再有什么局限，反而有了讨论的气息，与现实生活联系得更密切。刘敏老师更是将自己这些年的教学心得加以总结，提出了地理教学"四步循环导学法"，此教学法还成为青岛市中小学优秀教学法。

学校施教的目的是什么？学校传授知识的目的是什么？对于这两个问题，青岛二中的教师作出了很好的回答。

（三）遵循规律办学，向课堂要效益

高考恢复后，尤其是20世纪八九十年代，在山东省这样的高考大省，社会上很多人都以高考升学率作为衡量学校教学质量的标准，很多学校则是以高考成绩作为考核教师教学水平的指标，以分数作为评价学生的标准。因此，很多学校不惜加班加点，以满堂灌的填鸭式教学对待学生，而在青岛二中却从未有这样的事情发生。

青岛二中从未因高考而加班加点，因为二中人始终坚守着自己的信条：遵循教育规律办学。甚至到了高考前夕，学校仍然按部就班地依据教学计划的进度走，从不因高考总复习而向前赶教学进度。学校还在教师中作出严格规定：不准以任何理由占用学生的自习课和课余时间。青岛二中之所以能够这样做，敢于这样做，是因为：青岛二中在教育教学过程中，始终遵循教育规律，注重基础，严格教学全过程中每一个环节的质量管理。二中人始终坚信，有了教育教学质量，升学率自然就会上去。

在当时的青岛市各个中学中，青岛二中的教学进度是最慢的，但教学要求却最严格。二中人把主要精力放在如何提高教学质量和课堂效益上，他们在向课堂要效益，向课堂要成绩。当时，青岛二中的教师奉行一种说法，叫做“如果靠加班加点提升教学成绩，那是教学上没本事”。所以，为了保证教学质量，提升教学成绩，教师只有在教学基本功上下工夫，精讲精练，以严谨治学的态度，对待每一堂课。青岛二中的课堂教学还有一个突出特点，那就是开放。教师之间相互听课：老教师听青年人的课，以老带新；青年人听老教师的课，虚心向老教师学习。不仅课堂是开放的，课也是集中备的，教案也是随便看的。在青岛二中，这种比、学、赶、帮、超的风气一直存在，这也是一种正气，即用课堂说话，用教育质量说话。

青岛二中的教师始终有这样一种信念：教师是培养人的职业，教师的一切工作最终都要落实在培养学生上，教师要对每一位学生负责，要成为学生的良师益友。为了让学生少做题，减轻学生的课业负担，教师们在备课时就必须多做题，多积累，多思考。青岛二中的课堂讲求的是精益求精，在“严”字上下工夫。在学风上也讲求一个“严”字。平时，对学生的作业和考试严格把关，可扣可不扣的，坚决扣掉，可给可不给的分数，坚决不给，培养学生的严谨学风。在对学生学习的管理上，张弛有度，尊重学生，放手让学生自主学习，把学习上更多的自主权交给学生，让学生自己查漏补缺。由此形成师风、生风合一，教风、学风合一，教学相长，教与学良性循环，从而形成强大的凝聚力和群体优势，锻造出敬教、乐学的校魂，形成勤奋、严谨的校风。

（四）奉献—— 二中人的“安文山精神”

二中人的精神是什么？这种精神的内涵又是什么？

在青岛二中的校训中，有这样八个字——“敬教、乐学、育人、报国”，这既是对二中人的要求，也是二中人的一种精神，是二中人用实际行动谱写的乐章。回顾青岛二中发展的每个历史阶段，那种孜孜不倦、乐于奉献、精益求精、严谨治学的态度，一直是二中人所追求的。

青岛二中之所以会有今天，并不是哪个人的业绩，而是几代二中人为之奋斗的结果，这里有每个二中人的奉献。二中人的精神是奉献精神，这种精神的内涵就是“敬教、乐学、育人、报国”，这其中的杰出代表就是安文山老师。

当1993年7月张镭同学在第34届国际数学奥林匹克竞赛中获得一枚金牌的消息传来的时候，学校沸腾了。这是青岛二中获得的第一枚国际数学奥林匹克竞赛金牌，更是开山东省学子荣获国际数学奥林匹克竞赛金牌之先河。当1997年7月孙晓明同学在第38届国际数学奥林匹克竞赛中再夺金牌的时候，已躺在病榻上的安文山老师说：“我要为二中再拿一块金牌。”这是一位癌症晚期患者所发出的誓言，这是一位为学生呕心沥血的人，这是一位勇攀高峰而不知疲倦的人，这是一位爱生、爱校、爱国的一身正气的人。他，就是安文山老师。

安文山是青岛二中的数学特级教师，青岛市教育名家，全国五一劳动奖章获得者。在生命的最后时间，他还一心惦记着自己的学生。为了能够给参加数学奥林匹克竞赛的学生再辅导一次课，癌症晚期的他在病床上忍着病痛的折磨，要求医生不给他打止疼针，不给他打麻药，他要以清醒的头脑与学生进行交流。临终前，他还惦记着那些参赛的学生，他为学生和学校付出的是生命的代价。那两块国际数学奥林匹克竞赛金牌，浸透着安文山老师的心血和汗水。他爱国、爱校、爱生、爱事业；他一身正气，无私奉献；他敢于面对挑战，不畏艰险，勇攀高峰；他

左图为安文山老师与第34届和第38届国际数学奥林匹克竞赛金牌获得者、青岛二中学生张镭和孙晓明，右图为学生获得的两枚金牌

“严”字当头，教书育人，荣校报国。在他身上集中体现了一代二中人的执著追求。这就是可贵的安文山精神！

四、抓住机遇，领先一步（2000— ）

世纪之交，我国的基础教育有了较快的发展。为了优化教育资源，青岛市政府投资1.6亿元，在市区东部的崂山脚下建起了一座占地264亩的青岛二中新校区。

随着青岛二中的东迁，学校的硬件设施得到了显著优化，教学条件也得到了很大改善，相应的，社会对青岛二中的期望值也增大了。

然而，此时的青岛二中正面临着严峻挑战：

在教师队伍方面，由于“文革”期间人才的断层，本应该具备老中青梯队式年龄结构的教师队伍出现了严重断档，青黄不接。“文革”前的大学生基本上都已退休，改革开放后曾有一段时间人才大量流失。更为严重的是，随着校舍面积的增大，招生规模的激增，教师紧缺的状况更显突出。1999年和2000年，学校连续两年招聘了30多位刚刚走出大学校门的毕业生。一时间，社会上谣传，“老青岛二中的风格再也找不回来了”，“青岛二中遥遥领先的教育质量没有了”。严峻的考验摆在了二中人面前！

教学方面，在应试教育的大背景下，许多学校大搞标准模式的机械训练，搞题海战术。周六、周日加班加点，甚至一个月才放一天假。而青岛二中倡导学生在课堂上有充分展示自己独到见解的自由，而且坚持周六、周日不上课，平时不准加班加点，不准占用学生自习课时间。素质教育的课堂面临着应试教育风暴式的质疑：自主学习的远水能否解高考竞争的近渴？素质教育的教学质量究竟可不可靠？

在学生管理方面，由于学校东迁，学生们首次接触寄宿制度，不得不面对集体生活，短期内很难适应新的作息时间和学习环境。从走读制到寄宿制，很多人对青岛二中一贯主张的“自主、开放，尊重学生个性发展”提出质疑。有人甚至说，“青岛二中对学生放任不管”，“到青岛二中上学，就是吃得好，玩得好”。

此时，社会上的巨大压力也纷纷向青岛二中袭来。当时有人说：“你青岛二中不要讲这个理念、那个理念，老百姓就看你的高考，人家不听你那些理念。”

在新世纪的开端与学校发展新的转折点上，青岛二中该怎么办？新的人才观、教育价值观向我们提出了挑战，该何去何从？是墨守成规走老路，还是迎头赶上创新路？是保第一，还是迎挑战？是护荣誉，还是再创佳绩？如何做好继承和创新这篇决定一个学校方向的大文章？严峻的挑战和选择摆在了二中人面前！

在这一关键时刻，青岛二中适时作出了正确的抉择和调整，提出了学校的办学目标是“实施素质教育，形成办学特色，创建世纪名校”；育人目标是“造就终身发展之生命主体”；办学指导方针是“以真诚凝聚人心、以制度规范行为、以机制激发活力、以思想引导方向、以素质赢得素质”；办学模式是“成功园丁模式、创新教育模式、学生自主发展模式”；办学特色是“人格健全、素质全面、终身发展”。

应该说，这个办学理念是有一个构建过程的。当时的这些思考在具体内容上与今天是不同的，这也真实地反映了在探索道路上的不断感悟和不断创新的心路历程。我们今天的办学目标已经从“实施”转向“深化”，从“形成”转向“凸现”，从“世纪名校”转向“国际名校”，从“人格健全、素质全面、终身发展”转向“自主·开放”。在时空的转换过程当中，真正体现了对师生和学校发展的深邃理解，以更高远的境界和开阔的视野引领学校走向未来。在以上办学理念的指导下，青岛二中将实现什么样的跨越？

青岛二中必须真正负起自己应负的历史和社会责任。因此，学校始终重视内涵的发展，把对学生的精品化培养和实现办学的高层次作为学校的追求，使每一个进入青岛二中的学生能够获得高质量的教育。同时，我们处在一个开放的时代，必须让学校办学和学生发展能够符合国际人才的培养需要，着力于培养学生的国际交往能力和对国际文化的理解能力。所以在这样的战略指导下，我们始终追求在更开阔的国际视野下，在培养更高素质的学生方面处于领先的地位。

八十多年的如歌岁月，扎下了青岛二中的立校之根；历史的脚步，踏出了青岛二中治校之道；一路的超越，诠释着青岛二中办学之本。勤奋、严谨、朴实、创新，彰显着二中人的风范；敬教、乐学、奉献、报国，展示了二中人的精神。遵循教育规律，关注每位学生的成长，是二中人牢记的办学宗旨。正是先进的理念，铸就了青岛二中领先一步，追求卓越的胆识与智识，成就了青岛二中在各个历史阶段的创新与超越；引领着青岛二中向创办国际知名的一流优质重点中学的目标迈进。

第二章 造就终身发展之生命主体

一个学校的办学目标，是其发展的灵魂；一个学校的育人目标，是其一切工作的核心。青岛二中在80余年的发展过程中，在办学理念与培养目标上随着时代的发展与时俱进。例如：在培养目标上，从建校之初的“培养爱国公民”到新中国成立后的“培养全面发展的新人”，从改革开放时期提出“二中人”口号到现在的“造就终身发展之生命主体”，均体现了对社会大环境的灵活应对及寻求自身独立发展的坚定立场；在办学目标上，从21世纪初的“实施素质教育，形成办学特色，创建世纪名校”到现在的“深化素质教育、优化教育资源、凸显办学特色、创建国际名校”，适应了当前时代与国际化社会的需要。青岛二中“领先一步，追求卓越”的办学理念，正是实现其办学目标和育人目标的精神引领与思想保证。

一、青岛二中的办学目标

进入21世纪后，经济全球化趋势更加明显。中国加入WTO后，一方面面临着国际教育的挑战，另一方面要培养适应国际化发展要求的人才，这些都促使中国教育思考国际化问题。在青岛二中“领先一步，追求卓越”的办学理念引领下，作为青岛市对外开放单位，面对当前我国教育改革与发展的趋势，二中人认识到，新的形势和任务已摆在面前。明确办学目标、确定好学校的发展方向，是青岛二中未来发展的根本。2000年，青岛二中根据建校以来积累的宝贵经验，高瞻远瞩，提出了“实施素质教育、形成办学特色、创建世纪名校”的办学目标。这是青岛二中在其办学历史上第一次提出名校战略。这一目标的提出，为青岛二中未来的发展规划了宏伟蓝图，更给在本世纪初东迁至高新区的师生带来了喜悦。2003年，学校在发展规划中又进一步明确提出要把青岛二中办成一所国内著名、国际知名的学校。

提出创建世纪名校、国际名校的办学目标，对一般的普通高中而言，也许是需要一定胆量与豪气的。但是，青岛二中提出这一目标，却是根据自身发展的轨迹以及对未来的前瞻，是有充分的依据与原因的。

第一，青岛二中拥有各级领导和社会各界的重视、关注与支持，尤其是教育行政部门对学校发展的经济与政策支持。第二，社会各界对青岛二中教育质量、人才培养模式广泛认同。“青岛二中”的品牌效应是其未来发展过程中一笔可贵的无形资产。第三，学校有一支个体素质较高、群体结构合理的师资队伍，且有一定数量具有较高知名度的名师。第四，学校有一流的硬件设施。第五，学校已形成一套独立的德育管理规范化运行机制。第六，学校在教育教学模式探索方面已取得初步的成功经验。第七，学校善于运用各种优势教育资源。例如：在教育科研方面一直得到华东师范大学、中国海洋大学、青岛大学、青岛科技大学、青岛市教育科学研究所等大学和科研院所的有力支持。

基于对教育的理解与认识，基于青岛二中办学的实践探索，学校不断完善“以素质和特色创国际名校”这一办学追求的内涵，形成了“深化素质教育、优化教育资源、凸显办学特色、创建国际名校”的办学目标，这一办学目标全面概括了学校的办学理想与信念。

（一）深化素质教育

自20世纪80年代教育界提出素质教育的观念之后，素质教育逐步从认识进入到实施层面。但是，中国传统的知识为主、分数至上、升学第一的教育价值观仍然根深蒂固。在不少人的观念中，实施素质教育尽管十分必要，但却是小学和初中的事情，到了高中，主要目标就是升学。但是，在青岛二中，我们却一如既往地开展着素质教育。青岛二中一周只上五天课，一节课只有40分钟，没有让学生加班加点，而且增设了许多与高考无关的课程，组织了许多课外、社会活动，这些在青岛甚至整个山东省都是远近闻名的。我们认为，高中三年不能仅仅只是让学生考上大学，更不能为了让学生考上大学就牺牲他们的身心健康和一生的生命成长。2004年，当南京某名牌中学高考败北的消息在青岛不胫而走的时候，青岛二中所实施的素质教育改革遭遇了很大的社会压力。此时，我们提出了“坚持深化素质教育不动摇、坚持提高课堂教学效益不动摇、坚持突出办学特色不动摇、坚持打造教育国际知名品牌不动摇”，在推进素质教育的道路上坚定不移地前行。在一片非议声中，我们从形式上作了一些“妥协”，将学生一周五天学习时间改为六天；但是，周六新加的所谓“学习”，不是一般意义上的上课学习知识，而是纯粹的课外活动，学生可以随心所欲地选择自己的活动项目，这非但不是为了“应试”，而且是在原有素质教育基础上的进一步拓展。今天，人们对于青岛二中的非议已经越来越少，因为这所学校非但没有在实施素质教育的征程中每况愈下，而且越来越彰显出其独具的优势，特别是在学生培养上所呈示出来的巨大潜能和取得的骄人成绩，青岛二中已经成了青岛教育向世人展示的一张鲜亮名片。

在深化素质教育方面，我们曾制订了以下目标和主要思路：突出育人为本的办学宗旨和基础教育之性质，教书育人两手抓、两手硬，克服重智而轻德、体、心、美、劳的倾向，认真实施素质教育，把面向全体和全面发展贯穿到教育教学的全过程；突出教师为主导、学生为主体，教与学两手抓、两手硬，克服重教轻学的传统习惯，努力做到教是为了学，促使教学相长，形成教与学的良性循环；突出因材施教原则，全面发展和主动发展两手抓、两手硬，克服“大锅煮”的平均主义发展思想和做法，培养学生个性的全面发展，使学生在集体中有差别地发展，为发现人才、培养人才打下良好的基础；突出对升学考试与学生素质发展相整合的合理认识，学生素质发展和升学考试两手抓、两手硬，切实实现学生素质的发展；突出质量和效率并重的原则，质量和效率两手抓、两手硬，克服重质量轻效率的思想和做法，严格执行国家教学计划和五天工作制，走科研兴校和改革之路，提高教学质量和效率。

（二）优化教育资源

优化教育资源，指在人力、财力、物力等物质条件上分别达到最优水平，同时也在人力、财力、物力条件的配比上实现最佳组合。教育资源的配置，涉及教育资源的有限性与教育发展所需资源的无限性之间的矛盾。只有对教育资源进行合理配置与优化配置，才能提高有限教育资源的使用效率，最大限度地实现学生和学校的发展。在教育资源的优化中，智力资源又是最为关键的。对此，我校的基本思路是将学生、教师、社会、家长四大资源有效整合。

学生资源是教育中最重要的资源。学生在其成长与发展过程中，都会拥有自身智力、心理、情感、知识、能力等方面的资源。这些资源决定学生发展的水平与方向。由于学生在不同的环境中成长，加之个人先天资源的差异，因而学生的自身资源也是有差别的。教育的责任就是为学生的资源达到优化及最佳配置创造条件，使每一个学生都能获得最好发展。

教师资源主要体现为教师所拥有的知识与能力、情感品质、道德修养、个性素养等，教师资源在教育中的作用主要是指：一方面，教师要在教育过程中发展与提高自己；另一方面，教师要充分利用自己的岗位教书育人，并且能够在实施好国家课程之外更好地开发和实施校本课程，为学生的成长与发展提供更多和更好的智力支持与精神支持。

社会资源和家长资源，主要是指各种可以以物质或精神的方式呈现出来的社会及家长的教育资源，例如：高校开放实验室，提供课程支持；企业建立学生的实习实验基地；家长举办讲座，参与评课、安全管理、协助学生组织活动等。随着教育的发展，学校与社会及家长的联系日益深入和广泛，充分利用这些资源既有利于发挥资源的效能，又能使社会人士和家长在参与教育的过程中进一步了解教育和支持教育。青岛二中成立了家长委员会，下设五个分支机构，分别负责学校的课堂教学评价、校园安全、志愿者活动、资源管理、课程开发，使每一个家长的独特资源都能很好地发挥教育作用。

（三）凸显办学特色

特色是办学过程中历史的沉淀，传统和风格的长期积累，对于优化学校教育资源，提升办学质量和效益，提高社会声誉都有重大影响。具有八十多年办学历史的青岛二中，面对日益激烈的办学环境，立足实际，着眼长远，以特色求生存，以特色谋发展，以特色壮实力，以特色增强竞争力，不断提升学校办学水平，推进学校教学工作上水平、上层次。

“自主·开放”是青岛二中办学特色的集中体现。“自主+开放”的特色体现了青岛二中对于现代教育的理解和追求。现代教育以人的全面发展为根本目标，以多元化的办学模式为基本特色，这为学校办学的自主与开放提供了必要的依据。

在青岛二中，“自主”包括：学生发展的自主性、教师发展的自主性和学校发展的自主性。其中，学生发展的自主性包括：自我教育、自主管理、自我锻造、自创社团、自主学习和研究。教师发展的自主性主要体现为教师专业化自主发展的实现，即每个教师分析自己的智慧优势，确定自己的发展目标，制定自主发展规划，自定实施措施，并进行发展的自我反馈和自我评价。大力开展自学和集体学习相结合的读书活动，使读书成为教师自我发展的内在需求，把读书与新课程改革结合起来，与改造课堂结合起来。以教研组为单位建立教师自主发展档案，每个教师提出自主发展目标，鼓励广大教师在实践中提出研究课题，在实践与探索中提升自主研究问题的能力；提倡开展学术休假活动、名师引领与专家指导相结合的活动、校内教育专家培养和评选活动。对于学校发展的自主性，学校制定了自己的办学章程，按章程依法办学。学校设立了“校务会议制度”，校务委员会定期召开会议，对学校行政工作重大问题进行磋商、研究并作出决策。同时，建立校务公开公示制度和校领导联络教研组制度，让教师参与学校办学和发展。学校还设立了校长信箱，开展了校长接待日活动，成立了家长委员会，开通了校长公开电话等，并坚持重大事件交教职工代表大会审议。通过这些举措，让全体二中人自主参与学校的发展。

“开放”是指：课堂教学的开放性、学生教育的开放性和学校办学的开放性。在我校，开放是以人为本的具体体现。学校课堂教学的开放性旨在充分调动学生参与课堂活动的积极性，激发学生的思维活力和生命活力，促进学生的终身发展，贯彻以人为本的理念。我校课堂教学的开放性主要体现为通过选修课、校本课程开发和开设研究性课程设置多元课程体系，为学生创造开放性、选择性的课程，使学生的个性发展获得支持。学生教育的开放性表现为学校自主德育的理念和自我教育、自主管理、自我锻造、自创社团的基本思路。学校办学的开放性主要体现为学校积极加强国内外的教育交流，主动吸收和借鉴先进的办学经验，积极推进学校教育的国际化进程，提高学校的办学水平。

(四) 创建国际名校

加强国际教育交流与合作的意义在于：合作办学，借鉴国外先进教育模式和内容，创建适合我校国际化发展的国际课程教学和管理模式；建设友好学校，促进东西方教育交流与融合；促进人员交流，学习世界各国先进的教育思想和理念；开展留学生教育，促进东西方教育和文化的交流与传播。我们确立了创建国际名校的办学目标，并厘清了作为一所国际名校的基本标准。第一，以人为本的理念。具有先进的办学理念，坚持以人的发展为本，努力为师生的发展创造绿色生态环境。第二，素质教育的实践。大力推进素质教育，积极进行创新人才的培养，为学生的终身可持续发展奠定坚实基础。第三，国际化人才的培养。积极实施教育的国际化战略，开展跨文化的教育，不断提升学生的国际交往能力和对国际文化的理解能力，培养具有国际视野的人才。第四，文化管理的氛围。创造良好的精神环境和民主平等的人际关系，实施扁平化管理，强化自主管理，实现自主发展。这些标准的关键在于为人才的精英式培养创造优良的环境。

青岛二中教育国际化的基本思路如下。第一，确立教育国际化的战略目标，将开放办学作为学校发展战略之一，积极开拓教育国际化之路。第二，充分借助青岛国际化优势，并从中寻找机遇。第三，将教育国际化与当前课程改革有机结合，关键在于二者价值取向的整合。

二、青岛二中的育人目标

“文革”之后，面对一片狼藉的教育景况，青岛二中与全国各地的学校一样，致力于拨乱反正，全面恢复教育教学秩序，恢复与完善基本教育制度，重视学生“双基”（即基础知识和基本技能）的形成。随着国外教育思想如布鲁纳的发现教学、赞科夫的发展性教学思想的传入，以及社会主义现代化建设对于高科技人才的需求日益增强，20 世纪 80 年代我国教育界开始逐渐强调学生能力与智力的培养。但是与此同时，人们也看到人不仅是理性的动物，同时也是一种非理性的存在，尤其是心理学界在非智力因素方面的研究成果，促使人们关注学生情感、意志等的培养。不可否认，改革开放以来的我国教育，在培养目标方面整体上仍存在以下问题：局限于工具理性论，以科学知识为核心，而忽视了人文精神的陶冶；强调知识的专精化，着眼于逻辑上的严密，而忽视了掌握科学事实与现象；强调一个个孤立的知识点，强调分析的方法，而忽视了学科体系整体的综合功能；停留于学生的工具性价值，而忽视了其作为生命体本身所具有的需要。随着现代教育从工具理性向价值理性的全面转型，教育价值取向正在实现从以往的学会生存、学会关心到学会发展的深刻变革。这些，已将我们的目光逐渐聚焦于将学生视为一个发展的生命体。

我们认为，教育的根本诉求在于实现学生作为一个发展的生命体的真正的发展。学生的自主发展具有基础性和差异性，是一个立足于基础发展、实现于个性发展的进程。为此，我们提出了“造就终身发展之生命主体”的育人目标。

（一）育人目标的解读

1. 学生作为生命

学生是一个具有高度可塑性的生命体，一个不断从旧质走向新质的生成中的生命体，一个由各种特质整合而成的生命体。学生因身心发展特点、家庭背景、生活经历、认知结构等方面的诸多差异，也是一个个独特的生命体。这种独特性体现在自然性、意识性、社会性三个方面。自然性指的是学生作为一个有着生理结构的个体，具有一种生理的本能需要和一定的生长发展规律。所以，教育首先需要保护甚至顺从这种特点，遵从学生天性的发展规律，在此基础之上才能去改变它。意识性指学生的生命超越了自然性的自在本能，而表现为一种自觉的精神存在。

学生不仅是一个客观的生理存在，同样也是一个主观的意识、欲望、情感和意志的存在。正是因为人作为精神存在，人才可能无限地逼近自己的自由。人作为一个关系体的存在，以及人与自然的关系、人与社会的关系、人与自我的关系这些客观事实，带来了人作为精神存在的三个方面——科学精神、道德精神、审美精神，进而导出教育在生命智育、生命德育、生命美育上的价值诉求。社会性指因人作为一切社会关系的总和而形成的人的社会生命，这其实为教育的个体社会化提出了客观要求，要求学校教育在人的自然生命、精神生命之外，使学生获得社会的价值、规则、态度、信念乃至一些谋生的必备本领。

2. 教育应以学生发展为本

从根本上说，全面推进素质教育的战略决策，反映了当前中国教育观念从学会生存到学会发展的变革。这要求我们的学校教育摆脱以往考试文化的片面影响，从视学生为发展的客体、容器、工具转向视其为发展的主体。全面把握以学生发展为本，应立足于以下几个方面。从发展对象来看，是一种全员发展。以学生发展为本，首先应立足于全体学生的成功发展，这不仅是基础教育的普及性所决定的，也是教育面向21世纪的学习型社会的使命所致。从发展的内容来看，是一种全面发展，而不是片面发展，这是由马克思关于人的全面发展学说和人的生命的整体性所决定的。从发展的结果来看，是一种个性发展，全员全面发展并不是平均发展，也不是一种划一性教育，不能把学生培养成为工业化的统一产品。源于学生的多元智能结构、不同的生存环境和活动形态，学生最终呈现的是一种个性发展。所以教育的要义在于不仅要看到“人人有才”，还要看到“人无全才”，更要做到“扬长避短，人人成才”。

3. 教育应为学生生命体的发展奠基

教育的发展具有一定的超越性，它不仅要建基于过去和现在，更要面向未来培养合格的人才。随着21世纪的来临，知识经济和学习型社会初见端倪，促使我们将学生的发展界说为终身发展，“学会发展”也由此逐渐成为我们的共识。我校立足于知识教学和学生生活质量两个方面来为学生生命体的发展奠基。

关注知识的掌握。对于知识，经济合作与发展组织（简称经合组织）在1996年发布的《以知识为基础的经济》报告中提出，知识可以分为四大类：其一是有关“是什么”的知识，属于描述事实方面的知识；其二是有关“为什么”的知识，属于探究自然现象和社会现象的基本原理方面的知识；其三是有关“如何做”的知识，属于操作、实验、技能方面的知识；其四是有关“源于何处”的知识，属于寻找信息和知识源头的知识。一般来说，我们可以把知识分为显性知识和隐性知识。中国的基础教育非常重视学生对显性知识的学习，这是我们引以为自豪的事情。但是我们在注重学生显性知识学习的同时，也应当更加注重学生对隐性知识的掌握。显性知识是前人在实践基础上对于自然界和人类社会的认识与把握，因而有必要让学生进行一定的传授性学习。但是一味地强化传授性学习，甚至将传授导向死记硬背，必然会使学生思维变得机械与僵化，使学生失去自主思考的主动性。课堂教学应当尽可能多地创造学生思考与探究的机会，让学生尽可能多地经历知识产生与发展的过程。隐性知识是学生必须通过更多的动手、亲身参与实践等才能获得的，它是个人的一种独特感悟与体验。因而隐性知识是可以意会但又难以言传的，每个人对隐性知识的拥有量常常要多于对它的表达量。隐性知识的价值体现在：它极大地完善了人们的知识结构，使人们能更加全面地认识事物与灵活地理解问题；它使人们的思维模式建立起更多的知识结点，思维变得更加灵活与开放。这就需要我们在校园环境的构建、课堂文化的创设、课程设置的均衡方面予以充分关注。对隐性知识的倡导，实质是引导我们对知识产生的过程性、经验性和情境性予以关注，通过打破以往纯工具理性主义和客观主义下的知识观的局限性，促使学生正确认识多样性的知识，并通过多种途径掌握各种不同的知识，从而更好地实现学生的发展。

关注生活的质量。生活质量可以从三个维度来衡量：“身心愉悦的程度、内心充实的程度和成就感”。学校作为一个育人场所，对于学生有着重要而特殊的意义。在现代社会中，学生往往要在学校里度过生命中五分之一甚至更长的时间，而这段时光正是他们身心发展的关键期。因为在这段时间里，他们要逐渐形成对他人、世界以及自我的观念与态度，而这些正是决定他们当前乃至今后终身发展的主要因素。因此，学校不仅应关注学生的身体是否健康，还应关注他们在学校是否体会到成长的快乐，是否形成了积极、健康的生活态度与处世方式。学校教育只有真正做到了关注学生的生活和生命成长、发展的质量，才能实现对于学生的本质意义上的关怀，才可能促进学生的终身发展和可持续发展。

（二）人才培养规格

着眼于“造就终身发展之生命主体”的育人目标，青岛二中构建了基本素质发展和特色素质提高的学生素质结构，实现了学生素质培养的科学化和规范化。

1. 学生的基本素质

（1）人文素养

随着科学主义与人文主义从分化走向整合，鉴于当代学校教育中人的缺席，工具主义、理性主义、功利主义的肆虐，培养学生的人文素养具有一定的针对性。

人文素养，是一种做人的基本修养和基本良知，它表现在一个人对自己、他人和社会的认识、态度和行为准则当中。人文素养可以分为三个不同层面，即人文知识、人文态度和人文精神。这三个不同的层面又具体地表现为以下各个方面。第一，对于古典文化的积累，理解传统，并具有历史意识。第二，对于人的命运、人存在的意义、人的价值和尊严、人的自由与解放、人的发展与幸福的深切关注。第三，珍视人的完整性，反对对人的生命和心灵的肢解与割裂，承认并自觉守护人的精神神秘性和不可言说性，否定对人的物化与兽化，拒斥将人简单化、机械化。第四，尊重个人的价值及其自我实现，并对个体与人类的关联有相当的体认，从而形成人类意识。第五，对于人的心灵、需要、渴望与梦想、直觉与灵性给予深切的关注；内心感受明敏、丰富、细腻与独特，并能以个性化的方式表达出来。第六，重视德性修养，具有叩问心灵、反身而诚的自我反思意识和能力。第七，具有超功利的价值取向，乐于用审美的眼光看待事物。第八，具有理想主义的倾向，追求完美。第九，具有终级关切的情怀。第十，承认并尊重文化的多样性，对于差异、不同、另类甚至异端能够抱以宽容的态度。第十一，能够自觉地守护和践履社会的核心价值。

（2）科学素养

我国现代化进程赋予了科学前所未有的地位，但我们对科学精神的培养在实际情况中体现出明显的异化，集中表现为将科学精神与人文精神二元对立。也就是说，我们的学校教育所培养的科学素养，大都是一种无人存在的科学主义的素养。由此，我们认为科学素养包括科学知识和科学精神两个方面，具体体现为：掌握一定数量的科学术语；能够阐述一定数量的科学基本观点；积极并广泛参与科学的探究过程；了解科学对个人和社会的影响。

（3）身心健康素养

针对学生学业负担过重，身体素质下降这一事实，青岛二中提出了身心健康素养，主要包括：热爱体育运动，养成体育锻炼的习惯，具备一定的运动常识和运动技能，形成建康的生活方式；具有科学的人生观，正常的认识能力、理解能力、表达能力、记忆能力、应激能力，具有良好的承受能力、抑制情绪能力和适应能力。

（4）人际交往素质

现代社会既是一个充满竞争的社会，更是一个需要合作的社会。网络、交通、现代资讯的发达，全球化的背景，使得人与人的交往与合作较之以往更为重要。我们认为学生的人际交往素质包括：能与他人一起确立目标并努力去实现目标，尊重并理解他人的观点和处境，能评价和约束自己的行为，能综合运用各种交流和沟通的方法与他人进行合作。

（5）自我认知和生存能力

学会生存、学会发展是现代人所必须具备的基本素质。所以，青岛二中提出了自我认知和生存能力，并构建了主要内容：对自己的长处和不足、追求和梦想有一个正确的认识；了解个人的思考、学习、工作和解决问题的风格；清楚与人交往的特点，对自己有合理的角色定位和对待方式等。此外，学校还应帮助学生养成勤反思、勤总结的习惯，不断完善自己。

2. 学生的特色素质

（1）独特的智能品质

现代心理学的研究已表明，人的智能观正由以往的单一走向多元。人的智能结构主要由以下八种智能要素组成：第一，言语—语言智能，指听、说、读、写的能力。第二，逻辑—数学智能，指有效利用数学进行推理的能力。第三，视觉—空间智能，指准确感知视觉空间世界的能力。第四，肢体—运觉智能，指善于运用整个身体的能力。第五，音乐—节奏智能，指感受、辨别、记忆、改变和表达音乐的能力。第六，交流—交际智能，指与人相处和交往的能力。第七，自知—自省智能，指认识、了解和反省自己的能力。第八，自然观察智能—指对周遭环境中的动物、植物、人工制品及其他事物进行有效辨识与分类的能力。这些不同的要素以不同的方式体现在不同的个体身上。教育的任务便在于在鉴别学生不同的智能结构的基础之上为其提供相适应的条件。一种优秀的教育，应当为学生创造智能获得发展的机会；一个优秀的学生，也必然拥有并且需要发展自己的独特智能。

（2）卓越的领袖气质

卓越的领袖气质包括具有伟人胸怀和领袖气质。我们应培育学生博大的胸怀和天下为公的思想，强烈的责任感、使命感和忧患意识，博爱天下、海纳百川的气度；敢于担当核心角色，具有说服他人、引领他人的能力，对团队的决策和行动有直接影响力，从大局利益出发，果断地提出意见；能够以自己的创造性行为贡献社会和人类。

（3）执著的创新精神

创新是一个国家和民族的希望所在，创新精神也是主体发展的不竭动力。创新精神主要包括以下几个方面。

创新意识。创新意识是指学生对创新活动的一种理性的觉识，它反映了学生对于创新的认识水平和自觉。创新意识可以分为三个层面：第一，学生对创新的认识，包括对创新的意义、内涵等的认知；第二，学生在认知基础上产生的创新的渴望、需求；第三，学生关于创新的意识渴求升华为行为渴求，即产生创新动机。

创新情意。创新情意是创新的情感意志。创新情感反映一个人不仅想创新，而且喜欢创新、乐于创新，从创新中能获得乐趣。它是学生创新行为产生和维持的保障机制，使学生在创新活动中不断形成和发展创新思维。

创新思维。创新思维是指具有创新特质的思维。创新思维具有四种特质：一是流畅性，指的是思维在单位时间内产生创新性观念的速度；二是变通性，指的是思维在单位时间内产生新观念的类型的多少，表明了思维的发散程度；三是独创性，指思维所产生的新观念稀有、新奇的程度。四是精密性，指思维严谨、缜密、系统、全面的程度。

创新个性。创新个性是指具有创新特质的个性，创新个性一般具有四种特质：一是好奇心，即对事物特别是新鲜、独特的事物充满好奇；二是想象性，指的是一个人的思维空间和人格空间博大，善于把相距遥远的事物联系起来，善于接受新事物和不同意见，不计较个人得失和别人的评价，对周围的人与事有包容性；三是挑战性，即不唯师、不唯书、不唯权威，敢于向已知和未知提出挑战，发表评论，提出不同看法；四是冒险性，即处事大胆果断，敢于担风险，有胆有识，有勇往直前、不达理想目标绝不罢休的精神。

创新品德。创新品德是指人从事创新活动所必须具备的道德品质。主要包括：第一，勤奋敬业；第二，团结合作；第三，责任感、使命感；第四，理想、信念。

创新美感。创新美感是指诱发创新活动的美感。创新美感包括对对象美的敏感性、鉴赏性、追求性以及把这种追求转化为创新行为和成果的能力。

（4）自主的研究能力

自主的研究能力是创新精神的核心所在。自主的研究能力指从生活和学习中能独立地发现问题并提出问题，能设计探究问题的可行性方案，从问题解决的需要出发比较系统地收集、整理信息，能运用科学的方法分析、处理信息，具有较强的归纳、论证、概括、总结能力和敏锐的洞察力。

（5）开阔的国际视野

主要包括：关心国内外大事，关注国际焦点和热点问题，善于收集和处理某一领域的前沿知识和信息，能从国际的、辩证的角度分析和认识问题，能对某一方面问题形成自己的观点，并就事情的发展方向作出预见性的判断。其目的在于通过开阔视野、拓宽自己的知识面而导引自己的人生发展，通过各种渠道关注国内外大事，并在已有的知识基础上分析事件和局势，逐渐培养学生敏锐的洞察力和灵活的思维方式。

总而言之，无论办学目标还是育人目标，青岛二中对于学生的期望可以用一句话来概括：引领学生自主发展。自主发展是指学生在教育过程中能够逐渐意识到自身的发展方向，并逐渐有意识地把握自身的发展。这种发展是出于自己意愿和需要的主动发展、个性自由发展以及主体性发展。从一定意义上说，任何教育都会促进学生的发展，但存在着“质”与“量”两个维度上的明显差别。基于“质”的角度考察，依据学生发展中的决定性因素，可分为“他主”发展与自主发展。“他主”发展是纯工具理性下的产物，学生从本质上仍被视为工具和容器。“他主”发展源于教师的预设或其他外在的力量。学生的自主发展强调学生在教师的引导下，在教育活动中调控和支配自己的活动，在学习中充分发挥积极主动性和主观能动性。与“他主”发展相异，自主发展强调更多的是价值理性，追求的是学生在学习过程中学会发展。

学生的自主发展是学生的主动发展。学生的主动发展，就是能动而自觉地规划自身的发展，成为自身发展的主人，这也是我们教育获得成功的一个非常重要的标志。以往我们也讲学生发展，但往往讲的是学生在别人主导下的被动的发展，而不是学生主动的发展，学生在学习活动中只是奉命行事，是屈从于教师、家长的压力而被迫地学。也就是说，学生的发展往往是别人所要求他们的发展，而不是他们自己从自身需要出发，应对时代、社会发展需要的主动发展。如果说以往的学生发展是自外而内的被动发展，那么我们现在的学生发展就应该是自内而外的主动发展。学生是具有主动性生命形式的人，具有自我反思的意识与自我选择的能力，其发展虽然要受许多客观因素的制约，但是这些最后都必须在学生自身感觉到需要时，经过主体能动性的发挥才能发生作用。因此，被动的、完全适应式的发展，不是学生发展的本意，这与我们所处的时代要求也是不相吻合的。当今的时代，经济、社会的发展日新月异，学生若不能根据这些变化及时准确地调整自己、更新自我，那么就会成为时代的落伍者，最终被社会所淘汰。只有主动地发展，具有发自内心的发展需要和愿望，学生才能更加积极地投入到学习和生活实践活动中，锻炼自己的各方面能力，也才能全面而持续地发展。我们要敢于突破传统教育的束缚，为学生的主动发展创造条件。

学生的自主发展是个性自由的发展。每个学生都有自我发展的意识，有自我发展的自由。他们不再是完全迫于外界的压力而被动发展，而是从自我的实际需要出发，根据自己的条件自由发展。被动的发展是“他主”的发展，是外力作用下的发展，往往是用同一个模式去要求所有的学生，培养出来的学生很可能是千人一面，没有多少个性。自由是人的本性之一，在此意义上，人的发展就是使人的这一本性释放出来。每个学生天生具有各种发展的倾向，这些倾向的发展是自内而外的，是学生个体本性的释放，是学生个体自由本性的展现。我们的社会是个多元的社会，我们的生活也是丰富多彩的，因而我们所培养出来的学生也必须是富有丰富、独特个性和自由特性的个体。只有个性自由的发展，才能促使学生树立积极主动、奋发向上的人生心态。

学生的自主发展是学生主体性的发展。随着社会的发展、进步，个体生命存在的价值、意义问题日益突出。人的主体性发展问题已经成为世界各国关注的话题。西方近现代经济、社会的高度发展和繁荣，与其个人的主体性发展程度是分不开的。中国几千年的文化传统对个体独立性或主体性不够重视，往往以群体、社会来压制个人主体性的发展。今天，发展学生的主体性显得尤为重要。只有重视主体的发展，才能发展科学技术，才能建立现代市场经济制度与法则，建立现代科学管理制度和体系，建立相应的法律、伦理秩序。每个人都是自由的、独立的，都有自己的自我意识，都应自主地参与各种经济、政治、文化等活动，并自觉地承担责任。学生作为教育的对象或教育的客体，不同于简单的“物”，而是主体，即具有认识能力、自主意识、主观能动性，这就要求教师牢固树立起尊重学生、信任学生、突出学生主体地位的教学思想，并在教学实践中切实做到重视对学生主体性的培养，充分发挥学生学习的主体作用。我们正在实施的素质教育的目标就是让人充分、自由地发展，充分挖掘人的潜能，使人的主体性在教育活动中不断得到提升和发展。学生主体性的发展，也就是为了让每一个人都能拥有创造生命的机会。

第三章 开发绿色课程，充实学生发展内涵

目标，是一切行动的准则；完成既定目标，必须要有相应的内容和手段。对于教育目标而言，教育内容的设置与教学活动的安排就是最重要的两个方面。青岛二中以“造就终身发展之生命主体”为育人目标，相应的，学校提出了“绿色课程”的概念。“绿色课程”是与“终身发展之生命主体”遥相呼应的。绿色象征着生命，“绿色通道”、“一路绿灯”表明希望与顺畅。青岛二中不仅在实际教育教学中切实做到最好，也以其富有生命力的理念使师生乐于接受。

一、课程改革的历史审视

在全面推行课程改革之前的十年间，青岛二中已经在校本课程建设方面陆续进行了一些探索与尝试。从课程的价值、功能、内容等方面来分析，大致经历了三个阶段。第一个阶段：以学科方法介绍和学科发展史介绍为主要课程内容，如物理组开设“物理方法研究”、化学组开设“化学实验方法研究”等，更多的是单一学科的简单延伸与补充。第二个阶段：以技能培养为主要特点的校本课程，如数学组开设的“几何画板”、物理组开设的“Visual Basic”等，这些课程在一定程度上受到当时信息技术发展的影响，强调校本课程与学生实践相结合。第三个阶段：以开阔学生视野，帮助学生提升人文与科技素养为特点的校本课程，如历史组开设的“关于历史重大事件的分析”、英语组开设的“英美文化”和物理组开设的“物理学发展史”等，这一时期研究性学习作为一种新的学习方式开始进入高中，一定程度地影响了教师的课程设计理念。总的来看，这些课程对拓展学生视野、帮助学生更好地理解学科知识起到了一定的作用。

但是，由于课程理念上的差距以及对校本课程缺乏整体规划，这一时期的课程也存在诸多问题：一是课程设置的学科化特点明显，课程的开放程度还远远不够；二是从理论走向理论，实践类课程匮乏；三是评价制度不完善，校本课程没有得到足够的重视，这一不足导致了校本课程在学校所开设的课程中处于从属位置，在培养学生的创新精神与实践能力方面所起的作用稍显单薄。

随着我国经济体制从计划经济向社会主义市场经济体制转变，社会发展带来的不仅是经济学意义上的资源配置方式的变革，而且是以经济生活为基础的全部社会生活的重大变革，即人的存在方式的变革。我国的现代化建设事业不仅是“物”的现代化，同时也是“人”的现代化，并最终取决于人的现代化。这就对未来人的素质的培养和教育提出了新要求：未来的人才必须适应经济全球化、科技国际化的竞争与合作；具备崭新的知识结构，掌握新的学习与科学工作方法，把握科学技术发展前沿和不断更新的社会需求；具备学习、创新、创业与服务的精神，将科学精神、科学方法与人文精神和人文艺术方法结合起来，使人与自然协调进化。

与此同时，信息技术在教育中的广泛应用，深刻地改变了教育手段、教育方式、教学过程、教育管理以及师生关系，教育资源的跨时空共享使得学习的范围由学校扩大到整个社会，一味强调知识教学的教育模式已不能适应时代发展的要求。

一所好的学校不应当规定人的发展道路，而应该成为一个能够让学生实现梦想的地方。学校就其本质而言就是一种让学生在其中不断完善、成长的环境，学校最重要的责任就是按照教育规律、人的成长规律和社会发展的规律创造最适合学生的生态环境。

教育部于2003年颁布了《普通高中课程方案（实验）》，高中新课改实验于2004年启动，山东省成为全国首批课改实验区，青岛二中也由此掀开了推进素质教育的崭新一页。

二、彰显生命光彩的绿色生态课程

学生是一个丰富多彩的生命个体，他们的内在需要是生活化的，他们的兴趣取向是多样化的，他们的个性特征是差异化的。学校教育最重要的是创造一种适宜生命体成长与发展的绿色生态环境，每一个生命都可以在这片绿色的生态环境中呈现出自己的精彩，而绿色生态课程就是一个开放的环境，让每一个学生在学校所设置的课程以及他们自己创造的课程中自主选择，实现自我的、充分的、个性的发展。我们认为建立绿色生态课程能真正赋予课程生命力，满足学生个性化的发展需求，从而实现“造就终身发展之生命主体”的育人目标。

（一）绿色生态课程的内涵

绿色是生命的颜色，象征着蓬勃的生机与活力。绿色生态课程是满足并激发学生持续发展的信息系统，能引导学生更好地思考并体验人生。

卢梭在《爱弥儿》中说：“大自然希望儿童在成人以前就像儿童的样子。如果我们打乱了这个次序，他们就成了一些早熟的果实，既长不丰满也不甜美，而且很快就会腐烂，我们就会造成一些年轻的博士和老态龙钟的儿童。”要尊重学生发展的自然顺序，为其自我完善营造一个绿色的环境。课程对学生的影响不是单一要素的作用过程，而是综合复杂体系共同作用的结果；课程对学生的影响不是暂时性的、一次性的，而是持续的、永久性的。学生都是不同的个体，与其周围的环境构成生存的小环境，而课程则是反映国家或社会发展整体的大环境。学校通过课程的大环境影响学生的小环境，从而实现人与环境的和谐互动发展。

（二）绿色生态课程的特征

1. 尊重学生的个性差异，帮助其发展智能的优势

在当代和未来的社会生活中，竞争空前激烈，发展不断加速，环境多向变换，“学会选择”已成为时代的需要，“注重选择”已成为时代的精神。选择能力已成为现代人重要的素质之一，培养学生的自主选择意识和科学选择能力是现代教育的基本要求。在保证每个学生达到基础目标的前提下，各学科分类别和分层次设计多样的、可供不同发展潜能学生选择的课程内容，以满足学生对课程的不同需求。基于对社会发展需要和学生现实需求的分析，为学生的选择提供多样化课程体系，赋予

他们进行主体决策的权利。

同时，为克服学生在选课过程中出现的盲目性，帮助学生形成符合个人特点的、合理的课程修习计划，学校为学生积累知识和形成合理的能力结构提供指导，以帮助学生将来更好地发展。

2. 引导学生的实践探索，帮助其形成广阔的视野

传统课程注重知识传授的系统化和理论性，较少联系实际，不关注知识在生活和实践中的应用。另外，传统课程注重自身逻辑结构的严密，淡化了知识的来源和形成的过程。这样的课程缺乏与社会和环境的有效沟通及交流，缺乏发展的生命力和创造的活力。当前，课程与现实生活的关系发生了根本的变化，那就是：强化关联、避免割裂，注重过程、实践与体验。这就要求从现实生活走进课程教学的小课堂，同样也需要从课程教学进入社会大课堂。

3. 激发学生的探究兴趣，帮助其获得科学的方法

探究是以学生的自主性学习为基础，从学校、社会生活、学习内容中选择和确定探索与研究专题，在自主基础上实现学生的深层次发展。日本教育专家佐藤正夫在《教学原理》中明确提出：是被动接受，还是让学生成为学习的主体，是现代教学中的焦点，也是培养人的核心问题。而探究正是赋予学生自主的权利，进而实行的自主发展。探究式教学开发学生的智力，发展学生的创造性思维，培养自学能力，力图通过自我探究引导学生学会学习和掌握科学方法，为终身学习和工作奠定基础。

（三）绿色生态课程的结构

为使课程成为学生素质发展的支撑，学校确立了以素质发展为导向的大课程观，突出课程的实践性、自主性、综合性和开放性，优化和整合学校资源、社会资源、教师资源与学生资源，形成了多元课程体系。

在青岛二中，课程已不仅仅是固化的教材，而是教育者为学生提供的学习机会。教师是课程的研究者、设计者、实施者，同时，学生是课程资源的提供者，而不仅仅是课程知识的接受者。课程体系建设不仅仅是一项活动、一种制度，也成为一种意识、一种文化，是绿色的、生态化的课程体系。

1. 科学激趣类课程

此类课程注重与科学发展的最前沿接轨，立足基础，回归生活，让学生在生活中学会面对并处理现实世界中的实际问题。在这类课程中，我校开发的创新思维课程独具特色。该课程以萃智理论（TRIZ 理论）为理论依据，以案例形式向学生系统介绍 40 个发明创新的基本原理和 16 种创新技法，让学生了解创新的一般方法和思路。经过教学探索，目前，学生在学习创新原理和创新技法的基础上，形成了创意设计 800 余项，学校还举办了“设计让生活更美好”主题展示活动，评选出优秀成果 64 项，学生申请专利 90 项。

2. 艺体技能类课程

此类课程依托学校“2 + 2”艺体技能达标方案，与国家课程相辅相成，重在丰富学生主体感受和体验，培养学生动手操作能力、创造能力和创新精神，提高学生艺术修养，促进学生身心发展。我校开发的艺体类校本课程丰富多彩，既满足了普及教育的需要，又凸显了优势智能的培养，为学生全面发展打下了坚实的基础。如体育类课程依托学校地形优势，建立了攀岩基地、高尔夫基地和素质拓展基地等，有效地满足了学生的需要。

3. 人文素养类课程

人文教育以真、善、美的价值理想为核心，培养学生形成一种不断追求自身解放和充分发展的自觉的文化精神。它提倡学科教研组、集体备课组或文理科跨组通力合作，为学生开发人文素养类课程。例如，我校语文、政治、历史、美术等学科教师紧密合作，共同开发了汉字文化课程。

4. 语言工具类课程

语言是人类最重要的交际工具、思维工具和表情达意的工具。师生之间传授知识、交流思想、沟通感情都离不开这个工具。我们不仅提倡教师开设关于母语的课程，而且鼓励他们开设与各种外国语相关的校本课程，以适应培养国际化人才的需要。目前，我校已引进德语专业教师开设了德语课程，与青岛大学合作开设了法语和韩国语课程。

5. 技术类课程

此类课程作为培养学生创新精神与实践能力的重要载体和有效途径，通过技术工具的设计、制作和评价，实现技术思想和方法的应用及实际问题的解决，为学生发挥创造力提供了广阔的舞台。

6. 学科拓展类课程

此类课程以学生思维能力培养为核心，以兴趣激发为目标，注重培养学生思维的敏捷度、清晰度、深度和广度，力求让学生形成积极思考的素质及良好的思维方式。

7. 体验感悟类课程

此类课程将富有挑战性的活动纳入校本课程管理体系，通过对活动进行系统规划、设计与组织，培养学生的决策能力、组织协调能力及领袖气质，引导学生根据自己的兴趣和特长，找到适合自己的舞台，找准人生未来的发展方向。例如，我校模拟联合国活动已经形成相对系统的教育模式，帮助学生在一种高端的交流与学习中全面提升视野和能力。

8. 文化交流类课程

此类课程兼容并蓄，中西融合，引导学生从民族传统文化中汲取养分，与来自世界不同地方的人们进行文化交流，培养学生的国际视野，塑造学生的仁智品格，为国家和社会培养合格公民。例如，2011 年我校与国际经济学商学学生联合会（AIESEC）合作，在学校开设为期一个月的“绿色行动计划”（GPN）课程。课上，来自哈萨克斯坦和印度的志愿者为学生开设国际环保课程，学生在跨文化交流的基础上完成了 9 篇有关清洁能源利用的研究报告，为学校利用国际合作开展研究性学习活动作出了有益的尝试。

（四）绿色生态课程的管理

传统的课程是由国家制定统一的教学目标，所有的学生都要达到同一目标。而新课程提供了丰富的必修课程与选修课程，在保证基本营养“吃饱”的基础上，为学生提供个性化营养“套餐”。我们建立“课程超市”来构建自主、开放的学习环境，把学习的选择权还给不同个性、不同潜能的学生。

“课程超市”是在新的课程体系下为满足学生的个性需要而打造的选课平台，学生可以根据自己的兴趣爱好“点菜”，由于有权自己设定学习目标，学生可根据自己爱学的、能学的内容，将自己的生活经验与爱好特长结合起来，在课堂学习结束以后，沿着教师引导的学习方法，自己去找一些感兴趣的内容继续学习。同时他们还可以自找学习伙伴，并在与伙伴的沟通及合作中有效地促进自身语言表达能力、协作能力、评价能力和创新能力的发展。

1. 选课指导，帮助学生选择适合自己发展的个性课程

赋予学生自主选择课程模块的权利是新课程改革的核心价值理念之一，根据学生个性发展的不同需要，帮助学生合理选择并形成自己的“课程套餐”是新课程改革能否取得成功的关键。改变以往学生统一课表的做法，变成每个人都有自己的个性课表。并且，对文科倾向的学生在传统的理科课程领域中适度选择模块，理科倾向的学生在传统的文科课程领域中适度选择模块予以支持。

在多元智能理论的指导下，学校制定了《青岛二中发现并支持学生

优势智能发展方案》，通过发放优势智能调查表、导师观察、教师集体交流等方法了解学生的智能倾向，并在此基础上建立对学生优势智能发展的支持系统，包括：建立学生多元智能个人电子档案，确定培养计划，实行多样化的教学策略以及提供方法支持、课程支撑、特长支持、人生规划支持等。学校根据学生的优势智能组合分类进行指导，帮助学生建立自信、学会规划、形成独特智能表现。学校组织编写了《青岛二中学生选课指导手册》，通过定期举办课程推介会，面向家长与学生开展选课指导，解答学生和家长的疑问。

2. 选课走班，体现以学生为本，尊重学生个性发展的教育理念

新课程改革允许学生根据自己的特点和需要在选修系列模块中选课，因此教学的实施必须通过“走班”形成新的教学班级，同一个教学班内有来自同一年级不同行政班的学生。根据实际选课情况，走班分为分部走班、年级走班两种方式。

分部走班指将整个年级划分为若干教学单元，学生在分部内进行走班上课，分部走班适合于学生对同一学科进行不同模块选修时的上课，主要解决的是师资不足的问题。年级走班也叫大走班，指在同一时间内，将整个年级的行政班全部打乱，重组教学班开课，此种方式适合于校本课程。

为了便于管理，学校出台了《青岛二中走班教学管理办法》，教学班和行政班并行管理。教学班的管理重点放在学生选课的学习管理上，注重学生良好学习习惯的养成和学习方法的形成，任课教师在上课期间承担临时班主任的职责，在教学班班委会、学习组长等的协助下开展教学和管理工作。行政班承担的教学功能将相应减少，管理重心将转到学生教育和日常管理上，主要是加强对学生的纪律教育、行为规范教育、理想信念教育、爱国主义和集体主义教育等。

3. 学习伙伴，帮助学生在分享与交流中成长

为了让学生迅速适应青岛二中贯彻实施新课程改革和推动素质教育

的有效举措，学会学习、学会合作、学会生活、学会发展，实现学习进步和素质发展的双赢，也为了解决实行学段集中教学导致学生在后一学段较长时间内，在三个学科上不再进行课堂学习，面临着遗忘等方面的问题，学校出台了《青岛二中“学习伙伴”制度实施方案》，组织学段内学习不同课程内容的两个班级结对，建立伙伴班级。两位班主任综合学生的学习水平、性格特点、性别等方面因素，通过每周定期的交流沟通，使学生能够取长补短，学会合作，这样既扩大了学生的交往半径，又让学生在人际交往、协作能力等方面有所锻炼和发展。

三、课程管理和保障体系

（一）全面提升教师素质，为课程创生搭建平台

1. 鼓励教师及时更新知识储备，不断开发适应学生需求的校本课程

在知识更新周期不断缩短、教育科学技术飞速发展的今天，一名合格的教师不仅要精通教育教学理论，具备稳健扎实的教学基本功，还要依据实际教学情况主动“充电”，自觉拓展知识领域，根据学生的实际需要开设相应的校本课程。

首先，教师根据学生兴趣创设校本课程。青岛二中的天文台一直吸引着众多热爱天文学的学生。他们渴望了解星空，探索宇宙的奥秘。据此，韩潇老师利用学校现有观测条件，为学生开设了“天文研学”校本课程。在课程准备阶段，韩潇老师阅读大量天文学书籍，利用假期到各地天文台参观学习，参加天文爱好者沙龙，并在网上与其他开设过相关课程的中学教师建立联系，虚心向他们请教，在此基础上，他精心设计了这门课程。该课程包括天文基础、天文观测基础、月球和太阳观测、星空观测等板块。韩潇老师利用多媒体播放图片和教学短片，适时组织户外观测、撰写科学报告，形式活泼，侧重于实践性，强调学以致用，激发了学生学习天文学的热情，培养了他们的动手能力和科学

素养。

其次，教师探讨、挖掘学科外延，选取恰当切入点形成校本课程。朱军老师开设的校本课程“手持技术及应用”，就是在探讨数学学科外延的过程中开发而成的。手持技术泛指可持于掌上的，可移动的信息技术。“高中数学课程标准”要求数学课删减繁琐的计算、淡化细枝末节的内容、克服“双基异化”的倾向，要求学生涉足内容丰富的数学领域，发展学生的应用意识、创新精神和实践能力。这就需要把大量贴近学生现实的材料作为课程的素材来进行学习，在手持技术的支持下这些数学活动成为可能。朱军老师的这一课题旨在探讨信息技术与中学数学新课程的整合，提高学生的数学学习兴趣，探讨有效提高教学效率、改进教学成果的办法。经过三年的探索，目前该课程已趋于成熟，与该课程相关的研究课题也取得了一系列的成果。

再次，教师根据社会实践的需要创设校本课程。青岛市是 2008 年北京奥运会的合作城市、奥帆赛的举办地。早在 2006 年，青岛二中体育组教师就发挥学科优势和教师个人特长开设了帆板课程，大力普及帆船运动知识，成立了校级帆船队，连年参加青岛市中学生帆船训练营和所有市级帆船比赛，并取得了优异的成绩。2008 年 8 月 1 日，我校帆船队四名学生代表参加了青岛市帆船对抗赛，经过一天激烈的比赛，我校运动员获得女子激光级个人第二名、第六名，男子激光级个人第六名，并获得团体总分第二名。帆板课程通过广泛开展帆船运动知识普及和实践活动，传递奥林匹克精神，弘扬中华民族优秀文化，提升青少年的帆船运动水平和文明素质，培养输送青少年帆船后备人才，推动了学生帆船运动发展。

2. 鼓励教师广泛阅读，不断提升教育境界

青岛二中开展了“研读经典，叙说故事”的系列读书活动，为每位教师配备教育和哲学书籍，如《如何成为一名优秀的中学教师》、《培养智慧的孩子》、《幸福的生活》、《一生的学习》等，引导广大教师进行阅读，让教师们的大脑变得聪慧起来，看问题的角度变得灵活起

来。通过阅读，教师的理论水平有了进一步的提高，教育境界得到了一定程度的提升。于卓琳老师在《做个读书人，做个思想者》一文中这样描述他的读书体会和感悟："阅读对人成长的影响是巨大的。读一本好书，就是与一位智者展开平静而深远的交流，他的思想会慢慢融入我们的心灵。一本好书往往能改变人的一生，而人的精神发育史，应该就是他本人的阅读史；一个民族的精神境界，在很大程度上取决于全民族的阅读水平。对一个教育工作者来说，'教书育人的底气，存在于工作之余的读书阅读，存在于读书之余的思考与学习。'人生的意义就是寻路的过程，阅读这些书籍有助于推动教师对教育教学最近的和最远的、最基本的和最前沿的问题进行观察和思考。而且随着阅读的深入，眼界开阔而自觉地追求由教育智慧带来的开放与自由。"

书读多了，思考自然也就成了习惯。教师的成长策略可以概括为四点：阅读，反思，总结升华，团队合作。当我们的教师团队通过读书不断成长，思想境界不断提升，那么即使不敢说我们是站在教育科研的最前沿，至少我们是在用心做教育，是在品味教育，我们的教育也必定是充满智慧的。

3. 以科研触动教师课程开发意识

青岛二中以科研为先导，注重提高教师的科研意识与能力，鼓励教师积极从事教育科研，以科研带动教育质量的提高，带动学校管理水平的提高，带动教师素质的提高。为提高教师的理论研究水平，促使教师由教书匠向专家学者型教师转变，学校成立了专门的教科研室推动此项工作。教科研室以专职研究员和兼职研究员为骨干，教师全体参与课题研究，做到管理科学化、组织网络化、资料信息化、课题规范化、队伍层次化。学校领导亲自参与课题研究，分别承接了国家级、省级、市级科研课题的子课题，围绕学校的国家级课题教育部哲学社会科学重大课题攻关项目"我国学校教育创新研究"课题的子课题"高级中学办学模式及教育评价系统创新研究"，将课题分成 12 个研究领域，分别涉及研究性学习、学生学业评价、学生思维品质的培养、方法与评价模式研究、社区服务与社会实践的方式创新、学校课程、学生发展性评价的操作系统开发、学生持续发展能力、学生科技创新活动、学生的课堂表现力等方面。

在教育科研过程中，青岛二中借助华东师范大学、青岛大学以及青岛市教育科学研究所等大专院校和科研院所的专家学者的力量，以课题研究为切入点，以骨干教师为课题研究的带头人，广泛发动全校教师积极参与教育科研，形成国家、省、市、区、学校五级科研课题序列，形成人人参与教育科研的良好氛围，进而形成一批颇具价值的研究成果。具体来说，学校主要从以下七个方面积极推进教育科研工作。

（1）设立教育科研基金，用以资助课题研究、奖励科研成果。

（2）在全体教师中形成学习与研究机制，要求每位教师：参加教育科研培训，熟悉教育研究过程与方法；每年读一本教育理论著作；每学期写一篇教育科研论文，至少开一堂教育研究课（公开课、观摩课等）或展示活动。

（3）全体教师每人均独立承担或参与一两项教育科研课题。

（4）积极创造条件，建立科研学术休假制度，鼓励优秀教师著书立说。

（5）为广大教师发表科研成果提供机会与条件。

（6）建立健全教育科研成果奖励制度：每年组织一次教育科研成果评奖大会，奖励有价值的科研成果；凡在市级以上教育科研报纸杂志上发表学术论文、公开出版著作的，学校给予配套奖励。

（7）加大宣传力度，推广卓有成效的教育科研成果。

青岛二中开设了教育教学科研论坛，举办各种以促进教育教学为目的的教育理念、教学方法、科研经验的交流活动。通过多种形式的教学研讨活动，进一步强化教师的科研先导意识，充分发挥教育科研在办学治校中的作用，使学校的教育科研工作平衡、协调、整体发展。

2007 年，青岛二中参与了由教育部人文社会科学重点研究基地——北京外国语大学中国外语教育研究中心承担的全国教育科学“十一五”规划教育部重点课题“中国基础英语素质教育的途径与方法”（课题批准号 DHA070148）研究，具体负责子课题“企鹅英语阅读与学生个体语言特色运用发展研究”。在北外专家韩宝成教授和霍庆文教授的精心指导下，英语组开设了校本课程“企鹅英语阅读”。学生于课后、周末或选修课上阅读一本指定读本，学校两届共 9 个班 415 名学生先后选修了这门课程。通过企鹅英语 89 个故事的阅读，学生们逐步练就了较强的英语语感，并由输入到输出，通过多样化的阅读系列展示活动，通过师生、生生、个人、小组、班级的合作、分享、交流等形式，形成了自己的个体语言运用特色，提高了英语语言文化素养，培养了较强的语言口头与书面沟通能力。华薇薇老师在《一道亮光——企鹅英语课题实验体会》一文中这样写道：

高一的下半学期，我在任课班级推广使用了“企鹅英语”系列丛书。实验几个月以来，我欣喜地看到了学生的诸多变化。首先我建议学生阅读了三本书，保证了大量原汁原味语料的输入，并给学生建议了几种语言输出的形式。结果发现，学生对情景剧这种方式很热衷，并且他们的组织及表演天赋真的是出乎意料。全班自发地分成几个小组，把简·爱的故事分成几个场景，从童年时期到寄宿学校时期再到当家庭教师时期然后到简·爱的爱情再到与罗彻斯特先生最终携手，学生们精选出彩的片段演绎了一个个精彩而有时又如此感人的场景。他们在改编剧本时，语言或许还不是非常精炼地道，但这个尝试是一个非常有挑战的突破。在自编自导的过程中，他们体验到了英语学习的乐趣，感受到了合作的重要性，这将为他们今后的学习开启一扇门。

除了口头输出，很多学生还上交了读后感等书面作业，以一种更精确的方式记录了自己读书的心路历程。在初始阶段，他们的作业中多多少少都会存在一些疏漏与错误之处，但对于高一的孩子而言，能这样用英语流畅地表达自己的观点已经相当值得祝贺了。随着阅读量的增加，他们的语言输出水平肯定也会一步步地提高。

几位美术老师开展了科研课题“普通高中陶艺校本课程开发”的

研究，同时将陶艺课程引入校园。陶艺课程作为高中美术课程改革中设计工艺模块的一个特殊的教育载体，能极大地培养学生的动手与实践能力、思维发展与想象能力、视觉与空间感知能力、创造能力和人际关系协调能力，对于学生提高智力水平和开拓思维具有十分重要的影响。学校利用配备的陶艺设施，率先在青岛市开设此课，几年来积累了大量的经验，学生的作品屡屡在大赛中获奖。我校的陶艺中心也被列为全国教育科学“十五”规划教育部重点课题“陶艺教育在推进素质教育中的作用和地位”专题实验基地，并于2005年出版了相关专著。

（二）创设学生自主选择的时间和空间

1. 我的社团我做主

中学生社团作为课堂教育的补充和延伸，是以学生为资源进行学校课程开发的有效载体，它以其年级的交叉性、活动的实践性、交流的民主性、组织的社会性而具有实践和教育功能，充分调动了青少年学生提高自身素质的主动性和积极性，为青少年学生道德素质的提高，科学与人文精神的提升，民主意识与组织管理能力的培养提供了广阔的舞台。目前青岛二中共有50余个社团。根据各社团活动的特点，以及学校现有的教育资源和教师的指导力量，学生社团活动可分为以下五类。

（1）学科类：包括历史社、军事社、日语社、韩语社、德西社、商务经济社、心理社等。

（2）科技类：包括天文台、生物社、化学社、环保社、汽车社、创意社、航模社等。

（3）艺术类：包括文学社、校刊《交响》编辑部、话剧社、动漫社、电影社、街舞社、手语社、DV社、吉他社、K歌社、管乐团、合唱团、室内乐团、民乐、舞蹈、陶艺、钢琴、摄影&PS社、明星社、篆刻社、绘画社、武侠社、DIY社、魔术社等。

（4）体育类：此类社团在以前的基础上以俱乐部的形式进行重新改组，成立了“激扬青春”健身俱乐部。随着俱乐部的不断发展壮大以及学生需求的日益多样化，学校先后成立了田径、篮球、足球、排球、乒乓球、羽毛球、网球、游泳、高尔夫、轮滑、素质拓展、攀岩、单车、棋类14个俱乐部。每个俱乐部都有自己详细的活动方案与专门的技术顾问，每周定期组织俱乐部成员参加训练，相互交流切磋，增进技艺。

（5）综合类：包括电视台、广播站、记者团、爱心基金、模拟联合国社、演辩社、推理社、急救社、调酒社、茶艺社、中医研究社等。

把时间归还给学生，把空间归还给学生。只有这样，“幸福的童年”和“快乐的学校生活”才能真正属于学生。

2. 我的研究我设计

青岛二中是山东省开展研究性学习最早的学校之一。早在2000年，当人们质疑青岛二中“不务正业”的时候，青岛二中的研究性学习小组就像雨后春笋般地发展起来。许多研究性学习成果使学生终生受益。例如：王子正同学发明了“内置式输液器”，上大学后，他继续创新，将其改进得更加完善，他本人也获得了天津市“2008年十佳大学生”称号；王天琪同学“帆翼式柔性叶片风轮风力发电装置的研究”蜚声全国，他本人也被保送浙江大学。这种在中学时代进行的研究性学习，使学生们学会了最基础的研究方法，奠定了最优秀的科学素养，具备了在科学领域中自由翱翔的本领。

青岛二中的研究性学习起步早，内容丰富，研究领域广阔，参加人数多，形式多样，研究成果多次获得市、省、国家级和国际级奖项，近几年成绩越来越好。截至2011年，学校已连续九届参加“中瑞环保小硕士”活动，参与活动的学生大多升入名牌大学或出国深造。每届全球青少年环境论坛，学校都有学生代表参加。在2009年的全国青少年水科技发明大赛中，20名入围决赛的学生中就有三人来自青岛二中。在全国劳技大赛中，青岛二中学生获得一等奖第一名，并应邀去香港介绍经验……

（三）建设全方位的学习共同体

学习共同体（learning communities）是包含在新课程理念中的一个重要概念，指一种交流和互动的团体，在这种团体中，个体通过互动和共同的探索活动将公共知识转化为个人知识。它强调在学习过程中以相互作用式的学习观作指导，通过人际沟通、交流和分享各种学习资源而相互影响和相互促进。它与传统教学班和教学组织的主要区别在于强调人际心理相容与沟通，在学习中发挥群体动力作用。

学习共同体具备社会强化、信息交流两种基本功能，建立学习共同体是满足学生的自尊和归属需要的重要途径。在学习共同体中，学生感到自己和其他学习者同属于一个团体，在进行共同的学习活动，遵守共同的规则，具有一致的价值取向和偏好。学生对共同体的归属感、认同感以及从其他成员身上所得到的尊重感有利于增强学生对共同体的参与程度，维持他们持续、努力的学习活动。另外在学习共同体中，学生不仅与教师进行交流，同时也与同学进行交流和合作，共同建构知识、分享知识。在沟通交流中，学生可以看到不同的信息，看到理解问题的不同角度，而这又会促使他们进一步反思自己的想法，重新组织自己的理解和思路。

1. 学习共同体之“优秀辅导员制度”

青岛二中出台了“优秀辅导员制度”，聘请高三学生担任低年级的辅导员，定期为低年级学生介绍学习经验和参与学校活动的体会，对低年级学生进行学习方面的指导、帮助和监督。

2. 学习共同体之“全员导师制”

为加强对学生课程选择的有效指导，帮助学生健康成长和科学规划人生，充分发挥全校教职工在学生成长发展过程中的指导和教育作用，营造全员育人的教育氛围，推动师生之间进行积极平等的互动交流，促进每一位学生的全面健康成长，青岛二中实施了“学生成长与发展全员导师制”。

每位导师要及时了解学生状况，关心学生在学业、生活、品行、心理、人生等方面的情况，关心学生的生活，指导学生合理选择课程、分配学分，并根据自己的特点和志向制订个人的学习计划，培养学生的自主学习能力。导师们还要关注学生的心理健康和成长需求，辅导学生解决各种心理困惑。

学生可以自主选择导师，通过导师交流预约等形式，主动与导师坦诚交流，学生主动作好阶段发展分析，定期向导师汇报，谦虚接受、认真听取导师的指导意见。学生和导师彼此尊重，互相信任。

以师为友，以生为友，师生互诉衷肠，建立融洽友好的和谐关系，这是彼此心灵沟通的需要，是精神世界的充实美好，更是教育的最高境界。导师不是圣人，但他（她）却是愿意走进学生心灵的人，是愿意把自己的爱无私奉献给学生的人。成功的教师把自己看成一个引导者而非学生的对立面，对于暴露出的问题不是忙着呵斥和禁止，而是能透过现象看本质，懂得遵循学生的心理发展规律，用科学的方法加以疏导。教师应把自己当作学生的心理导师，使学生处于身心健康正常的状态，拥有良好的品德和端正的学习态度并掌握有效的学习方法。

“全员导师制”不是一般意义上的学习辅导、物质馈赠，而是着眼于学生的心灵世界和人格情操的丰富提升，着眼于挖掘教师群体潜在的育人资源。因此，这种制度的不断成熟和发展，很大程度上提升了青岛二中的育人层次和办学效益。学校每年教师节均要隆重表彰几十名优秀导师，他们受到学生的尊重和喜爱，受到学校、家长和社会的称赞。以学生为本，以学生为重，无论何时都是教育的核心。“全员导师制”的益处在于：它丝毫没有抹杀班主任工作的效果，而是与班主任工作互为补充，相得益彰。教师成为导师，不仅提升和丰富了教师的素质与能力，而且也使其教书育人的作用得到了最大限度的发挥。

（四）多元开放的课程评价体系

教育部《基础教育课程改革纲要（试行）》指出：“建立促进学生

全面发展的评价体系。评价不仅要关注学业成绩，而且要发现和发展学生多方面的潜能，了解学生发展中的需求，帮助学生认识自我，建立自信。发挥评价的教育功能，促进学生在原有水平上的发展。”

在素质教育的探索中，青岛二中深刻理解新课程改革理念，围绕学生综合素质评价的发展性功能，在评价标准、评价内容、评价方法、评价工具和评价反馈等方面作出了很多有益的努力和尝试，以综合素质评价引导学生正确认识自我，科学地评价自己和他人，促进了学生的主动发展、个性发展和全面发展。

1. 以引导学生素质发展为目标，积极实施学生综合素质评价

综合素质评价方案既是衡量学生发展的标准，又是对学生进行客观评价的依据。实施学生综合素质评价，以科学有效的评价来规范、引导、支持学生，让学生通过对学校多样化课程的选择和学习来获得卓有成效的发展，这正是新课程改革赋予我们的历史使命。

（1）实施综合素质评价，实现学生的全面发展

按照党和国家“促进学生德智体美等全面发展”的要求，现代教育必须把促进学生的全面发展和为学生的终身发展奠定基础作为自己的责任。传统教育价值观中，受高考指挥棒功利性的影响，重智育而轻德、体、美育的现象比较普遍地存在着。评价的唯一标准就是成绩与名次，教育的唯一内容就是与高考有关的课本知识。在这种功利思想的影响下，不择手段地获取分数，不讲科学地安排内容，这种做法使学生的身心发展得不到应有的保障，已经把教育变得不是在培养人而是在摧残人。新课程以其崭新的教育理念，设计了对于学生进行综合素质评价的制度，按照学分管理的要求，每一个学生必须在相应的领域内修习一定的课程才能获得毕业所要求的学分，学生在德、智、体、美等方面至少修完规定的学分才能够毕业，这就使得学生的全面发展有了可能。学校教育按照综合素质评价的要求，提出了学生“人文素养、科学素养、身心健康素养、人际交往能力、自我认知和生存能力”五项基本素质和特色素质，引导学生通过课程的学习和参加综合实践活动，实现全面发展。

（2）实施综合素质评价，促进学生个性发展

学生在全面发展基础上的个性发展，不仅是学生自身成长的特质，也是学生可持续发展的根本所在。实践证明，那些在事业上真正成功者的最重要的品质就是兴趣与个性。标准、统一的教育评价既扼杀了学生的个性，又使学生在没有自信与成功的精神状态下继续着枯燥的学习生活。青岛二中始终坚持为学生的个性化发展创造条件，努力建设个性化校园，使校园成为学生展现自身独特素质和魅力、促进个性最大化发展的舞台。实施综合素质评价，设计多样化的选修课程，使学生在自主选择适合自己发展的课程的同时，提高了学习效益和质量，促进了兴趣与特长的发展。为了更好地支持学生的个性发展，学校还制定了发现与支持学生多元智能发展的制度，并将这项制度与综合素质评价制度相结合，凸显学生个性发展的价值。

（3）实施综合素质评价，促进学生主动发展

学生的主动发展是学生终身发展中一项重要的品质，这种品质的培养建立在自主开放的学校环境中，学生按照自己的发展设计，积极参与学校的课程学习和实践。新课程为学生创造了更多自主选择的机会。多元评价、过程性评价使学生能够通过自己的人生规划、发展目标和课程选择，促进自己在更高的层次上获得最好的发展。青岛二中在学生的发展追求上，特别强调学生的主动发展，重视通过评价的引导，让学生不断调整目标和方向，找到适合自己的发展方向和途径。主动的人生是积极的人生，也必然是富有创造性、竞争力的人生。

2. 构建新课程改革背景下的综合素质评价模式，扎实推进新课程改革

（1）认真落实山东省高中课程设置方案，严格学分设定

根据《山东省普通高中课程设置指导意见》，青岛二中规定学生应在高中三年获得 116 个必修学分（包括研究性学习活动 15 学分、社区服务 2 学分、社会实践 6 学分），在选修课程中获得 28 学分（其中学校课程至少 6 学分），总学分达到 144 分，并且学业水平考试成绩合格、基础素养评定合格方可毕业。

青岛二中鼓励学生根据自己的兴趣爱好、发展方向及升学的要求，选择选修课程中选修 1 和选修 2 的若干模块继续学习。三年学分达到 180 分以上，可以获得“青岛二中优秀毕业生”荣誉称号，并且作为高校自主招生及提前录取工作推荐的重要依据。

（2）探索多元化发展性评价结构，保证评价的科学性和有效性

为贯彻《基础教育课程改革纲要（试行）》精神，建立促进学生全面发展的评价体系，学校制定了《青岛二中学分管理与认定办法》，以此为基础不断完善学生发展性评价制度。成立学分认定委员会，实行任课教师、负责部门、学分认定委员会“三级管理”。借助网络管理平台，建立起网上“阳光档案”学生综合素质评价系统，对学生的必修课、选修课进行管理与评价。

“阳光档案”学生综合素质评价系统从学生平时成绩到模块综合成绩，从研究性课题到社团工作，从过程性评价到终结性评价，从单项成长记录表格到综合汇总电子档案，为学生的学习成长提供了一个综合的、全面的、客观的和有效的评价管理网络平台。

在此基础上，青岛二中推出了学生素质发展情况通报制度，班主任每学期两次向家长发放《学生素质发展反馈表》，通报学生的综合发展情况，将学生学习成绩和素质发展作为评价学生的重要指标。学校还引导教师和家长更加关注学生的素质发展与素质的“增值”。

（3）细化综合素质评价的管理标准，确保评价工作规范有序

学生综合素质评价是一项操作性很强的工作，评价信息的采集、认定和记录的准确与否直接影响到最终的评价结果。学校在必修课程、选修 1 课程、校本课程、综合实践课程等课程领域内均实施了严格规范的过程管理，确保了评价数据的真实准确。

走班的普遍实施给学生评价带来了一系列难题，例如：对学生修习同一学科不同模块或不同学科不同模块的成绩比对问题；教学班学生因基础差异产生的对教师教学的评价问题等。为解决上述问题，青岛二中将学生每次模块考核成绩的原始分依据公式换算成标准分，并导入学生学业评价系统，系统可以自动对“个体分析、班级比较、教师比较”

等指标进行查询和分析，既方便学校、学生及家长查询学业成绩，又满足了分析和评价个人学业成绩走势的需求。同时，对教师的教学可通过教学班级学生历次考试中标准分提高（增值）的人数多少来进行评价。

（4）创新综合素质评价的方式，激励学生主动发展

激发学生潜能，给学生以自信和力量。学校实行课堂表现力评价，记录学生的精彩瞬间。课堂表现力的考察是学校加强过程性评价的创新举措，由任课教师根据学生在学习过程中参与讨论问题、回答问题的态度和水平对学生进行考查，为学生认定等级，课后汇总到网上相关信息平台中。课堂表现力考察极大地调动了学生参与课堂学习的积极性。

用“多把尺子”衡量学生的思维品质。为创新学生评价方式，学校采取“任务驱动”和“无领导小组讨论”等面试形式对学生的科学素质进行测评。期末考试我们开展了主题为“中国古代科技论文的现代表述”的科学素质测评，要求学生将所给的中国古代科技论文转换为现代文并翻译成英文，重点考察学生的文学水平、语言表达能力和科技素养。此种考察将国学教育、语言应用、科技教育有机融合在一起，既是对学生学习结果的综合评价，也是开展思维拓展的重要方式。

将评价变为多主体共同参与的活动。为加强对学生的有效指导，实现多主体共同参与综合素质评价，青岛二中实施了“学生成长发展导师制”。按照师生双向自愿选择、学校适当调控的原则，为每位学生配备了导师。导师通过谈话、辅导、写信等方式，定期了解学生的心理状况，帮助学生制订发展计划，监督学生的发展过程，进行过程性评价。

3. 实施综合素质评价，激发学生的发展欲求和潜能，奠定学生精彩人生的基础

（1）促进学生全面发展

实施综合素质评价，规定学生在德、智、体、美等方面修满学分才能够达到毕业的要求，这使得学生的全面发展有了可能。青岛二中在注重显性评价的同时，更加注重隐性评价对学生全面发展的促进作用。为此，学校坚持“德育为首”，实施系列化德育课程，发展学生的道德能

力，以道德评价引导学生全面发展。我校实施了以“仁、义、理、智、信、温、良、恭、俭、让”为主要内容的优秀传统文化教育方案，以其中每一个字作为每一个月传统文化课程的主题，通过专家讲座、学生论坛等形式予以实现；开展了“绅士风度”与“淑女风范”的主题教育活动，从礼仪文明到气质涵养、从道德品质到人格修养制定绅士淑女标准，培养学生的文明素养和高雅气质，使每一位学生真正成为文明素质的表率和气质高雅的典范；进行了关爱教育，通过宿舍“n+1”关爱行动等形式，引导学生将对于他人和环境的关爱意识付诸实践，养成习惯，形成品格。

（2）激励学生自主发展

实施新课程改革，充分挖掘学生自身的潜能是非常重要的任务，为此青岛二中必须以评价为发展导向，通过创造宽松的学习与发展环境，实现学生最大化发展。在综合素质评价的引导下，学生通过制定自己的人生规划，进一步明确了自己的发展方向和目标，开始了有意识的人生。高一军训期间，学校开设人生规划培训，从学习方法、理想信念、职业规划等方面帮助学生合理规划高中生活。学校每年均组织课程推介会和社团推介会。在课程推介会上，家长与学生可以利用《选课指导手册》面对面地向开课教师咨询课程修习目的、内容和效果，合理制定学生的高中课程学习规划；在社团推介会上，各社团通过活动展示、观测、制作等形式多样的方式介绍社团的特色，吸引学生依托自身优势参与社团活动，提升个人素质。

（3）实现学生个性成长

实施综合素质评价，通过设计多样化的选修课程，使学生在自主选择适合自己发展课程的同时，提高了学习效益和质量，促进了兴趣与特长的发展。青岛二中模拟联合国社便为一批有语言特长且具备国际视野的学生提供了个性发展的舞台。模联社成功策划并举办了青岛市的“模拟联合国大会”，会上学生们以外交官的身份代表世界各国就全球热点问题展开热烈讨论。2007—2009年，我校学生连续三年受邀代表中国参加在纽约联合国总部举行的世界青少年模拟联合国大会。此外我校还集中校内优势资源开设学科竞赛辅导课程，为在数学、物理、化学、生物、信息技术等领域有独特智能优势的学生提供了个性化发展机会。2005—2010年，青岛二中共有110人获得全国学科竞赛一等奖（其中2007年夺得世界中学生生物学竞赛金牌），他们当中绝大多数被保送至清华、北大、浙大等名校深造。

（4）为学生搭建成就梦想的阶梯

青岛二中对学生综合素质的培养得到了高校的广泛认可，自2003年教育部在部分高校试点自主招生政策以来，我校获得自主招生确认资格的学生数量逐年增多。学校跟踪调查发现，这些毕业生在各自的大学里均有不俗的表现。随着教育国际化的发展，有更多的学生选择到国外高校深造，他们在TOEFL①、ACT②、A-LEVEL③毕业考试等标准测试中展示了自己的才华，他们向大学递交的申请与答辩获得了高度的认可。近几年来，青岛二中每年有70余名学生进入国际一流大学学习，其中多名学生获得了哈佛、耶鲁、斯坦福、哥伦比亚等大学的入学奖学金。这从另一个侧面反映出青岛二中的培养方向获得了更广泛的认可。

（五）课程资源的开发与整合

1. 学校资源的整合

在开放的大课程观的引领下，青岛二中逐步形成了课程有机统一、课程内涵更加丰富，课程提供渠道更为宽泛的课程格局。在学校课程建设中，各种资源以其独特的价值成为课程体系建设的基础。

（1）教师资源的整合

新课程要求广大教师由课程的实施者变成课程的开发者、研究者和

---

① TOEFL，全称为“The Test of English as a Foreign Language”，意即检定非英语为母语者的英语能力考试，中文音译为“托福”。

② ACT，全称为“American College Testing”，即美国大学入学考试。

③ A-LEVEL，英国高中课程（General Certificate of Education Advanced Level）的简称。

实施者。特别是教师参与校本课程的开发，更体现出教师的开发者角色。校本课程的开发要求体现学校特色、地域风格、学生的认知水平等，这方面一线教师具有得天独厚的优势。他们熟悉学校的一草一木，熟悉自己班级学生的喜怒哀乐，熟悉学校所在地的风土人情，对当地的自然与人文景观如数家珍。教师在课程开发中承担着重要的角色，他们是课程资源开发、整合、运用最主要的力量。

因此，教师要主动学习，转变观念，接受各种新课程培训，从促进自身专业发展的角度认识参与课程开发的意义，促进自身的角色转变，从而充分调动自己参与课程开发的主动性，并在参与过程中不断提高课程意识和课程开发的技能。另外，教师要有强烈的课程资源意识，树立新的课程资源观，充分认识校本课程开发的重要性，以便更好地促进学生的全面发展和自身的充实提高。

（2）学生资源的整合

以体验感悟为主旨的“周末大舞台”，是青岛二中为学生提供的能力素质展示和个性发展的平台。该课程既有专家报告，又有为学生所喜爱的文体活动，学生根据自己的兴趣和爱好自主选择，自主参与。学生参与性课程，全部采取公开招标的方式由学生自主承办。学校充分相信和依靠学生。例如：在筹备“青岛二中学生美术书法陶艺作品展”过程中，学生们不仅亲自设计展览的每项细节，而且自己去邀请市政府、教育局和文化局的领导，自己去大企业拉赞助，自己去联系空中航拍及各新闻媒体的记者，最后取得了很大的成功。而他们也在体会成功的欣喜与快乐的同时获得了成长。

“社团活动课”是学生必选的校本课程之一，青岛二中倡导学生自创社团，并要求学生每人必须参与一个社团，目前学校有各种社团50多个，每一个社团都有自己的章程，有自己的领导和组织机构，学生社团作为活跃在校园里的一种学生组织形式，已逐渐融入校园形成一种独特的文化。

青岛二中星级社团模联社于2008年举办的全市“模拟联合国大会”，收到了联合国前秘书长安南、联合国开发计划署亚太总署、中国联合国协会等机构的贺信。2009 年，我校部分学生赴美参加模拟联合国大会，他们在联合国总部参加了开幕式，聆听了潘基文的讲话，田小粟同学说："自己很幸运，能有这样的机会去美国参加世界中学生模联，能认识这么多外国高中生并为一个共同的目标而并肩奋斗，这感觉太棒了！"王立新同学回国后写下了这样的感想："伴随着飞机的落地，我们终于回到了祖国母亲的怀抱。三个'荣誉代表'奖，一个'最佳立场文件'奖，此行收获颇丰。有一些道理如果我没有去参加这次会议我可能永远也不会真正明白，而让你成长的永远不会是安逸而是痛苦。国家强大了说起话来才会有人听，这是此次我感受最深的一点。我们还是得努力。纽约，我们后会有期！"

（3）学校资源的整合

青岛二中重视隐形课程的教育价值，希望学校的一草一木、一物一景、一规一章等都能够传递出学校文化的独特内涵和精神风貌，烘托出学校特殊的文化氛围。学校组织学生开展以"仁、义、礼、智、信"为主要内容的校园道路命名活动，赋予校园建设传统文化的内涵。我们还以班训、班歌和班级公约等的建设为重点，努力营造活泼向上、陶情益智、富有特色、催人奋进的班级文化。除此以外，学校始终将课堂作为学生发展的主阵地，以教师教学风格及人格魅力的提升为手段，以学生综合素质的提升为主要内容，让课堂成为思想碰撞、情感交流的场所，让学科思想与方法的掌握以及人文精神、科学精神的培养统领课堂教学的全过程。

青岛二中图书馆作为学校教学的一个重要辅助部门，在"以学生为本，激扬智慧，传承文化"理念指引下转变观念，大胆改革，勇于创新，在助教助学方面发挥了重要作用。

青岛二中是寄宿制学校，学生的大量课余时间是在图书馆度过的。营造一种什么样的读书氛围，为读者提供什么样的服务，以什么载体去传递文化信息，怎样积淀学生的文明素养，怎样做到服务育人，是图书馆工作人员的研究课题。他们的具体做法是：对每一届入学新生都进行问卷调查，对学生的阅读倾向、阅读习惯和方法获得基本的了解，然后开展多种阅读活动。他们通过网络信息平台推介、建立图书之窗、定期向各班发放图书简报等，向学生推荐优秀读物。图书馆还提倡学生捐赠个人图书，在捐赠图书上附有读书卡，把自己的阅读体会写在图书卡上，传递给下一位读者。此外，图书馆每学期举行征文比赛，引导学生多读书，读好书。

如今，学校图书馆已经成为学生搜集处理信息、获取新知、自主学习、不断创新和提升综合素质的重要场所。

青岛二中历来重视实验室建设，实验内容注重贴近实际、贴近生活，任课教师和专业实验教师指导学生充分发挥主观能动性，大胆进行实验设计，提高了动手能力，激发了思维活力。学校在原有的物理、化学、生物实验室的基础上，又相继建设了天文观象台、地理探究实验室、数字探究实验室、通用技术实验室，这些现代实验室的建立，极大地丰富了课程内容，开阔了学生的视野。

2. 社会资源的整合

青岛二中需要大量各种类型的校本课程资源。为了合理、有效地利用社会资源，进一步丰富校本课程，学校建立了“社会资源类课程资源库”，将社会资源的信息分科归类，进行有序管理。

学校与部分青岛高校签订合作协议，协议约定，高校定期派优秀教师或研究生为我校学生开设部分课程；派部分优秀教师或研究生担任我校学生的智能发展和研究性学习指导教师；参与我校科技节、艺术节、体育节等活动；开设科技、人文专场报告；为我校学生开放部分实验室、科技创新基地等公共平台。

学校聘请专家学者来校举办讲座，开设时政论坛、国际风云论坛、名家讲坛，还聘请青岛大学外语学院的教师为学生开设德、法、日、西班牙、朝鲜五门语言课程。

学校邀请学生家长参与校本课程建设。每班选定3—4位家长，分别为本班学生开设一次校本课程。开课家长来自社会各行各业，课程内容丰富，有“中国民航业发展及前景”和“地震防预与应急”等自然科学类课程，有“金融知识讲座”和“联合国维和部队见闻”等社会科学类课程，也有“提高法律素养，增强自我保护意识”和“健康教育”等与青少年生活密切相关的课程。例如“金融知识讲座”，讲课家长是一位银行行长，他结合自己的工作实际，向同学们介绍了中国银行业发展的历程和今后的发展趋势，并利用比对的方法介绍了新加坡银行业的特点。讲座中经济学、数学、社会科学知识交叉融合，使同学们了解了很多金融方面的基本知识。丰富多彩的社会资源类课程拓展了学生的视野，受到了学生的热烈欢迎。

学校还为学生联系了50余个社区，并与社区签订了长期的合作协议书，让学生在社区活动中体验生活，经受锻炼。为了扩大社区实践的范围，2007年学校分别与青岛啤酒集团、青岛朗讯等企业签署实践基地协议，定期组织学生走进企业，了解社会。2006年，学生会策划了“海慈义工”活动，同学们积极报名利用假日到海慈医院做义工。在医院里，同学们引导病人、转运物资、提供咨询，体会服务社会、服务他人的快乐和幸福，增强了社会责任感。为了将在校内长期开展的“爱心计划”活动推向深入，学生们还走上街头进行宣传和募捐，市民们被这群年轻人的爱心所打动，纷纷慷慨解囊。青岛电视台《青岛新闻》栏目对此次活动进行了采访和报道。

2010年夏天，青岛二中组织部分学生干部赴甘肃韭菜冲支教。第一次直面贫穷，学生们感受到了心灵的震撼。谈到自己的体会，孙海洋同学十分感慨：“两人睡一张狭小的床，每天吃夹生的米饭，由于煤燃烧得不旺，烧一壶水要半个多小时，从小到大，从来没有想过下一顿饭能不能吃上，而今天，吃喝拉撒都存在着困难。只有体验了贫穷，才会从另一种角度上重新审视自己；只有体验了贫穷，才会体会到在青岛身边的一切都来之不易，包括手中的一支笔；只有体验了贫穷，才会每倒掉一点饭，每听到淋浴喷头滴水，每看到水龙头流水就会感到无比的心痛。因为想想当时，从井中提上来一桶桶水是多么的艰难，倘若井水用完，断水断粮就不是想象。在这与世隔绝的地方，没有市场，没有车辆，没有手机信号。我相信尽管已经回家，但这些记忆不会随光阴的流逝而被侵蚀风化，我会时刻保持警醒——你没有资格那么浪费。”同行的李晗雪同学则欣慰地说：“回来这么久了，还经常接到韭菜冲的孩子们的电话。他们说，姐姐，我长大了要出去读书，我要去找你！——我不知道，这些孩子是从小便种下了要走出大山的愿望，还是我们在那里的一周帮助他们建立了这样远大的志向。如果是后者，那我们的功劳应该不小吧。”

第四章 打造生态课堂，促进学生自主发展

课堂教学是教育的重要组成部分，更是一所学校得以维系的根本。教育目标的完成、教育内容的掌握、技能的培养、心智的开发等基本要依靠教学来完成。青岛二中的课堂，是依据学校的办学宗旨、育人目标和“绿色课程”精心打造的生态课堂，以最大化地促进学生自主发展为最终目的。

一、课堂教学改革的历史回顾

青岛二中八十多年的辉煌历史，在很大程度上是由不断变革的课堂教学成就的。课堂教学改革一直是二中发展的生命线。建校初期，课堂教学沿用传统的教学方式，以“传道授业解惑”为核心内容，培养了许多社会需要的人才。新中国成立以后，在继承优秀传统的基础上，学校把调整教学方式作为重点，不断强化教材与生活的联系。改革开放以来，教育逐渐回归根本，不断涌现的新思想、新思潮也促进了教育发展，教学方法的变革成为青岛二中课堂教学的热点。2002 年新一轮课程改革开始启动，学校把发展素质教育，培养新型人才，促进学生终身发展作为目标，课堂教学逐渐由关注教材转向关注学生，着力开发学生的多元智能，为学生创造自主发展的环境，促进学生的自主发展。

纵观学校的发展历程，青岛二中在对课堂教学进行常规建设的基础上，坚持通过别开生面的科研活动和不断推陈出新的教学方式，积极探索课堂教学的创新之路。课堂教学改革始终是青岛二中的传统和发展的动力源泉。

（一）课堂教学的常规建设

课堂教学的常规建设能够规范基本的教学行为，有利于教学的稳步发展。自 1952 年起，青岛二中对集体备课、课堂教学、作业批改、成绩改查等都作出了相关规定和说明，并根据教学经验和教学理论的发展不断进行修改与完善。

1. 集体备课

自 1952—1953 学年度起，青岛二中对集体备课提出了具体要求，规定集体备课必须在上课一周前完成。教师首先要研究教材，参考有关资料，熟悉教材内容，根据本学科教学计划明确目的，而后确定教学重点、课堂问题和复习作业等。集体备课着重研究教学目的、要求、重点和进度。对于这些问题，基本原则一定要统一，而细节和文字则不必统一。1982 年，学校对集体备课提出更细致的要求，课前不仅要“备教材”、“备教法”，还要“备学生”，并且教师在集体备课之后，还要根据集体备课情况进一步进行个人备课，更加关注教学步骤、教学方法、教学用具和教学效果。新课改启动之后，书写备课札记成为教师新的备课要求，无论是刚刚踏上教学岗位的新教师，还是有多年教学经验的老教师，都要写备课心得，这不仅推进了课堂教学工作，也促进了教师本人的专业化发展。经过几十年的发展，目前集体备课已形成比较完善的制度。

2. 课堂教学

课堂教学是学校教育的主阵地，这是不容置疑的，但是在 20 世纪 50 年代初期，人们对课堂教学地位的认识还存在分歧，针对这种现象，自 1954—1955 学年度第二学期开始，青岛二中经过反复研讨，认为课堂教学是对学生进行教育的基本形式，规定教师在课堂教学方面应特别做到以下几点。(1) 在上课前作好充分准备。(2) 在第一堂课对学生进行目的性教育，向学生说明本学科本学期的教学计划，指导学生学习本学科的方法。(3) 随堂检查作业，以了解学生完成作业的情况。(4) 在下课铃响前给学生布置作业，作业按照各科自学时数布置。(5) 注意培养学生独立作业的能力。文科要求对重点内容作好听课笔记或读书笔记；实验课着重培养学生独立利用实验设备的能力，学生能根据观察到的现象得出结论，完成实验报告；数学课注意培养学生进行口算、应用题的演算和实际问题的计算等技能，指导学生共同制作直观教具、模型、图表等。（6）利用随堂提问、测验、检查作业及实验报告等方式来检查和评定每一个学生的成绩。（7）学生的课堂笔记、作业及练习，每月至少批阅一次。所有作业要在收起后一周内批阅完毕。（8）作业及练习每次批阅的数量不得少于总数的1/3。

“文革”后课堂教学仍旧延续上述基本形式，但更加强调启发学生的学习兴趣，激发学生的学习动机，引导学生的积极思维活动，更加强调以教师为主导、以学生为主体的教学方式，让学生参与教学活动，培养其自学能力。学校强调要根据学科、教材和学生的特点确定教学步骤。

2004 年，青岛二中率先进入新一轮课程改革。全体教师以兼收并蓄的大度，在课改的前沿阵地大胆尝试，勇于创新，从不同侧面演绎课改的风采。在模块走班、分层次教学、学生创新能力培养等方面，教师们都进行了有效尝试，并取得了丰硕成果。

3. 作业批改与成绩改查

对于学生作业，青岛二中一直延续这样的传统：作业旨在发现问题，允许学生在作业中抒发不同观点，鼓励学生各抒己见，尊重学生的个性。学生作业要全收但不必全改，改多少因学科、年级不同而定；为发现教与学两方面的问题，起始学科或低年级要多改、细改。对于学生提出的有价值的问题，师生共同研讨，教师不能把自己的观点强加给学生。

对于考试命题和考试成绩，1954 年学校的有关规定成为至今仍在遵循的准则。（1）试题应富有思想性，考试成绩必须正确反映学生的学习质量。教师不能随意给学生高分，也不能故意设置难题给低分。（2）加强平日改查，及时发现问题，教师必须经常随堂提问，当堂计分。（3）改查方法可依据学科性质的不同而采用相应的办法，诸如笔答测试、口试，写作、绘画、演奏，实习、报告等。

4. 建立健全教学档案

为了便于学校领导对教学工作进行总结、查阅和分析，从 1982 年开始青岛二中规定由专人负责教师档案。教师档案包括教学档案和教学成绩档案。教学档案包括：教师的任课年级、任课节数及担任其他工作或职务的情况；教师辅导学生在各级各类竞赛活动中取得的成绩、名次及辅导情况；教师的专题经验总结、教学心得体会、典型教案及报纸杂志上发表的有关教学工作的文章。教学成绩档案包括教学班级期中、期末、升学考试的平均分数、最高分数、及格率、优秀率等。

（二）别具特色的教研活动

1950 年，各教研组成立后就开始进行教学研究方面的活动，最初强调教研组必须进行集体备课，研究解决疑难问题，开展教师的教学观摩活动。各教研组除经常进行观摩活动外，还根据本组教学情况拟订专题召开教学研讨会，对改进教学、总结经验起到了一定的作用。1954—1955 学年度，各教研组对“如何通过各科教学贯彻思想教育”以及“怎样钻研教材、改进教法”进行了专题研究和讨论。另外，语文组对“怎样启发学生积极思考”，历史组对“如何贯彻教学目的”，地理组对“怎样运用巩固性原则”等专题分别进行研究。通过这些研究，教师对教学原则有了更加深入的认识，从而促进了教学能力的提高。

教研活动的另一个内容是学习并研究有关教学的文件资料以及教育学等方面的著作。当时教研组分别学习了《人民教育》、《东北教育》、《新教育》、《察哈尔教育》等教育资料。1952—1954 年，各组组织学习凯洛夫的《教育学》，语文组还学习了苏联普希金教授有关语文教学的论述。

“文革”以后，在教学工作方面，青岛二中主要通过教研活动探讨教学规律，学习现代教学论和外地经验，研究提高教学质量的途径问题。活动内容有“如何加强双基教学，提高学生学习积极性和改进教学方法”。针对学生学习负担过重的现象，学校着重提出“改进课堂教育，向 45 分钟要质量”的研究内容。

1982 年，青岛二中充分发挥了教研组在开展教研活动、提高教学质量方面的作用。对于课堂教学中“教什么”、“怎么教”和“教学方法与教学内容哪一个更重要”等问题，进行了广泛深入的研讨。教研组人人搞研究课，互相听课，互相学习，取长补短，各有收获。全校 11 个教研组共进行教研活动 51 次，举行研究课 45 课时。教研组的建设既重视建立健全制度，又重视培养研究气氛和改革精神。

1983—1984 年，教研活动的研究课题一般是难度较大、需要集体研究解决的问题，比如：高二政治“哲学绪论”部分冗长繁杂，没有实质性内容，是否应大胆删减；高二物理“电场力做功和电势能”部分过于抽象，学生难以理解，如何化繁为简，化难为易，破解难点等。

（三）推陈出新的教学方式

新中国成立前，学校的教学方式始终沿袭着旧的传统——教师讲、学生听。新中国成立初期，学校开始注意教学方式的改革，开始注意理论与实践的结合，开始注重培养学生的能力。

1952 年，校领导组织全校教师学习凯洛夫的《教育学》、普希金的讲演录以及介绍苏联先进教育经验的有关材料，如《进一步学习苏联的先进教育经验》《北京女师大附中是怎样学习苏联先进教育经验的》《沈阳二中的课堂教学》等。随着对凯洛夫教学法的学习，教育改革逐步遵循苏联教学理论的指导，在课堂教学中注意贯彻直观性、自觉性、巩固性、系统性、通俗性和可接受性等原则，课堂分为组织教学、复习提问、讲授新课、复习巩固和布置家庭作业五个教学环节。1953 年下半年，学校把语文课作为改进教学的重点科目之一。语文教研组学习讨论了《从“红领巾”的教学谈到语文教学改革问题》《普希金专家再论语文教学》两篇文章，并在初中语文组举行了康仲蒲老师的语文公开课，结果新的教法在初中语文组得到普遍推行。课堂教学基本上改变了过去的“逐字逐句地咀嚼得像粥一样烂”的串讲方法，学生的思维能力和表达能力都有所提高。

1958 年，青岛二中进行了教育革命，对凯洛夫的《教育学》进行了批判，教育强调要多、快、好、省，学校在提高课堂效率方面加大了力度。1963 年，学校贯彻教育部颁发的《全日制中学暂行工作条例

(试行草案)》，进一步拨乱反正，贯彻“调整、巩固、充实、提高”的八字方针，在各科教学上加强了基础知识的教学和基本技能的训练，在教学方式上进行了改革，提倡“启发式”，废止“注入式”。课堂教学强调要有讲有练，精讲多练，启发学生学习的积极性和自觉性，让学生生动、活泼、主动地学习。“文革”以后，为了提高教育质量，学校强调从理论上注意克服凯洛夫《教育学》的消极影响，在加强双基教学的同时，注意培养学生的能力，发展学生的智力。

1982—1983 年，青岛二中主要围绕提高课堂教学质量问题提出要从学生实际出发，有针对性地确定“双基重点抓住不放”的策略，为培养学生的各科能力、发展智力打下坚实的基础。大家认为积累知识是提高能力的前提，没有必要的知识储备，提高能力就是一句空话。

语文教学较普遍地采用学生自学，师生共同提问讨论，教师讲解点拨、总串等方法，提高学生的阅读能力。作文教学自 1984 年起实行在教师指导下学生自己组成小组进行改评，小组互相讨论，写出眉批和总批，班内互相交流，教师进行总评，学生进行修改等方法，都收到了较大的成效。数学教学在加强双基教学的同时，以培养思维能力为中心，精讲多练，充分调动学生学习的积极性，提高学生掌握和巩固知识的能力以及运算、推理、论证等能力，效果明显。物理、化学等试验学科和注重从试验观察入手，培养学生的观察能力、动手能力、试验分析总结和数据处理能力等，从而使学生深刻理解并掌握新学知识。英语教学注意听、说、读、写的全面训练，并逐步加强听说能力的培养。地理学科使用“开图教学”，加强识图能力、地理环境的综合分析能力和辩证思维能力的培养。历史学科注意培养学生的自学能力，培养学生用辩证的观点、历史发展的观点分析问题的能力。生物学科则在基础知识上狠下工夫，同时培养学生运用生物知识解释自然现象的能力。

通过历史回顾可以发现：青岛二中的课堂教学改革，无论是课堂教学的常规建设，还是教研活动的开展以及教学方式的变革，始终对学生的主体地位和自学能力给予了高度重视，这就为当前打造自主课堂提供了很好的历史铺垫。

二、新时期课堂教学改革的基本理念与思路

（一）课堂教学改革面临的现实问题与困惑

1. 素质教育与高考瓶颈

在2004年高考结束之后，南京《扬子晚报》以“高考之痛刺痛南京”为题，对南京市搞素质教育造成高考水平下降提出了批评。当时的《青岛晚报》也指出，青岛市市区所有高中高考升学的全部人数不如郊区的一所中学。社会的矛头直指青岛二中，那些批评甚至包括谩骂的声音在网络上铺天盖地地向青岛二中袭来。青岛二中为什么一周只上五天课？为什么一节课只有40分钟？为什么不像其他高中一样加班加点？……质疑声一浪高过一浪。甚至有人断言，这些正是青岛二中高考升学率不能直线上升的根本原因。如果不改弦更张，所谓的名校也将不再有名。面对外界压力，我们不得不反思：难道素质教育就这样“夭折”了吗？我们的教学方向有问题吗？我们的问题出在什么地方？

在随后学校召开的教学工作会议上，这种外在的压力已经演变成内在的压力。学校里也出现了一些怀疑我们的办学方向和素质教育追求的声音，甚至有人在发言中也表达了要让学校的素质教育调转方向的意思。此时的青岛二中正处在一个十字路口上，我们可能离成功已经很近了，但也可能非常遥远。素质教育并不是我们一时冲动的选择，而是我们始终坚定不移的信念。高中三年，不能仅仅为了让学生考上大学就牺牲他们的身心健康，就不再考虑他们的成长，使学校和课堂成为摧残学生的“集中营”。因此，学校领导在教研组长与中层干部会议上提出了四个坚持不动摇——“坚持深化素质教育不动摇，坚持提高教学效益不动摇，坚持凸显办学特色不动摇，坚持打造教育国际知名品牌不动摇”。但是，怎样才能提高教学效益？怎样改革课堂教学才能既保证素质教育的实施，又保证较高的高考升学率？怎样才能使学生在课堂上成为学习

的主人，成为自己生命的主宰？这些都成为二中人亟须解决的问题。

2. 新课改带来的机遇与挑战

2004 年，山东、广东、海南和宁夏四省区率先成为新一轮高中课程改革的试点地区，青岛二中作为山东乃至全国名校，站在了迎接新课改带来的机遇和挑战的前沿。传统的教学观把知识当成定论，把学习简单看成知识由外到内的输入过程，低估了学生已有的认知能力和知识经验，轻视了学习者心理世界的差异性。现代课堂教学则是教师与学生以课堂为主渠道的交往过程，是教师的“教”与学生的“学”的统一活动。在新课改背景下，为了突出学生学习的主体地位，让课堂教学变成课程创设与开发的过程，我们必须改革不合理的课堂教学环节，加强现代课堂教学价值观对课堂的引领，努力构建一种多元化、发展性和人性化的课堂教学观与评价观，不断创造有效的时间和空间，让每一个学生的自身素质得到提升和发展。

有人说这个世界上有两个职业是可以“杀人不见血”的，一个是医生，另一个就是教师。这其实是在提醒我们教师工作的特殊性和重要性，教师不但要会教书，更要会育人。年复一年重复性的工作，难免会使人产生一种惯性和惰性，但要时时提醒自己：同样的事情做过一千遍，面对的却是一千个不同的生命。时刻保持真挚的职业情感，真正做到以人为本，以学生为本，以关爱人的情感和方式工作，而不是只用做事的态度来工作，这是新课改以来我们所做的第一个思考。这一点说起来容易做起来很难，也是工作多年之后最容易忽略和倦怠的。我们常常看到很多教师工作了许多年之后，课讲得老道熟练，指导考试很有办法，但学生毕业后很快就忘掉了他以及他所教的知识。其原因就在于，这种类型的教师只把眼睛盯在教材、作业和分数上，成为经典的教书匠。他们忽视了自我的文化修养，缺乏人格魅力，对学生无法产生强有力的影响，这样的教师是悲哀的。

教师是一个创造性很强的职业。要想教出富有创新能力的学生，教师缺乏想象力和创造力是不行的。所以，在教学设计上要重点体现对学生思维的训练和思维品质的培养，这是我们的第二个思考。新课改实验以来，到底什么样的课才是一堂好课，一直是我们每天都在思考的问题。我们自己设计，听课学习他人的设计，进行教研活动讨论各种课的教学设计。在教学设计中，我们绞尽脑汁，采取多种方法，运用多种理论来支撑我们的设计，充分调动学生积极参与，甚至硬性规定了教师、学生在一节课中各自的活动时间作为指标。我们实践、反思，再实践、再反思，发现以往很多时候的课堂教学往往过于注重形式而忘记了形式是为内容服务的。我们今后努力的方向应该是在课堂教学中用文化、用思想、用情感来感染、教育和打动学生，避免为了迎合某种标准而设计那种假大空、学生收获不多的课堂。这就要求不断学习，提升自己的人文修养、文化品位，保持健康真切的情感。尤其在对教材、对考试、对知识都非常熟悉甚至游刃有余之后，应该有更高的追求，保持旺盛的求知欲望。人文学科的教师要多想想让学生在考试之外学到什么，对他们的人生观、世界观、价值观有着什么样的影响。

（二）课堂教学改革的基本思路

传统的课堂教学往往在学生学习知识的过程中忽视了对其思维品质的全面开发和整体提升。单纯以课堂授课方式来对学生进行教育往往造成学生思维的营养不全，致使他们大脑当中的许多区域都处在沉寂状态。要实现“培养学生思维品质，建设高效生态课堂”的教学改革目标，要体现“还知识以人文情感，还课堂以自主灵性”的课堂文化价值追求，我们就要致力于把课堂教学的主动权还给学生。教师要以创设情境、激发学生的探究精神作为“课堂教学语言”，教师的行为要为学生在课堂上的学习和探究营造一个“绿色生态环境”。为此，青岛二中确立了“低起点、高观点、高目标”的课堂教学改革的指导思想。

1. 课堂文化的价值追求：还知识以人文情感，还课堂以自主灵性

教师可以分为三个层次，第一个层次的教师只是把教学生知识作为目标，他们的任务就是教会学生理解和掌握知识；第二个层次的教师把

学生思维能力的培养作为目标，充分利用知识的潜在价值，让学生学会思考、学会认识和解决问题；第三个层次的教师不仅教会学生认识问题，还能教会学生提出问题和解决问题。这样的教师更加关注学生的生命质量，他们让学生从知识中汲取人生的丰富营养。青岛二中仍有部分教师处于第一个层次，我们给教师树立的目标是：既培养学生优秀的思维品质，又提升学生的生命质量。所以，无论一个教师来自什么样的学校和环境，只要他肯于奉献、期待发展，那么在这种文化当中他都会得到很快的提升。

知识是死的，而教师与学生却是活的。如何将死的知识变成师生们活的智慧，则是课堂教学的根本之义。知识关乎事物，智慧关乎人生。如果仅仅拥有知识，那么看到一块石头眼里就只是一块石头，一粒沙子就只是一粒沙子。但是，一旦拥有了智慧，就可以从一块石头里发现一道风景，从一粒沙子里发现活的灵魂。现在的很多教师更多地是在教知识，而没有启迪学生的智慧。智慧的形成，需要懂得“既培养学生优秀的思维品质，又提升学生的生命质量”的真正意义上的优秀教师，而不是只能教会学生知识的教书匠。教师在拥有知识的同时，还必须有生命意识的觉醒和对生命的感悟。

人类传承下来的知识，在发现的过程中多基于生活、生产和社会发展的需要，而且也倾注了人们的情感、态度和价值观，但是今天的很多知识却已经被异化为纯粹的、抽象的、脱离了生活的符号。比如有的教师教学，只是从抽象的知识出发去训练学生的解题能力，而学生并不知道知识在现实生活中的意义和价值。因此，我们提出还知识以情感、还课堂以灵性，就是要把知识对人类的生产与生活的价值，以及对学生人生的意义通过文化阐释的方式体现出来。在课堂上，教师不仅仅是一个知识的传播者，学生也不仅仅是一个知识的被动接受者。师生在知识的传递过程中要能够产生思维的火花和情感的共鸣，使知识变成一种有生命力、有现实生活意义的内容。因此一个好的教师，必须挖掘知识当中所包含的对学生生命成长的意义。教师要充满对学生的热爱，要把对学生的人文关怀贯穿于课堂的始终。教学设计上以培养学生的自主探究能力为基点，问题的设计突出对学生能力的培养，通过开放式的学习、探索和交流，促使学生感悟，实现知识的内化与能力的提高。让学生在生活中学习、探究，使知识在自然中生成，在思辨中融会贯通，使课堂的活力迸发出来，使学生的思维得以升华。“激趣、导疑、探究”已经成为青岛二中课堂教学的特色和靓丽的风景。

我们在观照知识的时候，也应当同时赋予知识情感与灵性，而不能将其视作“抽象的、脱离了生活的符号”。从表面上看，文本知识的确是“死”的，可是这些死的知识是可以“复活”的，因为它们本来就是有生命灵性的人创造出来的。尽管这些人未必与自己相识，甚至早已作古，可是其中却流淌着这些创造者的生命感悟或思想结晶，年代愈久，愈有生命的张力。因此，我们在研读这些知识的时候，首要的是自己要“活”起来，“灵”起来，不然就不可能将藏匿于知识之中的生命意义激活。而当我们真正与之进行生命对话的时候，知识也就有了灵性，甚至可以转化为我们的智慧与思想。知识也不只是文本知识，社会与自然中的知识同样具有生命意义，我们在与之碰撞的时候，不是冷冰冰地冷眼旁观，而是要触摸其“生命”深层的冷暖，从而在自己的心中掀卷起或心向往之或疾恶如仇的思想波澜，主动地去张扬真善美和鞭挞假恶丑，让人性闪烁出更加灿烂的光彩。

2. 课堂教学改革的目标：培养学生思维品质，建设高效生态课堂

根据生态学原理和科学发展观，综合整体的教育观、可持续发展的课程观以及自然主义的学生观，我们认为生态课堂是在自然、和谐、民主的环境中，让学生富有个性地、自主地实现课程、师生、知识、社会的多元多向多层次的互动，使师生不断地开发潜能、创造自我、改善和发展生命，以取得教学效益和生命质量的整体提升。其关键词是：自然和谐、互动生成、生命发展。生态课堂的结构简单地说就是课程、师生、环境三者之间的关系。

青岛二中非常注重课堂教学的高效益，这也一直是我们着力解决而未从根本上得到解决的问题。比如对知识的理解，我们认为知识可以分为三个层次：第一是学生通过自身学习就可以掌握的知识；第二是学生似懂非懂的知识；第三是学生凭自己已有的知识和经验无法把握的知识。对于第一个层次的知识，应该让学生充分地自主学习。因此，在课堂教学中，我们努力推动学生去预习，使他们自己学会把握这些知识。第二个层次的知识可以让学生之间通过讨论去学习，这就要引导学生去讨论、研究。第三个层次的知识要通过教师的启发式引导，让学生在教师设置的情境中去感悟和深刻地理解。为了充分激发课堂的活力，学校拟定了《学生课堂表现力评价办法》，对每个学生在课堂上自主探究合作的表现，都给予适时的、客观的评价，引导学生全面地、充分地参与课堂，使师生成为分工明确、各负其责的学习伙伴。

将学生在课堂上必须学会的知识分成三个层次之前，教师研究学情十分重要。全班学生是一个整体，而每个学生又各不相同。因此，这个学情就有整体与个体之别。教师要对整体学情有个基本的把握，还要对每个学生特别是个别容易出现问题的学生的学情做到心中有数。这样，在教学的时候，教师就可以因“材”施教。这个“材”，有教材知识之材，也有学生掌握知识的情况之材。但不管如何，都要让每个学生在课堂上有自主探究合作的表现。只有每个学生都自主探索了，课堂才能真正活跃起来。同时，教师要给予适时的、客观的评价。没有评价，学生的自主探索就可能信马由缰，甚至步入歧途。在评价中，学生会得到教师的肯定，而这种肯定会有效地激发学生自主探索的积极性。不过，评价也不是一味地说“好”。如果学生在探索某个知识点的时候出现了错误，教师就要在不让学生失去尊严与自信的情况下委婉地指出，并让其他同学继续解答；如果其他学生也解决不了这个问题，教师再帮助解决。这样，师生就可以“各司其职”，形成真正意义上的学习共同体，从而实现真正意义上的高效课堂。

美国有一本著名的脑力训练书——《训练超级脑力的六项素质》，它提出超级脑力包括执行和社交、情感反应、记忆、语言、数学、空间想象六项素质，这六项素质分布在大脑的不同区域，每一种脑力各自独立而又相互联系。一种脑力的开发可以影响另外一种脑力。但同时，任何一种脑力若始终没有得到开发就会退化，从而影响其他脑力的功能。由此我们想到：在训练脑力的这六项素质中有多少是在课堂当中可以实现的？如果我们从来没有给学生实践的机会，让他们去“执行和社交”、让他们有“情感反应”和“空间想象”，那么用进废退就会使学生大脑的某些区域永远得不到开发与训练。由此，学生就不能在真正意义上产生认识和解决问题的智慧。青岛二中所设计的许多实践性课程就给了学生面对未知的问题而敢于迎接挑战的机会，这个过程中学生的思维始终处于激活状态，因而其脑力的潜能就会得到开发。当这样一种思维品质迁移到解决学习问题时，同样是非常有效的。这些实践性的活动，磨快了学生的“思维之刀”。“磨刀不误砍柴工”，正是我们解开高素质与高升学率有机统一的神秘问题的另外一把钥匙。

学生思维的营养不全是当今基础教育领域特别是高中学段的一个普遍现象。正是因为“营养不全”，学生尽管夜以继日地学习考试必需的内容，常常达不到预期的效果。这正如一个人的发育一样，即使某一方面营养丰富，如果其他方面缺少必需的营养，这个人也不会有一个健康的身体。遗憾的是：很多学校的校长与老师迄今还没有认识到这个问题的严重性，还认为加班加点学习是考试制胜的唯一法宝。而青岛二中坚持训练学生超级脑力的素质，使学生营养全面而充足。因此，尽管学生从来不加班加点，尽管学习的时间比其他学校的学生少了很多，但是，学生照样可以考出好的成绩。而更为重要的是，那种整天背负着学习负担的学生，即使考出了高分，上了大学，但是，由于长期的“营养不良”，在大学里的“不良反应”就会“变本加厉”地表现出来——身体不健康、学习感到吃力、心理出现问题等。从这个意义上说，青岛二中不但是在训练学生超级脑力的素质，也是在为学生的未来幸福做着奠基工作。

3. 课堂教学改革的指导思想：低起点、高观点、高目标

（1）“低起点”既有知识层面的从基础入手的含义，又有返璞归真，从学生最关心、最感兴趣的情景中寻找突破口的含义。“低起点”

就是要以学生为教学的出发点，一切立足于学生，以学生认知的最佳激发为标准组织教学；体现教学的人本精神，真正落实课堂教学以学生为主体；注重教学的过程，不能只承认结论是教学的价值所在，提出问题、尝试、探究、发现，这个过程更是我们课堂教学价值的体现。寻找起点，确定切入点，就是过程的开始，就是对将要进行的过程的设计。“低起点”反映了教学严肃的科学性，“低起点”同样又彰显出教学设计的艺术性，彰显出教学操作者的独特个性。同一节课，切入点的设计可以百花齐放。

(2)“高观点”和“低起点”是一堂成功的课不可分割、相辅相成的两个侧面。“低起点”是实现“高观点”、“高目标”的一种策略。在“低起点、高观点、高目标”这九个字当中，高观点是起主导作用的。“高观点”首先是指对学科教材的理解要有“高观点”。我们把对学科教材的理解分成五个层次，即零层次、机械罗列层次、归纳提炼层次、哲理升华层次、创新研究层次。

①“零层次”即照本宣科层次。这个层次上的教师掌握不了教材的内容，甚至可能有不理解和错误理解的地方。不理解，就会导致教学目标偏离，顾此失彼，或者层次混乱，来龙去脉不明白，或者难点突破不了，出现知识错误。

②“机械罗列层次”局限于把问题从表面上讲明白。这个层次上的教师看不出知识之间的内在联系，胡子眉毛一把抓，只见树木而不见森林，脑子里没有一个完整的系统结构。这个层次的理解会导向“题海战术”的死胡同，课堂教学事无巨细，材料堆砌，搞机械灌输，基础知识与花样繁多的综合问题成了两张皮。

③“归纳提炼层次”是能够用知识系统统筹知识的层次。这个层次上的教师能够寻求知识与知识的内在联系，能够关注这门学科所具有的思想方法，引导学生学规律，能够在教学中抓住重点，抓住关键，突破难点或者分散难点。

④“哲理升华层次”指能够抓住问题的实质，达到把书“由薄读到厚”，然后又能“由厚读到薄”的境界。这个层次上的教师能够从学

科特征的高度和现实与哲理的高度统筹教材。青岛二中课堂教学原则中“高观点”的要求，正是要求教师对所教教材的理解达到这个层次。事实上，理解层次越高，观点（或称境界）越高，教学就越能返璞归真，越能处理好基础与境界这一对矛盾，实现基础与境界的和谐统一。

⑤“创新研究层次”是立足教材的科研与创新的层次，或者是理论研究的层次。这一层次上的教师能深刻把握教育教学的规律，不仅教学能达到③④层，而且功底更加扎实，教学艺术性更加凸显，教学过程有重大创新，学生参与教学的水平超越常态。

“高观点”的课，不可以生吞活剥地重述教材，也不应当是眼睛紧盯着考试而没完没了地做题，大搞题海战术。“高观点”的课上，教师和学生一起追求的，正是这种对教材由厚到薄，又由薄到厚的哲理层次的理解。

教材理解的“高观点”是课堂教学“高观点”的基础。青岛二中课堂教学原则的“高观点”不仅包含“高观点”的教材理解，它还应当是一堂课的教学目标，是教学内容取舍、教学环节设计、教学情境创设、教学设问切入的“高观点”。它的重点应当是：如何让学生在“高观点”的诱导下真正成为课堂的主人，鼓励学生超越教师，超越课本；如何在科学素养和人文素养这两个方面让教学表现得更加开放，内涵更加深刻，教育价值更加深远；如何让学生在课堂上能够欣赏教学、品味教学、享受教学，让课堂给学生以人生哲理、人格魅力，给学生以美、幸福、磨炼和反思。这些应当成为我们对“高观点”的更高追求。

有了“高观点”，学生在课堂上的一个思想火花就可以演绎出一个生动的教育教学小品；有了“高观点”，学生的胆略才华才可以被充分激发；有了“高观点”，教师们就能八仙过海，发挥出惊人的教学智慧，演绎出五彩缤纷的“高目标”课堂。

（3）“高目标”在于打造自主课堂，实现学生的自主发展。自主课堂是一个不断生成、体现生命性的活动场所。法国生命哲学家柏格森认为“生命本性，是一个冲动延绵、创造的过程”，即生命存在是一个充满发展性与创造性的过程。对学生而言，在教学生活中，在教师的不断启发、鼓励下，满怀着兴趣和探究意识，主动参与智慧性的挑战活动，通过调动自己的经验和创造力，将外在的知识进行选择、重组，以个性化的方式纳入自己的知识框架中，使自己的认知结构得以改善，这样一个过程就是学生不断生成自我、发展自我、完善自我的过程。对教师而言，因其对学生的引导、鼓励、关怀、启发以及对学生的每一点帮助而使学生产生的积极变化，都会体现教师的人生价值。课堂教学对他们而言，并不仅仅是为学生成长而付出，不只是完成别人交付的任务，同时也是一个促进自身发展的过程。因此，自主课堂的构建成为青岛二中课堂教学改革的根本之意。

自主课堂的实现体现在以下五个方面。第一，尊重学生。给学生创设一个宽松的学习氛围，一个安全的心理环境，变强制学习为兴趣学习，变被动学习为主动学习。第二，目标的商定与认同。师生商定的目标要切实可行，具有较强的可测性，学生在与教师商定目标的过程中，逐步接受学习的“度”和方法层面的知识。同时，目标要有层次性，让不同层次的学生都能找到合理定位，让学生保持追求成功的积极心态。第三，引导参与。教师自觉地、间歇性地向学生输出与现有认知结构相融合的信息，为学生提供活动机会，这种提供机会与学生活动的相互交替和促进，构成了课堂的主旋律。第四，在合作交流中充分展示，注重教与学的多向交流，把交往贯穿于教学的始终。课堂中，教师不再独占教学的主体地位，师生之间、学生之间都是为了实现共同目的而平等地进行信息传输与反馈，协同完成教学任务。第五，正面评价，注重发现学生学习中的闪光点，及时进行鼓励性评价，对出现错误的学生也帮助其分析原因、指出方向，使其感受到尊重，获得成就感。

三、以课堂教学改革实现学生自主发展

（一）课堂改造六部曲——实现自主课堂的催化剂

课堂是实施素质教育的基础，学生绝大部分在校时间是在课堂上度

过的，教师教育教学的行为基本上仍然依靠课堂来实现。青岛二中的课堂教学追求教学质量的最优化和教学效益的最大化，追求让学生始终保持学习的兴趣和动力，追求给学生自身素质的多元化和多层次发展创造有效的时间与空间。按照新课程提出的知识与能力，过程与方法，以及情感、态度与价值观的三维目标，学校确立了以知识为载体，重视思维能力培养的教学价值观，形成了“低起点、高观点、高目标”的教学方针，提出了课堂教学的设计由演绎法向归纳法转变，加强对学生思维品质的训练，明确了“还知识以人文情感，还课堂以自主灵性”的课堂生态文化追求。

因此，学校实施了改造课堂行动的具体方案，成功地推进“聚焦课堂”、“达标课堂”、“精彩课堂”、“研究课堂”、“特色课堂”和“星光课堂”，借此深化课堂教学改革，助推自主课堂的形成。为了推进这项工作，学校成立了以校长为组长的课堂教学督导评估小组，邀请青岛市教育发展研究会、青岛大学师范学院的教授与我校特级教师组成专家小组，进行了全程指导。

聚焦课堂：学校邀请华东师范大学霍益萍教授领导的上海课改专家组来校，通过送课、评课等方式，让教师们感受优秀课堂教学的原则、方法和设计过程，帮助广大教师转变教学观念，把握课堂教学改革的方向。

达标课堂：学校实施“课堂达标活动”，重视课堂教学的过程引导，强化“人人发展，个个达标”的评价机制。

精彩课堂：学校实施“亮出你的精彩”的个性化课堂教学活动，每一位教师亮出自己的“绝活”，展示自己教学的独特魅力，认真总结自己的教学经验，探讨并逐步形成自己的教学风格。

研究课堂：通过教师自我认知、专家指导、校本教研等形式，引导教师积极参与教学改革试验，逐步形成适合青岛二中学生特点和体现学校特色的课堂教学评价标准。

特色课堂：为骨干教师形成教学特色、总结教学经验而设计课堂。

星光课堂：用观察课堂流程的办法来研究课堂教学。

学校建立课堂教学督导评估小组随机听课，并由专家组对教师课堂教学进行综合评价，引导广大教师树立正确的教学价值观。

1. 聚焦课堂

为了借鉴教育改革先行地区的经验，领略上海二期课改课堂教学方面的成果，2005 年 3 月 25—26 日，学校开展了为期两天的“聚焦课堂——青岛二中教学改革研讨活动”。此次活动由华东师范大学霍益萍教授携上海教育界知名教师——上海市教研室原副主任陈钟梁、上海市教研室教研员奚定华、上海市第三女子中学校长何亚男、上海市格致中学副校长庄起黎、上海市黄浦区教研员吴峥五位特级教师以及张强、陈兴华、雷红星三位高级教师来到青岛二中。在青岛二中的两天时间里，八位老师深入课堂听课四十余节，三位高级教师还上了语文、数学、化学三节示范课。在广泛听课的基础上，八位老师分学科与青岛二中的教师以及青岛市其他学校的教师代表进行了深入的讨论。来自上海的专家们对所听的课进行逐节点评，分析每节课成功和失误的环节，并对新课改背景下教学的经验和方法进行了交流。

虽然此次教学改革研讨活动只持续了两天，但是“它山之石，可以攻玉”，对我们的启发很大。为发挥“聚焦课堂”活动的长期效应，学校拟订了《深化课堂教学改革的若干规定》，出台了《山东省青岛第二中学新课程下的教师评价方案》。

深化课堂教学改革的若干规定

（1）定期举行各种形式的课堂教学活动。比如：名牌教师开放课，即通过名牌教师开放周或示范课等形式向其他教师传授课堂教学经验，展示教学基本功与教学技能；年龄在 35 岁以下的中青年教师比武课；一年教龄教师汇报课。

（2）定期举行组内研究课，并推荐优秀中青年教师举行市级以上公开课。

（3）请高等院校的专家教授以及本校经验丰富的老教师深入课堂进行“临床会诊，现场诊断”，通过听课、评课，帮助教师找出教学中存在的问题并追溯形成原因，促进教师专业化发展。

(4) 建立教师课堂教学反思制度。每节课结束后，教师必须及时写出教学反思。教务处定期检查，并将其归入教师成长发展档案袋，作为教师考核的重要依据。学校定期收集整理教师们所写的教学反思及典型案例并编辑成册。

(5) 组织所有任课教师开展教学设计竞赛、优秀论文或优秀案例评比、课件大赛等活动。

(6) 扎实开展“实施新课程交流日”活动。以学科为单位，交流、反思教学情况。定期进行案例交流、经验交流、论文交流、教育教学日记交流等活动，既注重切实解决实际问题，又注重概括、提升，总结经验、探索规律，逐渐形成我校民主、开放、有效的教育教学活动格局。

山东省青岛第二中学新课程下的教师评价方案

一、指导思想

以促进教师的专业化发展为目的，在评价中珍视教师的情感和体验，保护教师的自尊和自信；评价充分体现教师的自主性，激发教师的主动性；努力使评价为教师排忧解难，为教师提供教育教学的信息反馈和咨询；帮助教师总结和反思自己在教育教学中的优势与不足，分析根源，找出对策，不断提高教师的专业发展水平。改变评价内容中不合理的部分，力求符合新课程理念。

二、评价主体

以教师自评为主，校长、教师、学生、家长共同参与，使教师从多方面获得信息，不断提高教学水平。

三、组织形式

由教学督导评估小组（评价者）负责具体的组织工作。

四、实施步骤

（一）初次面谈

时间：每学年开学初。

范围：教学督导评估小组成员和被评教师。

内容：通过初次面谈，评价者和被评教师共同拟订评价过程的具体框架。

（二）收集信息

渠道和方法：课堂听课、教师自我评价、广泛征求第三方意见和查阅文献资料等。

1. 课堂听课

听课前，被评教师应将该节课的教学进度、教学目标和授课计划等基本情况主动告诉评价者，双方共同商讨本节课教学中可能遇到的困难与问题，进而确定听课方式（充当旁观者还是参与者）与听课重点等。听课过程中，评价者应准确地作好课堂记录。未经被评教师同意，评价者不能参与课堂活动。听课结束后，评价者应向被评教师递交听课记录的复印件，允许被评教师对听课记录提出异议和补充意见。课后，双方就该节课的教学活动进行讨论。首先，评价者要让被评教师充分表达自己的感受和看法，对课堂表现进行自我评价和解释。然后，评价者阐述对教师的评价，评价者应尊重被评教师，充分肯定教师的优点，评价要准确、中肯。

2. 教师自我评价

自我评价可包括如下内容：工作中，你最满意和最不满意的是什么；你的工作受到哪些条件限制，怎样消除这些限制；你遇到了哪些困难，怎样克服这些困难；你是否需要校长、教研组长或其他人来帮助你提高业务水平；过去一年，你采取了哪些措施来提高专业水准；未来一年（或从长远来看），你希望用哪种方法来提高和完善自己。

3. 广泛征求第三方意见

指评价者为全面了解和掌握被评教师的情况而对有关人员（如学生、教师、家长等）进行访谈、问卷调查等。

（1）改革现行的学生问卷调查内容与形式，融入更多的新课改精神，为教师的课堂教学提供信息反馈。

（2）教务处定期召开学生座谈会、学习委员例会，采集信息，架设师生之间沟通的桥梁。

（3）征求组内教师和学生家长的意见与建议，以此作为调整教学行为的依据之一。

4. 查阅文献资料

评价者可以通过查阅有关文献资料，如被评教师的教学工作计划、总结、教案，学生的笔记、考试成绩、作业、作品等了解被评教师的情况。在查阅文献资料时，评价者应该做到有计划、有重点地选择一部分典型文献资料，注意鉴别其可靠性，去粗取精，去伪存真，客观地记录、整理和分析文献资料。

（三）评价面谈

评价面谈一般在评价周期的第一年末进行，时间1—2小时。评价面谈过程中，评价者和被评教师共同商定被评教师的未来发展目标及是否需要进修等情况。评价面谈结束时，撰写出评价报告。

1. 总结被评教师一年来的工作，探讨其优点和成就，发现存在的问题和不足之处，寻求解决问题和克服不足的方法。

2. 商定被评教师的未来发展目标。

3. 确定被评教师的进修需求。

4. 撰写评价报告。

评价报告由两部分组成。第一部分要如实地、充分地反映评价者与被评教师评价面谈中的谈话要点和结论，记录被评教师取得的成绩和不足之处。第二部分的主要内容包括被评教师未来一年内的个人发展目标以及实现这些个人发展目标的行动计划和具体时限等。

评价报告应由评价双方共同撰写，或先由评价者起草，再由被评教师修改审定。不管采用哪种方式，评价报告需评价双方认可并签名。评价报告一式三份，由评价者、被评教师和校长各持一份，且至少保留两年以上时间，即保留到第二轮评价的评价报告定稿以后。其间，不能随意查询或泄露评价报告的内容。

（四）复查面谈

评价双方定期举行中期复查，反省既定目标的适切性及达成度，必要时可调整或修订目标。如果目标完成，一轮完整的发展性教师评价就宣告结束，新一轮的发展性教师评价将在新的基础上开始。

2. 达标课堂

一所学校，应该有自己的课堂教学标准。课堂教学改革初始，依据新课改的要求和学校实际，学校先后制定了《新课程下课堂教学评价标准》、《青岛二中课堂教学达标活动方案》，从教学基本环节和学习与实践新的教学理念的基础抓起，采取以集体备课组为单位进行不打招呼的分散听课、集中评课的方法，并为教师的课堂教学写出鉴定意见。达标课堂的实施在全校形成了重视课堂教学、研究课堂教学和评价课堂教学的良好氛围。

此次活动主要面向教学经验尚不丰富的年轻教师，老教师要像医生诊断疾病那样及时发现年轻教师在课堂教学中出现的问题。学校专门为此制定了《课堂门诊用表》。

表1　课堂门诊用表

级　别	对教学内容的理解与把握	教学设计、教学过程与教学效果
一级	讲清教材	教学生硬，重点抓不准，学生学习吃力。
二级	材料丰盈（由薄到厚阶段）	教学清晰但不生动，有方法设计但有时不得当，学生多数处于被动或机械学习状态，教育教学搭配有问题。
三级	归纳提炼（由厚到薄阶段）	教学能准确把握重点，会突出重点，能抓关键，有独立的课堂设计能力，学生能实现意义学习。教师能积极参与教学探究，教育教学搭配协调。
四级	哲理感悟	教学除达到三级外，情境创设与教学过程鲜活生动，教学、学习与学生探究同步协调，教学设计有独到特色。
五级	自由状态	能深刻把握教育教学规律，教学除达到三级外，教师功底更加扎实，教学艺术性更加凸显，教学过程有重大创新，学生参与教学的水平超越常态。

“达标课堂”活动不但促进了青岛二中课堂教学的改革，而且为年轻教师的成长和发展提供了难得的机会。教师们通过教学反思对自主课堂教学产生了新的认识。

3. 精彩课堂

在课堂教学中，每一位教师都有自己的独到之处。为了让教师们展现这些精彩，在“达标课堂”活动的基础上，学校推出了“精彩课堂”活动，组织全校教师开展“亮出你的精彩”教学比武活动，由校内外专家小组担任评委，从中选出优秀课、优秀课件、优秀教案等在全校进行表彰。全体参赛教师依据新课改的理念精心设计教学方案，展示个人风采。学校还邀请评委和专家进行点评，对参赛教师进行诊断性评价。通过“精彩课堂”活动，新老教师相互听课，共同切磋教学技艺，同时反思自己的课堂教学行为，加深对新课改的理解，提升自己的教学理念。

表 2　“精彩课堂”用表

学科：　　　　教师姓名：　　　　受评时间：　　　　年　月　日

评价内容	实际情形	改进建议	评　分
目标设计：教师是否很好地把握文本（教材内容），是否始终围绕主题目标展开教学活动，是否有一定的逻辑程序和层次，是否尊重学生意见和认知规律，是否关注学生学习该学科的思想方法、行为方式和情感价值观念的发展。			
情境与方法：教师能否在文本和学生之间创设生动活泼、形象通俗的教学情境，是否充分恰当地利用了设备、视听媒体和材料资源，是否强调了如何利用上述资源去探究、理解和掌握教学内容。			
管理与激情：教师是否准备充分，充满亲和力和激情，能否唤醒并调动学生课堂学习的兴趣和欲望；学生学习热情是否高涨，在互动学习中能否调节到活而有序的状态，保证良好的课堂教学氛围。			

续表

评价内容	实际情形	改进建议	评　分
交流与互动：教师能否围绕课堂主题为师生或生生交流提供时间与空间，并鼓励学生自主、合作及探究性学习的勇气和互动行为，是否有效地把握了互动的时机和效率。			
体验与效益：教师能否做到让学生由学会知识向尝试运用知识（会解决实际问题）及会学新知识转化，从而帮助学生在掌握基本知识的同时，提高利于自身终身发展的学习技能。			
计分方法：每项20分，满分为100分	总分		

4. 研究课堂

有了研究和反思，课堂教学才会有新的发展。“达标课堂”和“精彩课堂”两项活动，让教师们逐步确立了新的教学价值观，在全校形成了参与新课改、实践新课改的良好氛围。仅有理念上的转变是远远不够的，如何调整课堂教学的每一个环节，使其更好地实现课堂教学的更高目标追求成为更加现实的问题。为了进一步深化对课堂教学的理解，学校从细节入手开展了“研究课堂”活动。要求各教研组开展以优化课堂教学设计为目的的公开教研活动，在教学设计、教学方法上进行深入细致的研究。同一节课，由两位教师同时执教，大家共同参与研究，不同年级、不同角度、不同层次的教师相互切磋，在碰撞中交流观点、激发智慧。通过这样的活动，教师们在参与研究的过程中进行了更深入的反思，取得了共同成长、共同提高的效果。为保障活动的顺利开展，学校专门制定了《课堂教学评价标准表》。

表3　课堂教学评价标准表

评价项目		评价标准	参考分值	各项得分	累计得分
教学目标（30分）	基础目标	1. 目标明确、具体，符合学生实际。	5		
		2. 内容开放，容量恰当。	5		
		3. 着眼学科特征，关注学科素养的培养，有科学方法的渗透。	5		
	提高目标	4. 体现“教为主导、学为主体”的教学原则，充分发挥学生的自主性、主动性和创造性，做到教学、学习、探究同步协调。	5		
	体验目标	5. 关注学生情感、态度、价值观的培养。	5		
		6. 创设民主和谐的课堂教学心理气氛，让各个层次的学生都能获得创造和成功的心理体验，感受到课堂生活的乐趣和愉悦。	5		
教学内容（30分）		7. 结合学生特点创造性地使用教材，突出重点，突破难点。	6		
		8. 教学内容充实并能反映现代科学技术和学术研究的新成果。	6		
		9. 教学内容具有挑战性，能充分激发学生认知的内驱力。	6		
		10. 重视教学内容的文化内涵，体现科学性、人文性和社会性的融合。	6		
		11. 关注教学内容的实践性，培养学生的动手实践能力和分析、解决实际问题的能力。	6		
教学策略与方法（20分）		12. 努力为学生提供主动参与的时间和空间。	5		
		13. 合作学习。	5		
		14. 充分体现分层次教学，让每个学生形成自己的特色和鲜明的个性。	5		
		15. 鼓励创新。	5		
教学能力（20分）		16. 有效地对课堂教学进行组织、管理和监控，课堂应变能力强。	7		
		17. 现代教学技术手段、演示实验以及教具的运用适时适度，且操作规范熟练。	6		
		18. 教态自然大方，语言规范、精练、生动，板书板画设计合理。	7		
等级分数		优秀：85分以上；良好：75—84分； 合格：60—74分；不合格：60分以下	总分		

5. 特色课堂

名师之“名”往往取决于其鲜明的教学风格、独特的课堂教学艺术和特色，这是教师的魅力所在。倡导有一定教学经验的教师在教学实践中追求属于自己的课堂教学特色，倡导教师课堂教学特色的多样化，是学校指导和帮助教师获得专业化发展及实现有效课堂教学目标的重要策略。

在学校组织“特色课堂”活动的过程中，教师本人和听课的教师、专家、学生、家长共同参与课堂评价，发挥不同的评价功能。专家小组成员深入课堂听课，课后与授课教师对话。在授课教师回顾自己的课堂教学发展历程和追求后，大家一起研讨其主要表现及突出特色，同时指出特色尚待发展之处，在此基础上由专家小组写出书面反馈意见。学校适时地召开课堂教学特色展示和经验交流会。

在打造教师特色风格时，绝对不能“为风格而风格”，因为教学风格不是追求形式，而是与一个教师多方面的修养密切相关，实际操作中要尽量避免把特色课堂教学搞成哗众取宠的“花架子”。

青岛二中的实践研究显示，教师们在学科教学中初步形成了一些共同的特征，即师生民主的、以学生为主体的、注重学科思维培养的课堂教学风格。

6. 星光课堂

课堂教学评价，是评价主体以现代教育教学理念、现代课堂教学观为依据，运用可操作的科学手段，按照一定的价值标准，对课堂教学的各个要素及其发展变化进行价值判断的过程。学校课堂教学评价长期以来存在管理主义倾向，学校管理者将教学评价作为职称评定、人员管理等的手段，而不是将其看作促进教师专业发展、提高课堂教学水平的必要途径。新课改倡导教师通过自我反思、同行讨论等方式进行教学研究，由此，对课堂教学的全面、详尽、具体、准确的描述就是提高自我反思水平和同行教学研究效果的前提条件，只有对某一节课先进行了客观、精细、准确的记录和描述，执教者本人和同事才能深入分析课堂教学情况，有效提高教学水平。

为了进一步研究课堂教学的基本功，提升教师的专业化水平，用课堂观察的操作方法去调控、解决课堂中的细节问题，学校又推出了“星光课堂”活动。此活动首先在30—40岁的教师中举行。语文学科率先开展，之后其他学科陆续跟进。学校希望更多的教师能借助在个人教学理论、教学研究方式、学校科研功能方面的学习和探索踏上通往教学殿堂的“星光大道”。

学校成立了由分管教学的副校长、教务主任、教科研室特级教师、教研组长及部分骨干教师组成的课堂观察专项小组，对学生活动、教师行为、师生互动、资源应用等进行多角度测评与分析。专项小组通过集中听课、专项记录、定向分析、全程录像、学生反馈等手段，来发现教师教学实施过程与教学预设之间的差距及存在的问题，然后进行综合研究分析。

专项小组面向执教教师，对课堂进行全面、准确、有效的“解剖”。教师如同走在“T”形台上，一招一式、一颦一笑都收入评课小组成员的眼底。在“解剖”过程中，大家集中寻找课堂存在的问题和漏洞，把所提出的问题详细记录下来进行认真分析，甚至对执教教师说出的一个字、一句话，发出的一个动作都进行评判。执教教师通过课堂教学研究这个平台，从专家的视角，用专家的智慧，借专家们的经验，观察到课堂中存在的不足，听到最真实的反馈、最中肯的评价。通过课堂观察专项小组的评判，执教教师的课堂教学能力得到飞速发展。

为了进一步促进每位教师提升个人的专业化水平，提高学校课堂教学的科学性和艺术性，鼓励教师深入钻研教学，发展个人特色，学校拟订了青岛二中“星级课堂”评价框架。

表4　“星级课堂”评价框架

表4.1　学生活动等级量表

<table>
<tr><td>时间</td><td colspan="2">地点</td><td colspan="6">课　题</td></tr>
<tr><td rowspan="2"></td><td colspan="2" rowspan="2"></td><td colspan="6"></td></tr>
<tr><td colspan="2">授课人</td><td colspan="2"></td><td>组别</td><td></td></tr>
<tr><td>观察者资料</td><td>姓名</td><td></td><td>年龄</td><td></td><td>教龄</td><td></td><td>部门</td><td></td></tr>
<tr><td>观察重点</td><td colspan="8">新课程背景下学生学习方式的转变——自主学习、探究学习、合作学习。</td></tr>
<tr><td rowspan="8">观察记录</td><td colspan="7">学 生 表 现</td><td>得星数</td></tr>
<tr><td colspan="7">1. 学习兴趣是否浓厚，学习情绪是否高昂。</td><td></td></tr>
<tr><td colspan="7">2. 能否在学习中自觉从教师推荐的资源（网络、资料、音像）里自主选择、重组信息；能否“发现”规律，形成自己的见解并有效表达自己的观点。</td><td></td></tr>
<tr><td colspan="7">3. 在学习中能否对老师和同学提出的观点（或者文本）大胆质疑，提出不同意见。</td><td></td></tr>
<tr><td colspan="7">4. 在合作学习中能否与同学有效合作。</td><td></td></tr>
<tr><td colspan="7">5. 在学习中能否应用已经掌握的知识与技能解决新问题。</td><td></td></tr>
<tr><td colspan="7">6. 在学习中是否有正确的学习策略和良好的学习习惯。</td><td></td></tr>
<tr><td colspan="7">7. 对教师的态度（尊重、热情、喜欢、平等、友好为正值）。</td><td></td></tr>
<tr><td colspan="9">总体观察印象（平均得星数）：</td></tr>
</table>

注：最高可得★★★★★。总体观察印象中可以出现☆（半颗星）。

表 4.2　教师行为等级量表

<table>
<tr><td>时间</td><td colspan="2">地点</td><td colspan="6">课　题</td></tr>
<tr><td rowspan="2"></td><td colspan="2" rowspan="2"></td><td colspan="6"></td></tr>
<tr><td colspan="2">授课人</td><td colspan="2"></td><td>组别</td><td></td></tr>
<tr><td>观察者资料</td><td>姓名</td><td></td><td>年龄</td><td></td><td>教龄</td><td></td><td>部门</td><td></td></tr>
<tr><td>观察重点</td><td colspan="8">新课程背景下教师角色的转变——学生学习的组织者、引导者、促进者。</td></tr>
<tr><td rowspan="9">观察记录</td><td colspan="7">视　角</td><td>得星级</td></tr>
<tr><td colspan="7">1. 教学态度是否沉稳、愉快。</td><td></td></tr>
<tr><td colspan="7">2. 课堂教学语言是否干练、准确。</td><td></td></tr>
<tr><td colspan="7">3. 能否创设情境激发学生，生成思维活跃的课堂氛围。</td><td></td></tr>
<tr><td colspan="7">4. 能否通过评价调动学生的学习积极性，有效调控学习气氛。</td><td></td></tr>
<tr><td colspan="7">5. 对学生反应的注意以及对学生突如其来问题及状况的处理。</td><td></td></tr>
<tr><td colspan="7">6. 能否接纳学生的意见，并与学生平等交流。</td><td></td></tr>
<tr><td colspan="7">7. 教师具有教育智慧，善于提出问题，并帮助学生解决问题。</td><td></td></tr>
<tr><td colspan="7">8. 能否体现分层次教学。</td><td></td></tr>
<tr><td colspan="9">总体观察印象（平均得星数）：</td></tr>
</table>

注：最高可得★★★★★。总体观察印象中可以出现☆（半颗星）。

表 4.3　师生互动等级量表

<table>
<tr><td>时间</td><td colspan="2">地点</td><td colspan="5">课　题</td></tr>
<tr><td rowspan="2"></td><td colspan="2" rowspan="2"></td><td colspan="5"></td></tr>
<tr><td colspan="2">授课人</td><td colspan="2"></td><td>组别</td><td></td></tr>
<tr><td>观察者资料</td><td>姓名</td><td></td><td>年龄</td><td></td><td>教龄</td><td></td><td>部门</td></tr>
<tr><td rowspan="16">观察记录</td><td colspan="2">观察内容</td><td colspan="2">次数</td><td colspan="3">得星数</td></tr>
<tr><td rowspan="2">教师提问类型</td><td>1. 有效问题</td><td colspan="2"></td><td colspan="3" rowspan="2"></td></tr>
<tr><td>2. 无效问题（为负值）</td><td colspan="2"></td></tr>
<tr><td rowspan="3">学生提问类型</td><td>3. 理解性疑惑</td><td colspan="2"></td><td colspan="3" rowspan="3"></td></tr>
<tr><td>4. 判断性疑惑</td><td colspan="2"></td></tr>
<tr><td>5. 实证性疑惑</td><td colspan="2"></td></tr>
<tr><td rowspan="2">互动类型</td><td>6. 师生互动</td><td colspan="2"></td><td colspan="3" rowspan="2"></td></tr>
<tr><td>7. 生生互动</td><td colspan="2"></td></tr>
<tr><td rowspan="3">教师对互动过程的推进</td><td>8. 以问题推进互动</td><td colspan="2"></td><td colspan="3" rowspan="3"></td></tr>
<tr><td>9. 以评价推进互动</td><td colspan="2"></td></tr>
<tr><td>10. 以非语言推进互动</td><td colspan="2"></td></tr>
<tr><td rowspan="3">教师对学生提问的态度</td><td>11. 热情</td><td colspan="2" rowspan="3"></td><td colspan="3" rowspan="3"></td></tr>
<tr><td>12. 冷漠（为负值）</td></tr>
<tr><td>13. 忽视（为负值）</td></tr>
<tr><td rowspan="2">互动管理</td><td>14. 有效调控</td><td colspan="2" rowspan="2"></td><td colspan="3" rowspan="2"></td></tr>
<tr><td>15. 放任（为负值）</td></tr>
<tr><td colspan="8">总体观察印象（平均得星数）：</td></tr>
</table>

注：最高可得★★★★★。总体观察印象中可以出现☆（半颗星）。

表 4.4 资源应用等级量表

<table>
<tr><td>时间</td><td colspan="2">地点</td><td colspan="6">课题</td></tr>
<tr><td rowspan="2"></td><td colspan="2" rowspan="2"></td><td colspan="6"></td></tr>
<tr><td colspan="2">授课人</td><td colspan="2"></td><td>组别</td><td></td></tr>
<tr><td>观察者资料</td><td>姓名</td><td></td><td>年龄</td><td></td><td>教龄</td><td></td><td>部门</td><td></td></tr>
<tr><td>观察重点</td><td colspan="8">课程资源开发的有效性。</td></tr>
<tr><td rowspan="6">观察记录</td><td colspan="7">观察内容</td><td>得星级</td></tr>
<tr><td rowspan="2">教学设施的使用</td><td colspan="6">1. 教学硬件（多媒体、黑板、器材、网络等）使用是否恰当、有效。</td><td></td></tr>
<tr><td colspan="6">2. 教学软件（文本、音像等）使用是否恰当、有效。</td><td></td></tr>
<tr><td rowspan="3">学生生成资源的应用</td><td colspan="6">3. 对学生原有知识的利用是否恰当、有效。</td><td></td></tr>
<tr><td colspan="6">4. 对学生课堂生成问题（包括错误）的利用是否恰当、有效。</td><td></td></tr>
<tr><td colspan="6">5. 对课堂突发事件的利用是否恰当、有效。</td><td></td></tr>
<tr><td colspan="9">总体观察印象（平均得星数）：</td></tr>
</table>

注：最高可得★★★★★。总体观察印象中可以出现☆（半颗星）。

表4.5 教学内容和教学环节等级量表（适用于数学学科）

<table>
<tr><td>时间</td><td colspan="2">地点</td><td colspan="6">课 题</td></tr>
<tr><td rowspan="2"></td><td colspan="2" rowspan="2"></td><td colspan="6"></td></tr>
<tr><td colspan="2">授课人</td><td colspan="2"></td><td>组别</td><td></td></tr>
<tr><td>观察者资料</td><td>姓名</td><td></td><td>年龄</td><td></td><td>教龄</td><td></td><td>部门</td><td></td></tr>
<tr><td>观察重点</td><td colspan="8">新课程背景下教学内容的转变——低起点、高观点、高目标。</td></tr>
</table>

<table>
<tr><td rowspan="15">观察记录</td><td colspan="2">视 角</td><td>得星级</td></tr>
<tr><td rowspan="3">做到既教证明又教猜想和尝试</td><td>1. 数学语言教学。</td><td></td></tr>
<tr><td>2. 猜想、尝试、类比、联想的运用。</td><td></td></tr>
<tr><td>3. 运用演绎推理进行教学。</td><td></td></tr>
<tr><td rowspan="4">体现低起点、高观点，恰当运用一题多解、多变，学会追问，引导归纳与反思</td><td>4. 低起点，返璞归真，来源于生活。</td><td></td></tr>
<tr><td>5. 问题延伸。</td><td></td></tr>
<tr><td>6. 解题多视角。</td><td></td></tr>
<tr><td>7. 总结与感悟、反思。</td><td></td></tr>
<tr><td rowspan="2">科学性与人文性相结合</td><td>8. 教学的科学性。</td><td></td></tr>
<tr><td>9. 教学中的人文价值体现。</td><td></td></tr>
<tr><td rowspan="5">课堂环节设计完整</td><td>10. 情境导入。</td><td></td></tr>
<tr><td>11. 自主探究。</td><td></td></tr>
<tr><td>12. 引申升华。</td><td></td></tr>
<tr><td>13. 复习巩固。</td><td></td></tr>
<tr><td>14. 思维拓展与作业布置。</td><td></td></tr>
<tr><td colspan="4">总体观察印象（平均得星数）：</td></tr>
</table>

注：最高可得★★★★★。总体观察印象中可以出现☆（半颗星）。

（二）优化自主课堂生态环境的策略与方法

课堂是学生在校学习期间健康成长的重要场所，因此学校必须给学生创设一个自主的有意义的学习环境，让学生学会学习，体会学习的乐趣。由此出发，学校提出“激趣、导疑、探究”的课堂改革导向，并把这一核心理念纳入学校课程文化建设大的框架之中，结合“低起点、高观点、高目标”的改革思路，着力打造自主课堂文化。学校把课堂看成学生生命成长的一部分，是学生不断认识事物、认识世界、充分展示自我的空间，重视“授人以渔”而非“授人以鱼”，让学生的认识和元认知获得同步发展。在设计中，学校采取学科突破的策略，各学科提出本学科的自主课堂的标准、要求，分学段有序实施；在推进中，学校强调整体优化，依据不同年级学段学生的身心发展规律和不同学科特点，提出相应的教学目标、实施方案和评价指标，让自主课堂真正落到实处。

1. 让学生按照自己的想法学习

一般来说，教学改革都是改进教师的教法，而较少考虑学生的学法。因此，课堂教学的局面仍然是学生围着教师转。根据建构主义理论，学生是按照自己的思维方式去认识世界的，所以我们在研究教法的同时，也必须认同学生的学法。教师要经常提醒自己：我的教法适合学生吗？学生想怎样学？教师不妨多和学生商量一下。

下面的教学案例可以真实地反映青岛二中的做法。

The Tang Poems（Book 8 Module 6）

唐诗（第 8 册模块 6）

青岛二中英语组　邢丽丽

【教学课型】

诗歌欣赏之巩固、拓展（40 分钟）。

【教材分析】

这个模块主要是围绕诗歌这个话题，对学生进行听、说、读、写、译的技能训练，让学生了解东、西方诗歌，并作比较，培养学生对诗歌的兴趣，通过欣赏诗歌陶冶情操。教材的引入部分是李白的诗《送友人》，阅读词汇部分是关于中国诗歌辉煌时期的背景介绍，听力部分介绍两首西方诗歌，阅读写作部分讲解诗歌的作用和写作的手法，阅读训练补充说明伦敦地铁诗歌的状况，最后的文化角则是介绍英国诗歌的鼎盛期。整个模块的内容和形式偏重于背景知识，而在具体的诗歌欣赏方面笔墨略少。

【对学生的分析】

在学习诗歌模块前，笔者对所教的两个班级进行了一次问卷调查，以了解学生对诗歌的态度。调查发现，参加问卷的学生中，喜欢中文诗歌的占82%，而喜欢英语诗歌的仅占64%。

差距如此明显的一个重要原因是高二的学生在语文课上已经学了《唐诗宋词》一书，赏析了唐宋时期的许多代表作品，然而对英语诗歌却了解甚少。许多学生认为英语诗歌只是大量晦涩难懂的古式英语和圣经、希腊神话用典的混合，比起“自找苦吃”地读英语诗歌，他们更愿意读经典的中文诗歌。

考虑到这样的学生实际，如果死板地按照教材原来的编排内容和顺序进行教学，将难以引发学生的学习兴趣，达到预定的教学目标。

【教材处理】

笔者对本模块进行了以下设计：打破教材原来的顺序，引入相关的真实语料，包括几首中英文诗歌、新闻、音乐和视频，重新组合教材。

笔者把整个模块划分为六个课时。

第一课时：引入（introduction）部分和一些补充的材料。主要目标是导入整个模块，激起学生的兴趣。

第二课时：阅读词汇（reading and vocabulary）部分和模块最后的任务（task）部分。目标是让学生通过阅读、交流的方式了解中国诗歌。在这个阶段，学生要学会本模块中与诗歌相关的词汇和如何介绍一位诗人。

第三课时：文化角（cultural corner）和听力部分。目标是让学生了解、欣赏英语诗歌。

第四课时：泛读材料（reading practice）。材料的主要内容是伦敦地铁诗歌项目的发展史，呼应了第一课时中提到的中英诗歌交流的新闻。

第五课时：写作。把课文的写作部分和练习册中的写作任务结合起来。通过欣赏《This is just to say》这首小诗，让学生认识到写诗并不是不可能完成的任务，只要能抒发感情，就可能是一首好诗。如果语言、押韵、意象、外观等因素运用得当的话，效果还会更好。

笔者把最后一个课时设计成赏析和活动课。下文将着重介绍这个课时的处理。

【教学目标】

1. 通过鉴赏一首中文诗歌和一首西方诗歌进一步巩固诗歌鉴赏的方法，品味中外文化的异同，在欣赏诗歌的过程中培养学生的兴趣，陶冶学生的情操。

2. 鼓励学生以诗歌的形式表达自己的愿望，把简短的中文诗歌翻译成英文，增强弘扬中国灿烂文化的意识。

【教学重点难点】

1. 培养学生鉴赏诗歌的能力和技巧。

2. 引导学生更好地翻译中文诗歌。

【教学设计】

一、总体设计

笔者首先与学生一起复习诗歌鉴赏要注意的方面，为后面的鉴赏活动作好铺垫，之后用英译版的宋词——苏轼的《江城子》（十年生死两茫茫）激发学生的兴趣，然后过渡到英文诗（同为悼念诗的千古绝唱）——鬼才爱伦·坡的《安娜贝尔丽》，最后一个环节是学生活动部分，通过小组活动让学生交流自己找到或创作的作品。作业部分旨在培养学生欣赏、翻译诗歌的能力。

教学流程图

导入→宋词欣赏→英文诗欣赏→学生活动→总结、作业

二、教学过程

Step 1. Revision (2 minutes)

Revise the factors that should be taken into consideration when we read poems.

"When we read a poem, what should we take into consideration?"

Students give the answer - image, rhythm, subject, mood, effect, rhyme, etc.

Step 2. Enjoy a Chinese Poem – To the Tune: Son of River Town (7 minutes)

"Chinese poetry reached its golden age in the Tang Dynasty. Then in the Song Dynasty, with the development of tunes, it reached another peak. Read the poem on your paper and guess which poem it is."

"Read the poem again and answer the following questions."

(1) What is the subject of the poem?

(2) What is the mood of it like?

(3) Identify the rhymes in the poem.

[设计说明：苏轼的《江城子》（十年生死两茫茫）是学生刚刚学过的一首宋词，学生阅读了英文译本之后，很快就想到了是这首词。不同语言对同一首诗歌的诠释，激发了学生的学习兴趣。]

Step 3. Enjoy an English Poem (15minutes)

1. "Su Shi wrote the poem 10 years after his wife's death and expressed his endless sorrow. About 100 years later, an American poet Edgar Allan Poe wrote a similar one, which has become a classic ever since. Read the poem and answer the following questions."

(1) What is the subject of the poem?

(2) What is the mood of it?

(3) Find out the images.

2. Ask students to listen to the poem and read it aloud trying to feel the sadness and beauty of the poem.

3. Ask students to express their opinions of the poem.

"Willow Moon Pearce said 'you only have to read this poem once and you will remember it always.' Do you agree? Why or why not?"

[设计说明：在欣赏完苏轼的《江城子》之后，过渡到爱伦·坡的《安娜贝尔丽》。在欣赏这首诗歌时，笔者播放了由金·瑞夫斯朗诵的录音，他的嗓音如河水般缓缓流淌，充满深情，把诗歌的美带到了学生脑海里。]

Step 4. Students Present Their Poems (15minutes)

"Yesterday I asked you to prepare some poems for our lessons. You may write it by yourselves or read poems written by others. Now it's time for you to share you poems."

[设计说明：在这个部分，学生所展示的作品是上课之前就布置好的作业。学生以组为单位，自己写诗，通过读书或者上网查找诗歌等。活动设计的目的是激发学生的学习兴趣，让学生在小组合作完成任务的同时，培养自主、合作和探究的学习精神。]

Step 5. Summary and Homework (1minute)

"Today we are lucky to be able to enjoy so many good poems, one by Su Shi, another by Allan Poe and more from you. Poems are powerful and everywhere. Love our life, love poems. Homework for you today: translate the following poem into English. Pay attention to the mood, images and rhymes."

回乡偶书

贺知章

少小离家老大回，乡音无改鬓毛衰。

儿童相见不相识，笑问客从何处来。

[设计说明：这个环节是课堂任务的延伸，旨在培养学生的翻译能力，学生通过翻译这首中文诗既复习了诗歌的重要元素，又在遣词造句中练习了翻译的能力，从而激励学生从现在起作好准备，为更好地弘扬中国文化而努力。]

【课后记】

在展示诗歌作品的环节，学生有的自己写了优秀的诗歌，有的找了名家的作品，比如第一课时所提到的在上海地铁中展示的4首英语诗歌——威廉·华兹华斯的《致水仙》、凯瑟琳·詹米的《蓝色之舟》、迈克尔·布洛克的《蝴蝶》以及威廉·布莱克的《天真的预示》中的部分诗句。活动的展示形式多种多样，有配乐朗诵，有抒情的英语歌，像《Heal the World》和《Candle In the Wind》，在歌声中学生欣赏了另一种形式的诗歌。还有一个组编排了一个短剧，设置的场景是宋朝词人柳永与英国的拜伦在青岛啤酒城见面了，两个失恋的人一见如故，互相交流起自己写的爱情诗，并相互点评。学生们大胆的想象、惟妙惟肖的表演和对诗歌知识的运用，把课堂气氛带到了一个高潮。这几位英语成绩一般的学生由此"一鸣惊人"，对英语的学习兴趣和信心也大增。

2. 创设启智性的问题情境

充分挖掘教学素材中的智力因素，让问题情境得以利用，通过多层次的设问引导，启发学生积极思维，主动探究。苏霍姆林斯基说："学生来到学校里，不仅仅是为了取得一个知识的行囊，更主要的是为了变得更聪明。"也就是说把学生变聪明作为课堂教学的追求。而充分挖掘教材的智力因素，既能有效地巩固和深化新知识，又能拓展学生的思维空间，培养学生独立探究的能力。崔砚老师执教的《听听那冷雨》这篇散文，以情境为基础，以朗读为抓手，以问题引发兴趣，从而拓展了学生的思维空间，培养了学生独立探究的能力。

雨景·雨情·雨意

青岛二中语文组　崔砚

【背景概述】

《听听那冷雨》是台湾作家余光中的一篇散文，新课改后被选编在山东人民出版社出版的新教材第一册中。文本篇幅较长，内容丰富，很多学生在预习时说"看不懂"，很多教师也不知从哪里下手、如何去把握，感到头绪纷乱，抓不住要点。而我以为只要教师在上课前反复阅读这篇文章并参考阅读余光中的其他作品，抓准突破口，合理设计，方法得当，明确教学目的，这篇文章的教学并不难。

通观余光中的诗歌散文，我们能感觉到他所有的作品是一部作品，他所有的情感是一种情感，这就是“乡愁”。他的“乡愁”是超拔的、广远的，同时又是具体而可触可摸的，就像我们面对关于故乡和亲情的邮票、船票、坟墓那样，一股苍凉而具象的思恋之情油然而生。

《听听那冷雨》作为余光中的乡愁名篇，蕴涵了深深海峡释不尽的绵绵思绪，抒情浓郁，凄怆悲凉，感染力很强。作者依靠丰厚的中国传统文学的功底和熟练的语言技巧，调动各种感觉器官来写冷雨之苦、冷雨之声、冷雨之意，写得酣畅淋漓，生动感人，尤其是叠词的运用和极富诗情画意的表达，在整体上造成了典雅细腻、绵延不绝的韵味。

揣摩《听听那冷雨》，我以为它是那种只有朗读才能体会其神韵的文章，而不像有的作家的作品，你只能默默品味，才可领会其微言大义。所以我在教学中首先抓住了本文良好的朗读基础，以朗读为切入点，带动对课文的理解和评说，同时多方面地在课堂上设置教学情境，让学生通过联想去感悟、体会和发现“乡愁”的意义，激发他们的感情，达到思作者之思，愁作者之愁，身临其境，心同其感，发其声而诵其情的目的，取得了良好的教学效果，达到了预想的目标。

【教学过程】

我的教学过程可以概括为：以情境为基础，以朗读为抓手。为此，我设计了这样的导入语：

大自然中的万物，风雨雷电、花草树木都能带给人许多联想，“雨”能带给你哪些联想？

学生略作思考后，我又点拨：

台湾作家余光中是一位很善于联想的作家，他在《听听那冷雨》这篇散文中心游万仞，精骛八极，思绪在文中不断跳跃，时而台湾，时而大陆，时而美国；时而现代，时而远古；时而竹楼屋瓦，时而日式古屋。但无论在哪里，都牵带着一组湿漉漉、沉甸甸的意象，比如“云缭烟绕”、“山隐水迢”、“浮漾湿湿的流光”、“春雨绵绵”、“秋雨萧萧”等。这些意象营造出了一种凄美、忧伤、感人的艺术情境，牵动着我们的感情，唤起了我们的思考。是什么原因造成了这样的艺术效果呢？请同学们思考以下三个问题。

1. 是什么将这些纷繁的意象和跳跃的思绪连接在了一起？

2. 从感情色彩上说，雨有温暖的，如苏童的《雨和瓦》；有缠绵惆怅的，如戴望舒的《雨巷》；还有让人欢喜忘忧的，如杜甫的《春夜喜雨》等。余光中笔下的“雨”为什么是冷的？它“冷”在哪里？

3. 你觉得哪一段文字或哪些词语最能体现这种思乡之情？为什么？

这些问题引起了学生的兴趣，他们积极思考讨论，达成了共识：是“雨”将这些纷繁的意象和跳跃的思绪连接在了一起。“听雨”是本文的主线。余光中穿越了中国的历史，穿越了时空的局限和束缚，以自己在不同地方听雨、看雨、感悟雨的经历，串起了一系列沧桑人生的悲悲喜喜。他笔下的雨“冷”在对故土的怀想中，“冷”在怀想的悲愁中。

接着教师点拨（在此重点介绍《听听那冷雨》这篇文章产生的历史背景）：

是的，这是思乡之雨，哀愁之雨。从1949年国民党进入台湾开始，海峡两岸近40年不通商，不通邮，不通航，一湾浅浅的海峡，硬是隔断了两岸亲人的来往，一家人生死不知，两地人难诉衷肠。那时，台湾的人远可以到美国，近可以到香港，就是无法回到大陆，回到家乡，回到亲人身边，只能在梦里喊魂，在歌中怀乡。这是一种什么样的痛，是一种什么样的冷啊！那就让我们听听余光中是怎样抒发这种凄苦情感的。

这时，我打开录音机，缓缓的音乐（《神秘园》中pastorale）响起，我让5个学生分别朗读课文的第1—5段，学生边读边听，听觉、情感、思维全方位投入，在音乐中感受余光中的文字所呈现的那种往复回环的思乡之情，在一种特定的氛围中，让学生进入余光中设置的“乡愁”情境中。

通过初步的朗读、提问和简单讲解，课堂的气氛营造出来了，学生的情绪调动起来了，学生和作者一起沉浸在“乡愁”的感觉里，对“冷雨”这一意象有了进一步的理解，然后教师趁热打铁，再行点拨，进一步深化理解：

望大陆潸然泪落，想神州梦萦魂牵，念故乡愁绪万千，怎能不心冷血寒，怎能不感慨神伤，正如南唐后主李煜所唱：'问君能有几多愁，恰似一江春水向东流。'余光中正是继承了中国古代文人面对悲剧的愁怨情感，通过《听听那冷雨》，缠缠绵绵地吐出了胸中块垒，消释了心中坚冰。

这块垒是什么？这坚冰又是什么？

学生这时对课文已经有所理解，和作者已经有了初步的共鸣，于是很快达成了共识：这块垒是乡愁，坚冰还是乡愁。

对学生的回答我给予了充分的肯定：

是的，作者把乡愁作为结构作品、遣词造句的黏合剂，把苦思深念融合在淅淅沥沥的冷雨中，使字里行间的感情更浓更凄更苦，从而达到了“以我观物，物皆着我之色”和“一切景语皆情语”（王国维语）的意境。

有了这样的基础，回答前面的第3个问题就水到渠成。学生们认真阅读，积极讨论，并发表自己的看法，最后，大家发现文章处处都在表达游子对祖国、对故乡深深的眷恋之情，尤其是第1、第2、第5、第7、第9自然段。特别是叠词的运用和关于雨的极富诗情画意的描写，准确表达了作者心中那一份浓郁得化不开的愁，那一个卓美得绘不出的乡。

至此，学生的情绪已被完全调动起来。我抓住时机又让几个学生伴随着音乐朗读课文的几个重点段落。音乐带给了学生强烈的听觉冲击，引起了感官的兴奋，也加强了文本的感染力。课堂完全被余光中表达的乡愁情绪所笼罩，教室里弥漫着浓浓的乡愁气氛。朗读的学生声情并茂，听读的学生沉浸其中，不知不觉中产生了读者和作家的共鸣、自己和作品的共鸣、朗读和谛听的共鸣。

为了拓展学生对思乡诗文的认识，调动学生的学习积极性，加深学生对本课的掌握和巩固，我又提出这样一个问题：

你还读过哪些思乡的诗文？

学生举出了许多这类诗文，如李白的《春夜洛城闻笛》、杜甫的《月夜忆舍弟》、郁达夫的《故都的秋》等。

学生发言完毕后，我又让他们朗读了余光中的《呼唤》、流沙河的

《就是那一只蟋蟀》。之后，在课堂气氛热烈高涨之时，我设计了这样的结束语：

故乡和对故乡的思念是中国人共同的抒情密码。余光中的《听听那冷雨》以其独特的体验、浓浓的乡思、苦苦的乡愁拨动着读者的心弦，表达了游子对祖国、对故乡的深深眷恋。他所表达的“乡愁”是整个中华民族的乡愁，是我们民族心中的痛，是让中国人最最难以丢弃的“统一情结”。当我们在这里和作者一起体验乡愁之苦，一起聆听冷雨的滴答声时，我们会想到很多很多。流沙河在《就是那一只蟋蟀》里说：

“中国人有中国人的心态”——落叶归根就是中国人的文化心态。

“中国人有中国人的耳朵”，母亲一声“回家”，所有的中国人都会听到，也会为之心动。我们盼望着台湾早日回归，游子早日回家！

最后，让我们集体朗读余光中先生的《呼唤》这首诗：

就像小时候
在屋后那一片菜花地里
一直玩到天黑
太阳下山　汗已吹冷
总似乎听见　远远
母亲喊我　吃晚饭的声音

可以想见晚年
太阳下山　汗已吹冷
五千年深的古屋
就亮起一盏灯
就传来一声呼唤
比小时更安慰　动人
远远　喊我回家去

这堂课在学生深情的朗读声中，在情感达到高潮的时候，在母亲的

“呼唤”声中戛然而止。

【教学效果】

课结束了，学生仍沉浸在余光中创设的“乡愁”意境中，我布置学生就课文或任选预习材料中的一篇文章，写出读后感，以便检验教学效果。事实证明，无论是课堂气氛、学生的反应还是读后感的写作，效果都是理想的。学生由课前的“读不懂”发展到充分理解，产生共鸣，进而喜欢上了这篇课文，有了自己对“乡愁”深刻而独特的理解。

总之，这堂课是成功的，其成功就在于找准了教学突破口，设计合理，方法得当，目的明确。一篇大家都感到难懂、难教的课文，在贴切明快的情境教学中，轻松顺利地达到了目的。

【课后反思】

1. 上好这堂课，预习工作一定要充分。课前，我布置学生熟读课文，把握作者在文中表达的情感。另外，还印发了余光中的《乡愁》、《乡愁四韵》、《呼唤》，流沙河的《就是那一只蟋蟀》，苏童的《雨和瓦》，施蛰存的《雨的滋味》（节选）。

2. 古人云：文无定法，学无成规，师者以善诱为主。中学语文教学的方法是多种多样的，对教学艺术的探索也是永无止境的。长文可以短教，短文可以长教，深文可以浅教，浅文可以深教。一个好的教师必须根据不同体裁、不同内容的课文随机应变，设计不同的方案，采用不同的方法，同时还应该顾及学生的程度、要求和状态。在这篇课文的教学中，我体会到，任何一种方法都不可能放之四海而皆准，这就要求教师在实践中不断总结，不断创新，不断丰富自己，找到最适合自己、最适合学生、最适合课文、最适合新课改同时也是最新颖独到的那一种方法。

3. 师生共同参与的课堂教学原则

现代教学论认为，教师是组织者、合作者和主导者。在成功导入新课之后，如何开展教学活动，的确是一件非常困难的事情。学生的文化背景不同、性格不同，处事的方式当然不同。在充分发挥教师主导性的过程中，我们更渴求的是学生主体性的落实，从而创建“自主课堂”。

在组织教学的时候可以考虑让学生独立完成任务或多种形式的交替学习；考虑学生的知识需要和情感需要，如在探索过程中有什么疑问，哪些地方需要帮助。对此，教师只有参与到学生的活动中才能发现，从而给出合适的指导。

靳庆然老师执教的《祖国统一的历史潮流》这节课，是以“课堂成果交流会”的形式展示的。学生以小组的形式推荐成果，发表见解，并随时接受师生的质询，然后师生共同评价，作出合理的界定。这样既满足了不同层次学生的需要，更体现了创造、求精的意义。

祖国统一的历史潮流

青岛二中历史组　靳庆然

一、教材依据

版本：岳麓版必修1　第6单元　中国社会主义的政治建设与祖国统一

二、设计思想

鉴于高二学生已有一定的学科知识储备和相对广阔的知识视野，以建构主义的教学理念为指导，重视“情境”、“协作”、“会话”和“意义构建”，整合教材，宏观建构，微观分析，突出构建小专题；大胆引入音像资料，增强教学效果的直观性，丰富史料；为启示学生以史为鉴，古为今用。

三、教学目标

1. 知识目标：把握“一国两制”的深刻内涵及其形成过程；理解“一国两制”在实践中，即在香港和澳门问题上的成功实施的意义；了解台湾问题的由来以及解决台湾问题的可能性与不利因素。

2. 能力目标：培养学生从材料中正确获取有效信息的能力、准确调动和运用历史知识的能力、规范描述和阐释历史事物的能力、论证和探讨问题的能力。

3. 情感、态度与价值观：培养学生深沉的爱国主义情感；增强学生对祖国必将统一的信念和自觉维护祖国统一的情感，形成祖国利益高于一切的价值观。

四、教学重点

重点："一国两制"的理论及其实践。

五、教学难点

难点：如何让学生认识"一国两制"理论的包容性和可操作性；如何认识在台湾问题上我国政府的立场以及统一台湾的有利与不利因素，增强对祖国必将统一的信心。

六、教学准备

资源：岳麓版必修一教材、教师教学用书、20 世纪 80 年代以来海峡两岸改善关系的视频、1995—1996 年人民解放军在台湾海峡附近海域军事演习的视频、于光中《乡愁》的诗朗诵；制作 PPT 课件，进行教学流程设计；让学生阅读教材，思考"一国两制"理论及其实践，畅想如何解决台湾问题。

七、教学过程

[情境导入] 欣赏诗朗诵《乡愁》。

教师引入：多么浓重的乡愁啊！连我们的温家宝总理都为之感叹说："这一湾浅浅的海峡，确实是最大的国殇，最深的乡愁。"

温总理何以发出这样的感叹呢？请同学们站在中国现代化的高度去理解，可以说中国在今后一段时期内，要实现经济、政治、文化上的现代化，为此就要坚持改革开放、谋求祖国统一。而台湾问题的复杂性，使得统一之路崎岖而漫长。

我们本节课就将探讨台湾问题，希望同学们通过我们的共同探究，形成对台湾问题睿智而深刻的认识。

[师生共同回顾历史] 台湾与大陆三次分裂，两次回归。

教师提出问题：针对台湾问题，党和政府提出了什么构想？概述这一构想的发展历程、内涵。

[提示] 萌芽：最初是针对什么问题提出来的？——台湾问题。

酝酿：谁？什么方针？——叶剑英：九条方针。

形成：时间？伟人？——20 世纪 80 年代，经邓小平阐述，"一国两制"理论逐渐形成。

保证：在哪个会议上有了宪法保证？——1982 年 12 月五届全国人大五次会议通过《中华人民共和国宪法》（第 31 条）。

确立：通过哪个会议正式成为国策？——1984 年，六届全国人大二次会议上通过，成为基本国策。

运用：成功实践有哪些？——成功解决了香港和澳门问题。

教师提出问题：如何认识港澳问题的性质？香港、澳门回归祖国的条件有哪些？香港、澳门的顺利回归有何重大意义？

[学生回答如下]

性质：历史遗留问题。

条件：国力增强，国际地位提升；“一国两制”构想及各项具体方针政策日渐完善，为解决港澳问题指明方向；1997 年和 1999 年临近，英国和葡萄牙政府不断试探中国关于香港和澳门问题的立场态度，解决港澳问题时机到来。

意义：洗刷中华民族的屈辱历史；“一国两制”构想成功实践；祖国统一大业迈出坚实步伐，为解决台湾问题作出了良好的示范；为国际社会解决国家间历史遗留问题提供了成功的范例。

教师：很显然，台湾问题与此完全不同，纯属中国内政问题。接下来，让我们观看一段视频，一方面深化对“一国两制”构想形成过程的认识，一方面思考 20 世纪 80 年代以来海峡两岸关系发生的变化及其原因。

[师生共同观看视频]

教师抛出问题：1949 年，蒋介石败退台湾，海峡两岸从此长期隔绝。“文革”结束后，海峡两岸关系发生了哪些积极的变化？原因何在？

学生：总的趋势是走向缓和。

具体表现为：停火；“三通”；台湾方面回大陆探亲、观光、投资经商、文化交流；民间团体对话……“汪辜会谈”与“九二共识”；“叶九条”、“邓六条”、“江八条”……“一国两制”的构想渐趋成熟。

原因是：……（回答逻辑混乱，层次不清晰，略。）

教师分析：中国综合实力的提高；中国外交局面的新发展；要和平、要统一的民心和舆论的推动；祖国大陆方面“一国两制”构想日益成熟及其推动发展两岸关系的诚意和努力；台湾“朝野”的友善回应。

教师抛出问题：请你综合所学知识和时政见闻，谈谈和平解决台湾问题有哪些有利和不利因素。

[学生讨论后回答综合如下]

有利因素：历史地理，如台湾自古以来就是中国的一部分；民心舆论，如祖国统一是民心所向；大政方针，如“一国两制”构想及其实践，“江八条”，十六大再次强调……文化渊源，如海峡两岸的文化一脉相承；两岸关系，如两岸民间、经济贸易和文化交流的加强；法律保障，如宪法规定，2005 年 3 月 14 日十届全国人大三次会议通过《反分裂国家法》……

不利因素：国外反华势力的干预；岛内台独分裂势力的破坏。

教师抛出问题：请大家畅想解决台湾问题的大智慧（让学生讨论思考）。

[提示] 从中国传统文化中寻求智慧；现实中我国领导人的行动。由此，解决台湾问题的着眼点是什么？

[学生在教师提示下回答问题，归纳如下]

基本立场：按照“一国两制”构想，和平统一，但不承诺放弃使用武力。

根本基础：提升综合国力，为此要坚持改革开放，实现经济、政治、文化、社会等全面发展。

对台工作：争取民心——政界、商界、文化艺术界人士和广大群众；坚持对话与交流——以民间交往、经贸往来、文化交流等促进统一。

外交立场：将“一个中国”的原则列为建交和往来的基本原则，争取国际社会的理解和支持。

军事准备：保持对台军事优势，震慑台独势力，为和平统一提供坚实后盾，并为武力解决作好准备。

教师总结：有鉴于此，我们相信，不远的将来，也许还有很长的路要走，但一定会像余光中先生访问海大时所表达的那样——将来，乡愁是一条长长的桥，我去那头，你来这头。

[作业] 概述“一国两制”的理论、实践及其历史影响。

八、教学诊断

本节课力求体现新课改精神，实现教师引导下的学生主动学习。既注重夯实基础知识，又注重思维能力的培养；既注重教学过程的流畅衔接，又注重细节的挖掘；既注重情境的设置，又注重学生情感态度的调控引导；在问题设计上力求新颖独特，既能紧扣考纲、课标，又能关注现实热点，贴近生活；题目训练上注意培养学生的答题思路、答题方法，注重应试能力的训练；教师的点拨尽量做到简明扼要，画龙点睛。课堂教学总体上收到了预期的效果。

不足之处：教师过于拘泥于既定的教学设计，内容上过于拘泥于既定的授课内容，未能针对学生在课堂上生成的问题作即兴的发挥和延伸。课堂容量大、时间紧，所以留给学生探究思考的时间不够充分。教师的引导也不够高屋建瓴、简明扼要。如果能让学生更加充分地讨论、辩论、发言，就更能体现学生的自主学习，也会使课堂形式更加活泼、内容更加精彩。

九、教学反思

在课题的选择上，我选择必修一中的《祖国统一的历史潮流》。在内容的处理上，我打破教材内容既定安排，重新整合。教材该节内容分三目：“一国两制”的伟大构想，香港、澳门回归祖国，海峡两岸关系的新发展。经过仔细揣摩，我认为教材的编写内容散、情感淡，按照教材的逻辑顺序讲课，难免平淡无味。深入思考后，我决定整合教材内容——以台湾问题为主线，回顾海峡两岸的历史与现状，提示解决台湾问题的大政方针及其实践范例（即“一国两制”构想和香港、澳门的回归），提供相关视频和史料，抛出富有启发性的问题，引导学生总结解决台湾问题的利与弊，畅想解决台湾问题的智慧，这样就使得整堂课主题突出、环节紧凑、情感真实、波澜起伏，既能发挥教师的主导作用，又能突出学生的自主学习。

在素材的选择上，我打破传统思维，大胆采用各种形式的史料，以求课堂生动活泼、丰富多彩。除教材外，我选择了余光中的《乡愁》诗朗诵、反映20世纪八九十年代海峡两岸关系新发展的视频、1995—

1996年人民解放军在台湾海峡附近海域军事演习的视频以及课本上未涉及的一些文本史料。

在教学环节的设计上，我尽量使三维目标——知识与能力，过程与方法，情感、态度与价值观和谐统一，使学生在意趣盎然中有所悟。力求教学设计首尾呼应自然，过程起伏有致。如导课运用余光中《乡愁》的诗朗诵，结尾运用余光中访问海大演讲时的即兴吟诵《为〈乡愁〉续尾》："将来，乡愁是一条长长的桥，你来这头，我去那头!"开始时将学生情感吸引调动起来，体会故国分离之痛，结尾时将学生情感推向高潮，展望台湾回归祖国的喜人前景，坚定祖国必将统一的信心。首尾呼应，情感浑然一体而深沉有加。在教学过程中，采用问题式教学法，展示相关史料，有序地抛出一个个问题。学生在教师的引导下，由回顾海峡两岸的三次分离、两次回归，到认知祖国统一的大政方针及其实践范例，再到分析和平解决台湾问题的有利因素和不利因素，直至畅想解决台湾问题的大智慧，既突出基础知识的夯实和基本能力的训练，又突出情感、态度与价值观的渐次升华，使知识及其意义的建构既循序渐进又飞跃突破。

上完课后，回顾本节课，我认为成功之处有三。一是选材得当。祖国统一问题事关每一个华夏儿女，容易引起学生的兴趣，激发学生的情感。二是设计得当，主题鲜明，线索突出，史料应用新颖，问题设计富有启发，课件呈现生动活泼。三是感情真挚、热烈、自然。祖国统一事关国家最高利益，容易引发学生的责任感、使命感和爱国心；应用余光中《乡愁》的诗朗诵导入和《为〈乡愁〉续尾》收尾，这种文学的鉴赏美很容易烘托氛围，激发和升华学生的情感；畅想解决台湾问题的智慧时，展示政府高瞻远瞩的一些做法以及传统文化中的一些大智慧，很容易让学生兴奋而浮想联翩。

这节课所暴露出的不足也有三处。

一是文化和思想底蕴不够深厚。例如：对于传统文化的一些理念，不能信手拈来，关键是理解不到位；评价点拨不够言简意赅、妙语连珠；对史实的把握不够高屋建瓴、鞭辟入里；对于思想的解剖，即使能有高屋建瓴的见识，也难以做入木三分、生动活泼的诠释。因此与学生的精彩回答相比，我感觉教师有点相形见绌。通过这堂课，我仿佛一下子明白了教学相长的情形和境界，并告诫和督促自己从此要多读书、多思考、多总结反思、多与学生交流。

二是教师基本功有待好好地回炉再造。例如：普通话不够流畅，表达不够自然，声音不够抑扬顿挫、悦耳“适”听；该煽情的时候找不到更精彩的话，或做不出更煽情的姿势与表情；学生讨论时，自己找不到角色，到底是加入他们，还是静观其变，一下子无所适从了；学生的发言超出自己的预设时，自己并不能很好地进行即兴发挥，或解学生之惑，或使其作更高境界的思考和感悟等。通过这堂课，我仿佛一下子明白了教师基本功的内涵及其重要性。教学真的会产生不同层次的情形和境界，真的需要方方面面的艺术。

三是拘泥于教学设计及课件，课堂应变能力不足。教学设计和课件毕竟是凝固的东西，它与灵动的课堂绝不匹配。如何使凝固的课件、教学设计与灵动的课堂契合起来，使三者合而为一，这需要不断地探索。例如：怎样整合教材，怎样设计富有启发性和探索性的问题，怎样使师生双方互动起来，怎样使课堂富有文化气息、充满教师的人格魅力等。

一堂课带来的收获，可谓多矣。虽然这堂课已过去多时，但那前前后后的经历和复杂的感受，依然鲜活地在我脑海中不断地重现着，并与此后的教学实践不断地印证着。由此我也不断地感悟着、成长着。我的师傅张爱华老师对我说：“像这样的课，多上几次，就把你揉搓出来了！”我想，揉搓虽是不可多得的外力驱动，但要真正使自己得到更好的发展，还是需要自己不停地反思，不停地读书学习，不停地追求。

4. 由演绎法向归纳法转变

在以往的高中课堂教学中，为了回应应试升学的要求，存在着过分强调演绎法而忽视归纳法的倾向。演绎法通常是指“从一般到特殊”，是以理论为主体去解释实验事实；而归纳法是指“从特殊到一般”，即从各种实验事实的分析中归纳出自然规律。归纳法作为教学模式构建的基本方法之一，在运用时应注意以下两点。一是要真正从实际出发，反映教学的本来面目。在经验总结时，不应预先以主观的框子先入为主地去总结经验，这样往往看不到教学的客观面目，常常会削足适履，更谈不上揭示教学的客观规律，形成科学的教学模式。二是要克服唯经验倾向。对于总结经验来说，经验丰富只是前提，有了好的经验并不等于就能揭示规律。如果仅仅罗列材料、堆砌事实却讲不出道理，那么经验仍将是个别的经验，而不能形成具有推广意义的模式。王昌丽老师《气体摩尔体积》一课的教学设计，或许能给我们以启发。

《气体摩尔体积》教学设计

青岛二中化学组　王昌丽

一、教材分析

江苏教育出版社　必修1　专题1　第1单元

二、设计思想

本课题要教会学生从不同的角度去研究物质的量的关系，可以表示物质的多少的量有质量、数量、体积等，对于学生理解气体物质的量与气体的体积之间是否存在一定的关系，一般采用归纳的方法，用客观存在的实验依据引导学生得出正确的结论，进而学会用理论解决实际问题。

三、教学目标

1. 正确理解和掌握气体摩尔体积的概念，初步掌握阿伏伽德罗定律的要点，并学会运用该定律进行有关简单推理。

2. 培养科学归纳的思维能力，空间想象能力，运用事物规律分析解决问题的逻辑思维能力。

四、教学重点

气体摩尔体积的概念及其有关计算。

五、教学难点

气体摩尔体积概念的逻辑推理过程；阿伏伽德罗定律的直观理解。

六、教学准备

资料：江苏教育出版社　必修1　专题1　第1单元　课本及教学参考书

七、教学过程

教师活动	学生活动	设计意图
[引入] 物质都是由原子、分子、离子这些基本微粒构成的。衡量物质所含微粒数多少用哪个物理量？该物理量的单位是什么？1 mol 物质含有多少构成它的基本微粒？1 mol 不同物质所含有的微粒数相同，它们的体积是否也相同呢？这是我们本节课要解决的问题。 [板书] 第二节　气体摩尔体积		复习上节课的内容，引入本节课的内容。
[多媒体投影] 1 mol 铁、铝、铅、水、硫酸的质量、密度、体积，引导学生分析投影数据。 [展示] 1 mol 铁、铝、铅、水、硫酸的实物，引导学生观察。 [小结] 相同条件下，1 mol 不同的固态或液态物质的体积是不同的。	观察、分析并得出结论。	用实验展开新课。
[设问] 对于 1 mol 不同的固态和液态物质来说，为什么其体积各不相同？ [讲述] 物质都是由原子、分子、离子这些微观粒子构成的，在讨论物质所占体积时，可以从其结构出发来分析。下面我们把微观粒子与宏观的球体作类比。 [多媒体演示] 固体、液体分子间距离示意图	思考并回答问题。	寻找气体的体积的规律。
[设问] 一堆排球、一堆篮球，都紧密堆积，哪一堆球所占体积更大？如果篮球有 100 个，而排球有 1 万个呢？如果球的数目都为 100 个呢？如果排球间距为 1 米，而篮球间距为 1 厘米呢？ [指导] 阅读课本第 10 页第 3 自然段。 [讲解] 可以从上面得出决定物质所占空间大小的三个因素：①物质所含结构微粒数多少；②微粒本身的大小；③微粒间的距离。 [板书] 决定物质所占空间大小的三个因素： ①物质所含结构微粒数多少； ②微粒本身的大小； ③微粒间的距离。 [设问] 在相同的温度和压强条件下，1 mol 不同气态物质的体积是否相同？		用宏观的物质形象地作比喻，学生比较好理解。

续表

教师活动	学生活动	设计意图
[多媒体投影] 标准状况下 1 mol 氢气、氧气、二氧化碳的质量、密度、体积，指导学生计算。 [讲述] 大量实验数据证明，在标准状况下，即温度为 0℃、压强为 1.01×10^{5}Pa 条件下，1 mol 任何气体的体积都约为 22.4 L。 [设问] 在标准状况下，1 mol 任何气体的体积为什么几乎相同？在这个表面现象背后隐藏着怎样的本质原因？	通过计算求得不同气体在相同条件下的体积，得出结论。	引导学生从感性、理性两方面认识事物客观规律，培养他们进行科学归纳的能力。
[讲解] 这要从气态物质的结构去找原因，可从前面得到的决定物质体积大小的三个因素出发来分析问题。气体分子间有着较大的距离，通常情况下气体分子间的平均距离是气体分子直径的 10 倍左右。由此可知，气体体积主要决定于分子间的平均距离，与分子的大小关系不大。在标准状况时，不同气体的分子间的平均距离几乎相等，所以 1 mol 任何气体的体积几乎相同。 [多媒体演示] 气体分子间距离示意图 [指导] 阅读课本第 2 和第 3 自然段。 [板书] 一、气体摩尔体积　在标准状况下，1 mol 任何气体的体积都约为 22.4 L。 $V_m=22.4$ L/mol		微观的物质形象化。
[讲解] 气体摩尔体积可用“V_m”表示，注意其单位为“L/mol”。 [练习 1] 下列说法正确的是（　　）。 A. 1 mol 任何气体的体积都是 22.4 L B. 1 mol 水的质量是 18 g，在标准状况下它所占的体积是 22.4 L C. 在标准状况下，1 mol 任何物质所占的体积都约是 22.4 L D. 在标准状况下，1 mol 任何气体所占的体积都约是 22.4 L [练习 2] 在标准状况下，(1) 0.5 mol 氧气占有的体积是多少？(2) 44.8 L 氢气的物质的量是多少？ [设问] 由气体摩尔体积概念，可得出在标准状况下气体的体积和气体的物质的量有怎样的关系？	学生练习做答求解。	深刻理解气体摩尔体积的含义、该概念使用的范围及注意事项。

续表

教师活动	学生活动	设计意图
[板书] $V=V_m \times n$　n 表示气体物质的量 [提问] 该公式在什么情况下应用？ [设问] 联系物质的量与物质的质量、微粒数的关系，可得出在标准状况下气体的体积和气体的质量、微粒数有怎样的关系？		
[板书] 物质质量→物质的量→（标状）气体体积 ↓ 微粒数	讨论归纳，得出结论。	
[练习3] 在标准状况下，跟4.4 g二氧化碳体积相等的氧气的物质的量为（　），质量为（　）。 [练习4] 在下列各组物质中，分子数相同的是(　　) A. 2 L一氧化碳和2 L二氧化碳 B. 9 g水和标准状况下11.2 L二氧化碳 C. 标准状况下1 mol氧气和22.4 L水 D. 0.2 mol氢气和2.24 L氯化氢气体		
[设问] 1. 标准状况下，1 mol任何气体的体积都约为22.4 L，即气体的体积基本相同。那么，标准状况下，2 mol任何气体的体积是否仍然基本相同？ 2. 标准状况下，等物质的量的任何气体的体积是否仍然基本相同？ 3. 标准状况下，体积相同的任何气体的物质的量是否相同？ 4. 气体摩尔体积约是22.4 L/mol，为什么一定要加上标准状况这个条件？在非标准状况下1 mol气体的体积有没有可能为22.4 L？ 5. 气体的体积主要决定于气体分子间平均距离，气体分子间平均距离由什么因素决定？		引导学生形象地分析，对学生进行逻辑推理能力的培养。
[多媒体演示] 温度、压强对气体的影响。 [讲解] 强调课本中所指气体摩尔体积是特指在标准状况下1 mol气体的体积。 [设问] 在一定温度和压强下，不一定是标准状况下，1 mol不同的气体其体积是否相同？		引出阿伏伽德罗定律。

续表

教师活动	学生活动	设计意图
[讲解] 分子数一定的情况下，气体的体积决定于气体分子间的平均距离。而气体分子间的平均距离主要受温度和压强的影响。在一定温度和压强下，不一定是标准状况下，各种气体分子间的平均距离是近似相等的。因此，同温同压下，相同分子数的气体，其体积也相同；同样，同温同压条件下，体积相同的气体，其分子数也相同。这一规律称作阿伏加德罗定律。 [板书] 二、阿伏加德罗定律　在相同的温度和压强下，相同体积的任何气体都含有相同数目的分子。 [设问] 在一定温度和压强下，气体的体积和气体的分子数、气体的物质的量呈什么关系？ [板书] 气体的体积之比 = 气体的分子数之比 = 气体的物质的量之比 $V_1/V_2 = n_1/n_2$ [提问] 该公式的适用条件是什么？ [练习 5] 在同温同压下，相同质量的下列气体中体积最大的是（　　）。 A. 氢气　B. 氨气　C. 氧气　D. 二氧化硫 [练习 6] 在同温同压下，相同质量的 O_2 和 SO_2，说法正确的是（　　）。 A. 密度比为 1∶2　　B. 体积比为 2∶1 C. 分子个数比为 1∶2　D. 所含原子个数比为 1∶1 [小结] 这节课我们学习了气体摩尔体积的概念，掌握了在标准状况下气体的体积与气体摩尔体积、气体物质的量的关系；初步掌握了阿伏加德罗定律的要点，并会运用该定律进行简单推理。 [作业]（略）		使学生理解阿伏加德罗定律。 逐步由气体摩尔体积的概念引导出阿伏加德罗定律。

八、教学反思

本节课是理论性较强的一节课，为了使学生能够深刻理解气体摩尔体积和阿伏加德罗定律的内容，掌握在标准状况下气体的体积与气体摩尔体积、气体物质的量的关系，并运用阿伏加德罗定律进行简单推理和计算，教学中多采用举例说明，目的是使理论知识更形象，便于学生理解。但要真正做到理解应用，还需要在今后的教学中多加演练，多下工夫。

5. 头脑风暴教学法

头脑风暴（Brain-storming）教学法，是指学生就某一问题自由发表意见，而不需要为自己的观点陈述原因，其他学生也没有必要立刻对某个学生的观点加以评价、进行讨论或提出批评的讨论方法，类似我们俗语中的"诸葛亮会"。它是一种可以在最短的时间里获得最多的思想、观点的方法，被广泛地应用在课堂教学中。在课堂上，学员可通过"头脑风暴"法讨论、收集解决实际问题的意见。通过集体讨论，集思广益，促使学生对某一教学问题产生自己的意见，通过同学之间的相互激励、讨论引发连锁反应，从而获得大量的构想，并经过组合和改进达到创造性解决问题的目的。头脑风暴法教学应在一个开放、轻松的课堂环境中进行。董玉闪老师的《乙醇》教学案例，可以让我们一睹头脑风暴教学法的风采。

教学案例：乙醇（苏教版）

青岛二中化学组　董玉闪

【课程标准与教材分析】

1. 化学课程标准（必修1）中的内容标准及活动与探究建议。

① 知道乙醇的组成和主要性质，认识其在日常生活中的应用。

② 实验探究：乙醇的主要化学性质。

2. 教材分析与建议：本节是教材中学习完烃后转到烃的衍生物的第一节课。教材在分析了乙醇的结构后（在讲课过程中建议此处进行结构式推导），通过实验分析了羟基与活泼金属的反应以及乙醇的氧化反应。学生可以在已经学习的钠的保存、钠与水反应的基础上，探究钠与水反应、乙醇与钠反应的异同及其原因。对于乙醇的氧化反应只是涉及反应的结果，建议在此基础上分析氧化反应过程中的断键方式，并且由此分析出醇的氧化规律及有机反应中氧化反应、还原的定义。在教学过程中，还可引入与多羟基醇相关的内容，锻炼学生的知识迁移能力。

【教学目标】

知识技能：掌握乙醇的主要化学性质（与活泼金属反应、氧化反应）。

能力培养：培养认识问题、分析问题、解决问题的能力以及知识迁移能力。

科学思想：通过分析乙醇的化学性质，渗透“由个别到一般”的认识观点，对学生进行辩证思维教育。

科学品质：通过动手实验，激发学习兴趣，培养求实、创新、合作的优良品质。

科学方法：通过假设、分析、验证对有机物结构进行推断的科学方法。

【教学重点】

乙醇的化学性质。

【教学难点】

乙醇发生催化氧化的机理与规律。

【教学方法】

1. 根据一般的有机物推导方法推断乙醇分子式，根据假设、验证推断乙醇的分子结构。

2. 采用实验探究、对比分析、诱导等方法学习乙醇与钠的反应。

3. 通过启发、分析，“从个别到一般”，由乙醇推导出醇羟基被氧化的规律。

4. 通过典型练习，巩固对醇羟基性质的理解与应用。

【教学用具】

乙醇的球棍模型、无水乙醇、钠、铜丝及其他有关实验仪器。

【教学思路】

通过理论计算与实验分析探究乙醇的分子结构。学生自主探究钠与水反应、乙醇与钠反应的异同及其原因。渗透“性质反应结构”、“官能团决定化合物特性”的思维模式。分析乙醇被氧化过程中的断键形式，归纳醇被氧化的规律。通过不同类型羟基的性质练习，巩固对羟基性质的认识，并培养学生的知识迁移能力。

【教学过程设计】

[引入] 中国的酒文化源远流长，酒精在我们的日常生活中扮演了非常重要的角色。从化工、能源到医药，酒精无所不在。这节课我们来了解乙醇。

[板书] 乙醇

[教师] 展示乙醇；根据已有的乙醇知识，请同学们概括出乙醇的重要物理性质及用途。

[板书] 1. 乙醇的物理性质。

[学生] 读书，相互讨论总结，作必要的补充与总结以及强调。

[设问] 那么，乙醇的分子结构如何呢？请同学们根据有机物结构式的一般推断方法来回答，并自己尝试设计实验以确定乙醇的分子结构。

[提示] ①分子式推导；②可能结构式的推断；③实验验证得出正确的结构式。

[学生] ①根据燃烧法定量分析（有的同学忽略了对最简式式中氧的判断，同时有多种确定相对分子质量的方法）。②组合出正确的乙醇结构以及它的同分异构体甲醚。

[教师] 如果学生无从下手，可以提示钠的保存方法及钠与水的反应，引导学生设计实验，学生自然会想到钠与乙醇是否反应，从而进行实验操作。

[总结] 乙醇的结构。

[教师] 比较乙醇、乙烷、水的分子结构，比较它们之间的变化关系。

[学生] 乙醇可以看成乙烷的一个氢原子被羟基取代，或者水分子中的一个氢原子被一个乙基取代。

[板书] 2. 乙醇的分子结构　分子式：C_2H_6O　结构式：

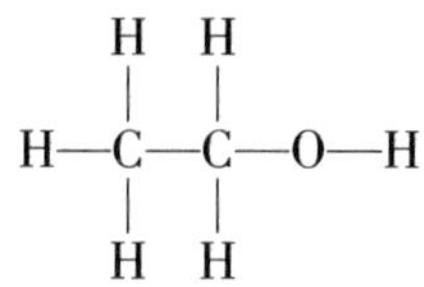

3. 化学性质

（1）与钠反应

［教师］根据实验，探究下列问题。

① 钠分别与水、乙醇反应现象的比较：钠和水反应比较，说明了什么问题？NaOH 和 CH_3CH_2ONa 相比，谁的水溶液碱性更强？

② 分析断键位置，写出钠与乙醇反应的化学方程式。

③ 该反应属于有机反应中的什么反应类型？

④ 钾、钙等很活泼的金属能否与乙醇发生反应？

［学生］①通过现象的对比，在教师的引导下作出全面正确的结论，理解醇羟基比水中的氢氧键难断裂，酸性较弱，进而得出乙醇钠的碱性较强的结论。

② 书写化学方程式。

③ 运用取代反应的定义。

④ 运用知识迁移，得出能够反应的结论。

［教师］乙醇与钠反应时断裂了氢氧键，判断乙醇分子在发生化学反应时哪些键可能断裂？对应生成怎样的产物？

［学生］组合出各种可能的组合，教师可以在巡视中加以指导和纠正，对一些不稳定的形式加以解释。

［教师］化学是一门实验科学，你的假设最好能够得到实验的验证。你们能否设计一些实验或用已经学过的实验验证一下你们假设的断键情况？

［提示］实验室乙烯是怎样制取的？请你书写出化学反应方程式并标出断键位置。

［教师］该反应属于什么反应类型？

［学生回答教师板书］消去反应，并复习消去反应的概念，强调是

夺取相邻 C 上的 H。

［教师］如果将该反应的温度控制在 140℃，其产物是什么？试写出反应的化学方程式，并注意断键位置。

［学生板书演练］$CH_3CH_2OH + HOCH_2CH_3 \xrightarrow[140℃]{浓 H_2SO_4} C_2H_5—O—C_2H_5$（乙醚）$+H_2O$

［练习］写出下列醇在一定条件下能否发生消去反应，能发生的写出反应产物。

A. 甲醇

B. 1－丙醇

C. 2－丁醇

D. 2，3－二甲基－1－丙醇

［学生］练习、讨论，相互纠错。

［教师］能否总结出醇类消去反应的规律？

［师生共同总结］板书：醇在消去 H_2O 分子时，氢原子总是从含氢较少的碳原子上脱去。与羟基碳原子相邻的（β 位）碳原子上没有氢原子的醇类，不能发生消去反应。

［设计实验］把一端弯成螺旋状的铜丝放在酒精灯外焰中加热，使铜丝表面生成一薄层黑色的 CuO，立即把它插入盛有乙醇的试管里，这样反复操作几次。

［学生］描述现象，在教师提示产物的结构式后进行断键分析，同时写出实验中涉及的化学方程式，分析 Cu 在反应过程中的作用。

［板书］催化氧化。

［教师］强调断键方式。

［思考］一根光洁无锈的铜丝，放在酒精灯火焰的外焰上灼烧，将发生什么现象？此时将铜丝移到焰心，又有什么现象发生？为什么？

［学生］仔细观察并进行现象描述。分析原因：铜丝在酒精灯外焰上灼烧时表面变黑，移至焰心时铜丝又从黑色变为光亮的红色。酒精灯焰心处为酒精蒸汽，酒精发生了催化氧化反应，便出现了上述现象。

［拓展练习］下面的醇能够在一定条件下氧化成醛或者酮的是哪个？你能否总结出醇类消去反应的规律？

A. 甲醇

B. 2－丙醇

C. 叔丁醇

［学生］练习、讨论，相互纠错，巩固催化氧化反应，得出结论：伯醇氧化为醛，仲醇氧化为酮，叔醇难被氧化。

［师生共同总结］板书。

［教师设疑］以上化学性质只是乙醇性质的一部分，对于你们在断键组合的过程中得到的化学物质，我们以后再进行验证和学习。例如：乙醇与羧酸的酯化反应等。

［巩固练习］写出下列各步（①、②、③、⑤、⑧、⑨）转化的化学反应方程式。

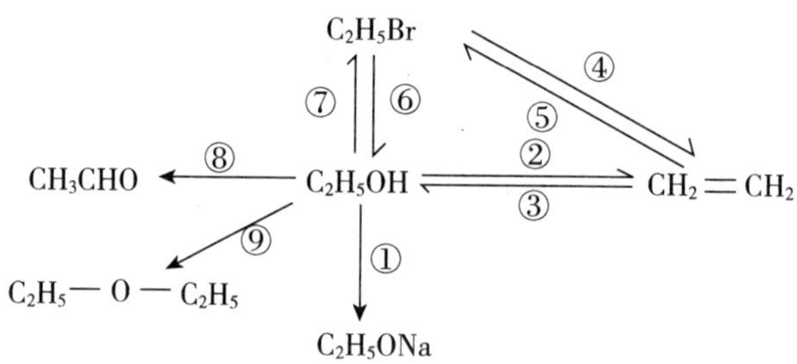

［师生共同］纠错，分析，得到正确的答案。

［小结］本节课重点学习了乙醇的化学性质。在乙醇的化学性质中，各反应的断键方式可概括如下：

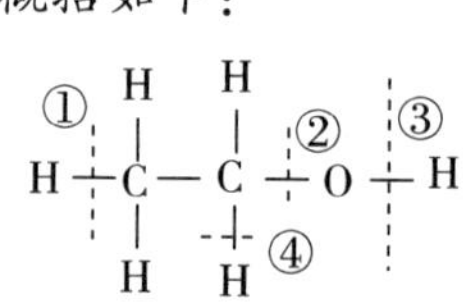

消去反应——①②断裂

与金属反应——③断裂

发生催化氧化——③④断裂

分子间脱水——②③断裂

［作业］

1. 将等质量的铜片在酒精灯上加热后，分别插入下列溶液中，放置片刻铜片质量增加的是（　　）。

A. 硝酸　　　　B. 无水乙醇

C. 石灰水　　　D. 盐酸

2. 已知 $CH_2=CH—CH_3$ 水化时，水分子中的氢原子主要加在含氢较多的不饱和碳原子上，则丙烯水合的产物主要为________，产物再催化氧化得________（均填相应产物的结构简式）。

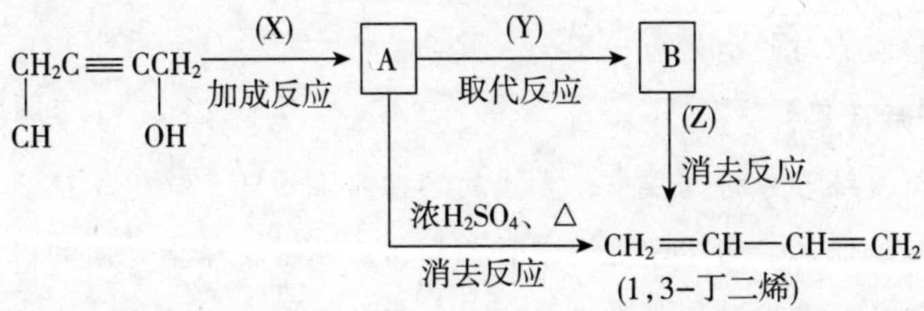

3. 由丁炔二醇可以制备 1，3 - 丁二烯。请根据下面的合成路线图填空。

（1）写出各反应的反应条件及试剂名称：X ________；Y ________；Z ________。

（2）写出 A、B 的结构简式：A ________；B ________。

［板书设计］

乙醇

1. 乙醇的物理性质与用途

2. 乙醇的分子结构 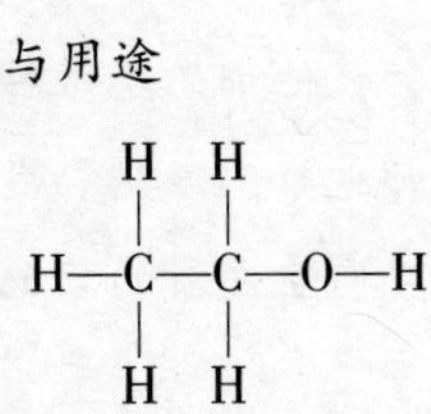

3. 化学性质

（1）与钠反应　$2CH_3CH_2OH+2Na \longrightarrow 2CH_3CH_2ONa+H_2\uparrow$

（2）消去反应

（3）催化氧化

【自我评价】

本节课思维容量大。整个课堂充分调动了学生的积极性，使学生的思维在课堂中得到一次又一次的锻炼。课堂气氛活跃，学生在轻松愉快的实验活动与环环相扣的思考中既锻炼了实验操作能力，又拓展开阔了思维。通过相互纠错，学生既巩固了所学的知识，又尽可能地见识了一些典型的错误。在认识像累积木一样的乙醇断键联系时，学生充分感受到了化学学习的乐趣；在设计实验验证自己的断键设想时，学生又充分感受到了化学作为一门学科的严谨性。氧化反应的练习则锻炼了学生的知识迁移能力与归纳能力。

【课后反思】

在断键练习分析过程中，学生的思维非常活跃，提出了很多合理的断键设想。但是，由于学生尚未具备知识基础以及课堂时间的限制，基于要完成的整个课时的教学内容，对他们的众多合理设想，我只是有意识地选取与本节课密切相关的加以讲述和探究，没有能够进行全面分析。这些想法也没有能够交给学生充分讨论，在一定程度上打击了一些学生的积极性。课后一些同学还在追问他们的断键设想是否正确，我只好再一一作答。这是这节课最意犹未尽之处。

【自我教育】

新课程相对弱化了对具体知识掌握的要求，但是强化了对学生思维能力培养的要求。因此，我们在具体的教学过程中，应该充分抓住学生思维的火花，加以正确的引导，使他们的思维触角越伸越远。学生的思维是那么丰富，有时甚至令教师也目不暇接。我们应该更大程度地把课堂交还给学生，让课堂成为学生自主发展的阵地。

（三）独具特色与魅力的课堂教学创新

青岛二中经过多年的摸索与实践，在课堂教学上形成了许多独具特色与魅力的创新模式，其中数学和地理两个学科的课堂教学堪为其中的典型。

1. 数学学科“M－M 教学方式”引领课堂教学创新之路

（1）“M－M 教学方式”有两种表述，较为概括的一种是：在教育教学中，教师遵循数学本身的发现、发明与创新等规律，遵循学生身心发展规律，引导学生不断地自我增进一般科学素养，提高社会文化修养，形成和发展教学品质，全面提升学生素质。更为明确、更具有可操作性的表达是：教师在教育教学中，充分发挥数学教学的两个功能，自觉地遵循两条基本原则，瞄准三项基本目标，恰当地操作八个变量，从而全面提高学生素质。

“M－M 教学方式”即教育方法论的教学方式，“M－M”取自英文短语“mathematical methodology”两个单词的首字母，术语界定如下。

教学全过程：优化数学班级结构、学生学法培训、教学设计，上课、辅导、作业处理、学习评价，课外活动辅导。

两个功能：技术教育功能与文化教育功能。

两条基本原则：既教证明又教猜想的原则，教学、学习、研究（发现）同步协调原则。

三项具体目标：

引导学生自我 → 增进一般科学素养

引导学生自我 → 提高社会文化修养

引导学生自我 → 形成和发展教学品质

八个变量：数学返璞归真教育，数学审美教育，数学发现法教育，数学加人品教育，数学史志教育，演绎推理教学，合情推理教学，一般解题方法的教育。

以下是一个基于“M－M 教学方式”的教学设计案例。

《基本不等式》教学设计

青岛二中数学组　高磊

【教材依据】

人教 A 版　必修 5　第 3 章　不等式　3.4 基本不等式

【设计思想】

本节课是在系统地学习了不等关系和不等式性质，掌握了不等式性质的基础上展开的，作为重要的基本不等式之一，为后续的学习奠定基础。要进一步了解不等式的性质及运用，研究最值问题，此时基本不等式是必不可缺的。基本不等式在知识体系中起了承上启下的作用，同时在生活及生产实际中有着广泛的应用，因此它也是对学生进行情感价值观教育的好素材，所以基本不等式应重点研究。

教学中注意用新课程理念处理教材。学生的数学学习活动不仅要有接受、记忆、模仿和练习，而且要有自主探索、动手实践、合作交流、阅读自学。师生互动，教师发挥组织者、引导者、合作者的作用，引导学生主体参与、揭示本质、经历过程。

就知识的应用价值来看，基本不等式是从大量数学问题和现实问题中抽象出来的一个模型，在公式推导中所蕴涵的数学思想方法如数形结合、归纳猜想、演绎推理、分析法证明等，在各种不等式研究问题中有着广泛的应用。另外，它在如“求面积一定，周长最小；周长一定，面积最大”等实际问题的计算中也经常涉及。

就内容的人文价值来看，基本不等式的探究与推导需要学生观察、分析、归纳、猜想，有助于培养学生的创新思维和探索精神，是培养学生应用意识和数学能力的良好载体。

【教学目标】

依据新课程标准对“不等式”学段的目标要求和本班学生实际情况，特确定如下目标。

1. 知识与能力目标：理解掌握基本不等式，并能运用基本不等式解决一些简单问题；培养学生探究能力以及分析问题、解决问题的能力。

2. 过程与方法目标：按照“创设情境，提出问题→剖析归纳证明→几何解释→应用（最值的求法、实际问题的解决）”的过程呈现。启动观察、分析、归纳、总结、抽象概括等思维活动，培养学生的思维能力，体会数学概念的学习方法，通过运用多媒体的教学手段，引领学生主动探索基本不等式性质，体会学习数学规律的方法，体验成功的乐趣。

3. 情感与态度目标：通过问题情境的设置，使学生认识到数学来自实际，培养学生用数学的眼光看世界，通过数学思维认知世界，从而培养学生善于思考、勤于动手的良好品质。

【教学重点】

应用数形结合的思想理解基本不等式，并从不同角度探索基本不等式 $\sqrt{ab}\leqslant\frac{a+b}{2}$ 的证明过程及其应用。

【教学难点】

1. 基本不等式成立时的三个限制条件（简称“一正、二定、三相等”）。

2. 利用基本不等式求解实际问题中的最大值和最小值。

【教学方法】

本节课采用观察—感知—抽象—归纳—探究及启发诱导与讲练结合的教学方法，以学生为主体，以基本不等式为主线，从实际问题出发，放手让学生探究思索。以现代信息技术多媒体课件、几何画板作为教学辅助手段，加深学生对基本不等式的理解。

【教学过程】

教学过程设计以问题为中心，以探究解决问题的方法为主线展开。这种安排强调过程，符合学生的认知规律，使数学教学过程成为学生对知识的再创造、再发现的过程，从而培养学生的创新意识。具体过程安排如下。

一、创设情境，提出问题

设计意图：数学教育必须基于学生的“数学现实”，现实情境问题是数学教学的平台，数学教师的任务之一就是帮助学生构造数学现实，并在此基础上发展他们的数学现实。基于此，设置如下情境：

右图是在北京召开的第 24 届国际数学家大会的会标，会标是根据中国古代数学家赵爽的弦图设计的，

颜色的明暗使它看上去像一个风车，代表中国人民热情好客。

提问：你能在这个图中找出一些相等关系或不等关系吗?

设置该情境的意图在于利用图中相关面积间存在的数量关系，抽象出不等式 $a^2+b^2\geqslant 2ab$。在此基础上，引导学生认识基本不等式。

同时，通过几何画板演示（几何画板辅助教学）：

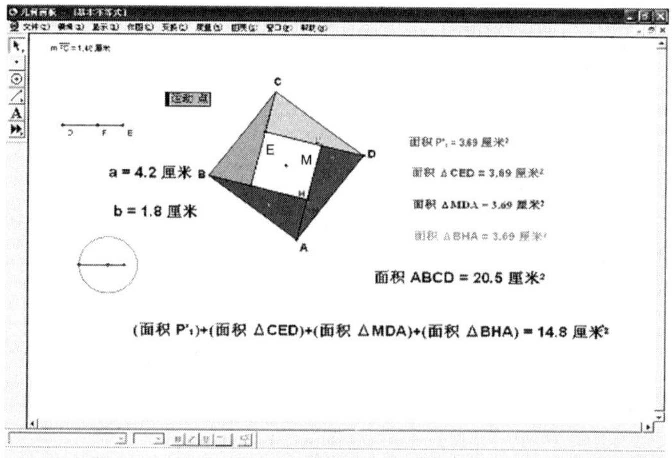

让学生更直观地抽象、归纳出以下结论：

一般地，对于任意实数 a，b，有 $a^2+b^2\geqslant 2ab$，当且仅当 $a=b$ 时，等号成立。

提问：你能给出它的证明吗?

学生在黑板上板书。

特别地，当 $a>0$，$b>0$ 时，在不等式 $a^2+b^2\geqslant 2ab$ 中，以 $\sqrt{a}$、$\sqrt{b}$ 分别代替 a，b，得到什么?

设计依据：类比是学习数学的一种重要方法，此环节让学生不仅理解了基本不等式的来源，突破了重点和难点，而且感受了其中的函数思想，为今后的学习奠定基础。

答案：$\sqrt{ab}\leqslant\dfrac{a+b}{2}$（$a$，$b>0$）。

归纳总结：

如果 a，b 都是正数，那么 $\sqrt{ab}\leqslant\dfrac{a+b}{2}$，当且仅当 $a=b$ 时，等号

成立。

我们称此不等式为基本不等式。其中$\frac{a+b}{2}$称为a，b的算术平均数，$\sqrt{ab}$称为a，b的几何平均数。

二、理解升华

1. 文字语言叙述

两个正数的算术平均数不小于它们的几何平均数。

2. 联想数列的知识理解基本不等式

已知a，b是正数，A是a，b的等差中项，G是a，b的正的等比中项，A与G有无确定的大小关系？

两个正数的等差中项不小于它们正的等比中项。

3. 符号语言叙述

若$a>0$，$b>0$，则有$\sqrt{ab}\leqslant\frac{a+b}{2}$，当且仅当$a=b$时，$\sqrt{ab}\leqslant\frac{a+b}{2}$。

提问：怎样理解“当且仅当”？（学生小组讨论，交流看法，师生共同总结）

“当且仅当$a=b$时，等号成立”的含义是：

当$a=b$时，取等号，即$a=b\Rightarrow\leqslant\sqrt{ab}=\frac{a+b}{2}$；

仅当$a=b$时，取等号，即$\sqrt{ab}\leqslant\frac{a+b}{2}\Rightarrow a=b$。

4. 探究基本不等式证明方法

提问：如何证明基本不等式？

（意图在于引领学生从感性认识基本不等式到理性证明，实现从感性认识到理性认识的升华。）

方法一：作差比较或由$(\sqrt{a}-\sqrt{b})^2\geqslant 0$展开证明。

方法二：分析法（完成课本填空）。

设计依据：课本是学生了解世界的窗口和工具。心理学研究表明：任何学习都是学习者自主建构的过程。在这个过程中，离不开学习主体与文本之间的交互作用。有意义的接受学习是自主建构，有意义的发现学习也是自主建构。前者的认知机制是同化，它引起认知结构的量变；后者的认知机制是顺应，它引起认知结构的质变。既没有绝对的接受学习，也没有绝对的发现学习，总是两者相互交替、有机结合。因此，课本必须成为学生赖以学会学习的文本。在教学中要让学生学会认真看书、用心思考，养成讲讲议议、动手动笔、仔细观察、用心体会的好习惯，真正学会读“数学书”。

要证$\frac{a+b}{2}\geqslant\sqrt{ab}$ ①

只要证 $a+b\geqslant$________ ②

要证②，只要证 $a+b-$________$\geqslant 0$ ③

要证③，只要证（________ − ________$)^2\geqslant 0$ ④

显然，④是成立的。当且仅当 $a=b$ 时，④中的等号成立。

点评：证明方法叫做分析法，实际上是寻找结论的充分条件，执果索因的一种思维方法。

5. 探究基本不等式的几何意义

借助初中阶段学生熟知的几何图形，引导学生探究不等式$\sqrt{ab}\leqslant\frac{a+b}{2}(a, b>0)$的几何解释，通过数形结合，赋予不等式$\sqrt{ab}\leqslant\frac{a+b}{2}$$(a, b>0)$几何直观。进一步领悟不等式中等号成立的条件。

如图：AB 是圆的直径，点 C 是 AB 上一点，$AC=a$，$CB=b$，$CD=\sqrt{ab}$

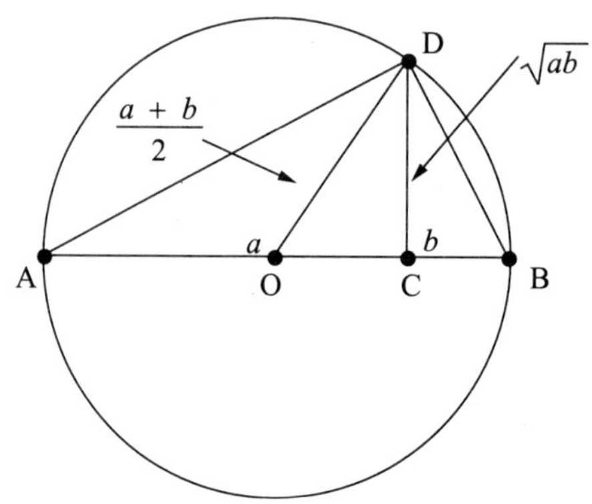

几何解释实质可认为：在同一半圆中，半径不小于半弦。或者认为，直角三角形斜边的一半不小于斜边上的高。

三、探究归纳

下列命题中正确的是：

1. 对于任意实数 a，b，均有 $a+b\geqslant 2\sqrt{ab}$；

2. 当 $x\geqslant 0$ 时，由于 $1+x^2\geqslant 2x$，当且仅当 $1=x^2$ 时，即 $x=1$ 时，等号成立，所以函数 $y=1+x^2(x\geqslant 0)$ 的最小值为 2；

3. 当 $x\in(0,\ \frac{\pi}{2})$ 时，有 $\sin x+\frac{4}{\sin x}\geqslant 4$，所以函数 $y=\sin x+\frac{4}{\sin x}$在 $(0,\ \frac{\pi}{2})$ 的最小值为 4。

以上命题均是根据基本不等式的使用条件中的难点和关键处设置的，目的是利用学生原有的平面几何知识，帮助其进一步领悟到不等式 $\sqrt{ab}\leqslant\frac{a+b}{2}$成立的条件 $a>0$，$b>0$，及当且仅当 $a=b$ 时，等号成立。这些“陷阱”要让学生自己往里跳，然后自己再从中爬出来，完全放手让学生自主探究，教师指导，师生一起归纳总结。

结论：若两正数的乘积为定值，则当且仅当两数相等时，它们的和有最小值；

若两正数的和为定值，则当且仅当两数相等时，它们的乘积有最大值。

简记为：“一正、二定、三相等”。

四、领悟练习

公式应用之一：

（1）若 $x>0$，$x+\frac{1}{x}$的最小值为________，此时 x ________。

（2）若 $a>0$，$b>0$，且 $a+b=2$，则 ab 的最大值为________，此时 $a=$________，$b=$________。

公式应用之二（最优化问题）：

设计意图：新颖有趣、简单易懂、贴近生活的问题，不仅能极大地增强学生的兴趣，拓宽学生视野，更重要的是能调动学生探究钻研的兴趣，引导学生加强对生活的关注，让学生体会到“数学就在我们的生活中”。

1. 在学农期间，生态园中有一块面积为100 m^2的矩形茶地。为了保护茶叶的健康生长，学校决定用篱笆将茶地围起来，问这个矩形的长、宽各为多少时，所用篱笆最短？最短的篱笆是多少？

2. 现在学校仓库有一段长为36 m的篱笆，要围成一个矩形菜园，这个矩形的长、宽各为多少时，菜园的面积最大？最大面积是多少？

五、反思总结，整合新知

通过本节课的学习你有什么收获？取得了哪些经验教训？还有哪些问题需要请教？

设计意图：通过反思、归纳，培养概括能力；帮助学生总结经验教训，巩固知识技能，提高认知水平。

教师根据情况完善如下：

一个不等式：若$a>0$，$b>0$，则有$\sqrt{ab}\leqslant\frac{a+b}{2}$，当且仅当$a=b$时，$\sqrt{ab}=\frac{a+b}{2}$。

两种思想：数形结合思想、归纳类比思想。

三个注意：基本不等式求函数的最大（小）值时注意“一正、二定、三相等”。

六、课下思考

类比基本不等式，当a、b、c均为正数时，会有怎样的不等式。

七、教学反思

我校教学指导方针为“低起点、高观点、高目标”。新课程标准中对知识的发生过程提出了较高的要求，多次使用了“经历”、“感受”、“探索”等涉及情感、态度与价值观要求的行为动词，重视学生对问题的探究能力。

在证明基本不等式时，

一般方法：x、$y\in R$，$(x-y)^2\geqslant 0\Rightarrow\frac{x^2+y^2}{2}\geqslant xy$，当且仅当 $x=y$ 时，等号成立。

令 $x=\sqrt{a}$，$y=\sqrt{b}$，所以$\frac{x^2+y^2}{2}\geqslant xy\Rightarrow\frac{a+b}{2}\geqslant\sqrt{ab}$，当且仅当 $a=b$ 时，等号成立。

接下来提问学生能否有别的方法证明该不等式，没想到学生思维活跃，提出了两种证法，令我始料不及，收获很大。

证法 2：当 $a>0$、$b>0$ 时，由 $(a-b)^2\geqslant 0\Rightarrow a^2+b^2\geqslant 2ab$

$\Rightarrow(a+b)^2\geqslant 4ab$

$\Rightarrow a+b\leqslant -2\sqrt{ab}$（舍去）或 $a+b\geqslant 2\sqrt{ab}$

$\Rightarrow\frac{a+b}{2}\geqslant\sqrt{ab}$

当且仅当 $a=b$ 时，等号成立。

证法 3：当 $a>0$、$b>0$ 时，$(\sqrt{a}-\sqrt{b})^2\geqslant 0\Rightarrow a+b-2\sqrt{ab}\geqslant 0$

$\Rightarrow\frac{a+b}{2}\geqslant\sqrt{ab}$

当且仅当 $a=b$ 时，等号成立。

这样，学生通过多种证法对基本不等式应有更深刻的理解。

本节课强调过程教学，启发思维，调动学生学习数学的积极性，让学生真正参与其中；对整个基本不等式的来龙去脉，包括对基本不等式的语言叙述、符号表示、证明、几何解释与学生一起经历，使学生不仅知其然，而且还知其所以然。本节课的密度强，但是适合我校学生的数学学习特点，是“M－M 教学法”的具体运用。

2. 地理学科“四步循环导学法”彰显特色与魅力

地理课堂教学“四步循环导学”是指：将一堂课的教学内容划分成若干“组块”，通过每一组块内的“设疑”、“探究”、“尝试”、“小结（或过渡）”四个步骤循环推进，引导学生自主学习的教学方法。“四步循环导学法”是山东省青岛二中地理组从教学改革实践中逐步总结出来的。它的形成，大致经过了以下四个阶段：受“掌握学习”理论启发“四步循环导学法”初现雏形；素质教育理论促使“四步循环导学法”形成；主体性教育思想让“四步循环导学法”完善；创新教育思想推进“四步循环导学法”发展。“四步循环导学法”就这样在实践探索中形成，又在实践检验中不断发展完善着。

（1）“四步循环导学法”的具体内涵

①“四步循环导学法”中的“组块”

“组块”的含义：从系统论的观点来看，课堂教学过程本身是一个完整的系统，它从属于更高一级系统，本身又可以分出若干等级、层次不同的子系统。“组块”就是组成课堂教学母系统的若干子系统。每个组块中都包含一个相对完整的问题，各组块由“设疑”、“探究”、“尝试”、“小结（或过渡）”四步沿着“提出问题——解决问题”的顺序构成信息通道，教师接受反馈信息，用“导学”进行调控，使组块子系统的具体目标得以实现。各个组块子系统的有机组合，体现出课堂教学系统的整体性特征，达成既定的教学目的。

“组块”的划分：维果茨基的“最近发展区”理论认为，教育教学要考虑两种水平：一种是儿童现有发展水平；一种是在成人的帮助和指导下，儿童可能达到的水平。两种水平之差就是“最近发展区”。当一节教材的要求距学生的现有水平超过一个“最近发展区”时，就应采取“搭桥措施”——将课时教学内容划分为多个“问题组块”：一个组块恰好符合一个“最近发展区”；相邻的“最近发展区”之间恰好是组块的边界。这样才能使学生的知识网络适度“失衡”，容易激起学生建构知识网络的新平衡的欲望。否则，创设的问题太难或太易都无法激起学生的兴趣，从而无法有效建构新的知识网络。因为学生实际水平是“组块”的划分依据，所以同样的教材可以有不同的组块划分方式。

②“四步循环导学法”中的“四步”

“四步”指课堂教学中每个组块内都包含的四个步骤：设疑、探究、尝试、小结（或过渡）。

第一步为“设疑”。教师摸清学生现有的发展水平，寻找其“最近发展区”，引导学生与教师共同创设问题情境，激活学生原有知识框架中与新知识的呼应点，使之产生疑问。这是学生产生自主学习愿望的“动力要素”。

第二步为“探究”。学生在教师指导下，通过听讲、阅读、发问、交流，对信息进行提取、整理、综合，并逐渐养成按一定程序探究释疑的习惯。教师则通过反馈信息随机调控。这是保证学生自主学习的“途径要素”。

第三步为“尝试”。教师提供需要动手动脑的检测内容并适时点拨，学生则在反复尝试中运用所学知识，尝试过程中的“正确”与“错误”对于成功具有同等重要的意义。这是鼓励学生自主学习的“成功要素”。

第四步为“小结”。通过互评、引申，帮助学生寻求知识内核，总结求知方法，学生在不知不觉中发展了原有的知识和能力框架，又产生了新疑点（新目标）。这是维持自主学习的“能力要素”。

“四步”是组成组块教学过程的系列方法步骤，各步环环相扣构成一个循环。同时，“四步”的首尾又都是开放的，使各组块相互联系，共同构成上一级系统。

③“四步循环导学法”中的“循环”

“循环”一是指“四步”在每一个组块中形成一个“闭合回路”；二是指学生在教师指导下多次体验提出问题、解决问题的一般途径；三是指学生可以在相对固定的程序中循序渐进地克服困难，在成功的鼓励下形成良好的学习习惯。

每个组块是一个相对完整的子系统。组块内通过“四步”循环，完成了一次反馈。学生在一次循环中既实现了知识的掌握，又实现了知识的应用，还体会了学习的过程和方法。每一次循环完成，学生心理上都会有成功体验，呈现出相对平衡的心态。紧接着，平衡被新疑点打破，第二次循环又将开始。这样波浪式地前进、螺旋式地上升，容易使学生在张弛有度、生动活泼的课堂气氛中，轻松愉快地进入“乐学”的境界。

④“四步循环导学法”中的“导学”

学生的学习靠“内化”，教师的作用是“外因”。学生的脑子不是被知识填充的容器，而是被点燃的火种。教师要做“点火者”，而不要做“灭火者”。

“导学”是“四步循环导学法”的核心和灵魂，它贯穿于课堂教学的全过程。教师“导学”时，不仅要关注学生的认知结构，更要关注学生的人格结构（即重视学生的情感、意志、灵感、需要、信念等）。教师必须在激起学生认知需要的同时，也满足学生的情感需要。正如赞可夫所说，“教学法一旦触及学生的情感和意志领域，触及学生的精神需要，这种教学法就能发挥高度有效的作用。”

评价一堂课“导学”是否成功，可以用苏霍姆林斯基对教学活动的描述作为参照。苏氏认为，“教学应使学生从中产生发现的惊奇、自豪、满足求知欲的愉快和创造的欢乐等各种情感体验，从而使学生带着高涨的、激动的情绪进行学习和思考，使教学成为一个充满活力和激情的活动。”

组块内“四步”的内容如表5所示：

表5 “四步循环导学法”组块内“四步”的内容

步骤	设疑	探究	尝试	小结（或过渡）
教师调控	摸清学生原有知识框架，创设问题情境，与学生共同寻找疑点。（定向目标）	提供主要信息源，调控探究过程，使其沿顺畅方向进行。	在认知冲突中适时点拨，使动脑、动手的练习务实、有效。	讲评，引导，引申，帮助学生打破旧平衡，产生新疑点。（新目标）
学生活动	原有知识框架中与新知识呼应的点被“控制刺激”激活，产生疑问。	自学，琢磨，切磋，参与师生间、学生间交流互动，对信息进行分析、综合。	在错误与修正的多次反复中尝试成功。	发展原有知识框架，体会求知方法，产生新疑点。（新目标）

（2）“四步循环导学法”的操作程序

① 整体划分组块（在备课时进行）

划分组块的依据：教学目的、教材内容、学生情况。

划分组块的要领：吃透教材、了解学生、整体设计。

划分组块的个数：从实际需要出发，一般为1—4个。

划分组块的方法举例：

• 总分（包括先总后分和先分后总）。例如《地貌》一节，可以划分为先总后分的三个组块（地质作用、内力作用、外力作用）。同样是《地貌》一节，若分两课时进行，第一课时可以划分为先总后分的三个组块（地貌与地质作用、板块构造学说与地貌、地质构造与地貌）。又如《岩石》一节，可以划分为先分后总的四个组块（岩石的组成、岩浆岩的形成、沉积岩的形成、地壳物质循环）。

• 平行（又称“横向并列”，各组块内容平行）。例如将上册教材第三单元《海洋环境》中的第3、第4、第5节组合成一课时，可以划分为相互平行的三个组块（海洋资源、海洋环境、海洋权益），当然也可以划分为平行与总分相结合的四个组块（海洋资源及其利用、对海洋环境和海洋权益问题的宏观认识、海洋环境问题、海洋权益问题）。

• 递进（又称“纵向深入”，各组块首尾相接）。例如《大气的运动》一节可以划分为纵向深入的两个组块（热力环流和风）。

• 不分（只有一个组块的情况）。例如上册教材第一单元中的《人类对宇宙的新探索》；下册教材第七单元中的《城市交通运输》。

② 设计教学方案（在备课时进行）

教学方案的写作格式和详略因人而异，在此不再赘述。

③ 四步循环导学（在课堂教学中进行）

• “四步”之一——设疑启动

设疑的目的是创设“问题情境”，要做到设疑到位。其基本方式有：用生活所见设疑，用实验设疑，用日常体验与普遍规律之间的矛盾设疑，用比较法设疑等。设疑的时机要把握好，可以在开端时设疑、要害处设疑、重点处设疑、无疑处设疑、结尾处设疑等。创设“问题情境”的最终目的是让学生学会设疑的三步骤，即“感受到问题——看出问题要害——用语言表达问题”。

例如，在“岩石的组成”组块中，设疑的方式是教师把花岗岩标本发给学生。教师亲切地说：泰安一中高一（13）班的同学们，你们好！我是来自青岛二中的李老师。今天让我们来共同学习第四单元《陆地环境》中的第一节《陆地环境的组成——岩石》。同学们都知道天安门广场上的人民英雄纪念碑吧？那就是用青岛浮山的整块花岗岩建成的。我们的学校坐落在浮山脚下，那里盛产花岗岩。现在我把这些采自浮山的花岗岩标本送给大家。（学生怀着极大的兴趣观看岩石标本，不时相互议论，气氛很热烈。）

学生在观察中逐渐感受到问题（这是青岛的花岗岩，要观察什么，仔细看看），看出问题（颜色不同，有大小颗粒，致密），用语言表达问题（花岗岩由什么组成？为什么？）。至此，问题情境创设成功，学生学习兴趣浓厚，产生探究尝试的动力。

- **“四步”之二、之三——指导探究、尝试**

探究与尝试是解决问题和得出结论的过程。其基本方式有：收集信息（包括学生以往的经验、知识、方法，课本、媒体提供的经验和方法，教师提供的知识和方法等），提出假设（包括各种可能性），证明假设（读书、讨论、实验），得出结论（顿悟）。指导探究、尝试的最终目的是让学生体验结论产生的过程。所以教师的主导作用应主要表现在指导探究和尝试的顺序、营造求异的氛围、鼓励尝试的勇气等方面。

例如，下册教材第六单元中《城市的区（二）》只有一个组块，教学目标就是题目。教师请一位同学在黑板上任意写出第一个城市名称，然后布置自学。要求同学们把自己对城市主要区位因素的理解，用上黑板写城市名称的方式表达出来，不许重复。开始大家觉得很简单，渐渐地，城市越来越多，同学们一面用心读书领会影响城市的区位因素类型，一面猜测他人的意图，教室里气氛紧张起来，上下黑板的人数都数不清了。课本前面学过的、后面还没学的，历史书、政治书、报纸都翻出来看。教师则在后面“点火”：“哈，古今中外地名大荟萃啊！”（有一个当小记者的同学敏捷地给写满地名的黑板照相。）

接着，教师暗中发给几个同学彩色粉笔，请他们按自己的标准给同类地名作标记。这一下，争论开始了——“不对，鹤岗怎么能和曼彻斯特属一类呢?”，“矿业城市嘛!”，“里约热内卢相当于纽约!”，“不，相当于卡拉奇!”，“普拉托和温州可以算同一类”，“吴哥和拉萨一类”，“楼兰古城也应该算军事城市”，“青岛算旅游城市”，“还是以港口为主”，“还是都归入交通类吧”……到最后，教师发放《城市区位因素纲要信号空格表》让大家填写时，同学们还在意犹未尽地争论着。

这节课的效果就像苏霍姆林斯基描述的那样：“……他们在这样做的时候，越是不注意追求识记的目的……识记和在记忆中的保持就越牢固。”

• “四步”之四——小结（或过渡）

及时小结既是检验结论、形成纲要、组成网络的必要环节，又是打破原有平衡、再探新路的开端。小结的最终目的是让学生的“最近发展区”被新知新能填充，并产生新的增长需求。

例如，在《地貌》一节的“内力作用”与“外力作用”两个组块之间，教师是这样过渡的：现在我给同学们讲一件我小时候的事。同学们都知道鱼山路从海洋大学正门到海水浴场那一段下坡路吧？大约50年前（学生笑），我和妹妹常走过那段路去洗海澡，每次出门前，妈妈总要嘱咐我：“拉着妹妹的手，走马路中间啊。”（学生大笑）同学们，这是为什么？（问题情境创设成功，教师在学生议论纷纷中提示：请想象50年前的交通情况、那段马路两旁的岩石状况。接下去是同学们的积极探究。）

“导学”指教师在正确的学生观指导下对学生进行启发。启发既要表现在形式上（目光、语调、用语、手势都要充满亲切感），更要表现在实质上（调动学生积极学习、主动思考）。“导学”是“四步循环导学法”的出发点和归宿。要实现素质教育，必须做到叶圣陶先生提倡的“变‘全盘授予’为‘相机诱导”。面对千变万化的课堂教学现象，“具体问题具体分析”的本领永无止境，正如苏霍姆林斯基所说：“教给学生能借助已有的知识去获取知识，这是最高的教学技巧之所在。”“导学”贯穿于“四步”的全过程，其要领在于把握整体，搞好调控。

④ 及时记录得失（在课后进行）

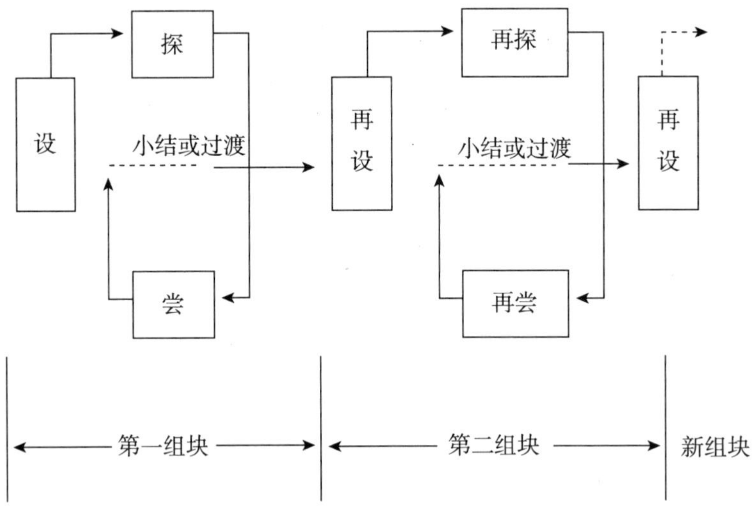

图 1　“四步循环导学法”的课堂操作程序

下面的教学案例充分体现了“四步循环导学法”的教学思想。

教学案例：天气与气候（一）

课　　型：新授课

课　　时：1 课时

教学方法：四步循环导学法

设 计 人：青岛二中地理组　李晓轮

【理论依据】

布鲁纳“最佳教学”的观点认为，教学要着重考虑学生在学习中的意向和目标针对性，要把学生的技能转变成他们自己的智力活动的安排。这就是说教学的内容要与学生的求知欲望相关联，要把所教的东西转变成学生所求的东西，把教学的过程转变成学生主动求知的过程。本节课运用启发式教学，调动学生的学习积极性，营造民主的教学氛围，鼓励学生多看、多听、多说、多思考、多尝试、多探索、多操作，使学生保持兴奋状态，提高学习效率，学会学习方法。

【教材分析】

本节课内容可分为两部分：形成天气和气候的基本因素，人类活动与气候的相互关系。

第一部分是在综合前四节内容的基础上，概括天气和气候的形成，从而说明天气和气候为什么会变化、各地区天气和气候为什么不同等问题，这是本节的重点内容。

第二部分主要是通过具体事实来说明人类活动与气候的相互关系，使学生树立保护气候资源、合理利用气候资源的观点，以指导学生今后从事生产实践活动。

本节讲授2课时，第1课时主要讲授天气和气候的概念、影响天气的因素以及气候对人类活动的影响。气候的概念与天气不同，它是指大气状况在长时间内的综合表现。也可以说，天气是气候在某个时间内的具体表现，气候是对长期以来天气变化规律的综合概括。因为天气与气候的这种内在联系，所以在完成天气教学之后安排气候的内容。“气候”对本章有总结性的意义。气团和锋面的形成、发展和变化是支配着天气变化的主要因素。气团与锋面有着明显的差异和紧密的联系：气团内部性质比较均一，锋面附近大气性质差异很大；气团范围广大，而锋面却比较狭窄；锋面是两种性质不同的气团之间狭窄的过渡带。

【学情分析】

高一学生经过初中地理和前阶段高中地理的学习，知识储备和思维能力已达到了相当的水平，已经初步具备了读图查文、独立用图的能力和一定的综合分析问题、解决问题的能力。其学习心理也有相当发展。因此在教学过程中，教师要淡化知识讲解，强化能力训练，注意理论联系实际，注意激发学习兴趣，给学生更多的动脑、动口、动手的机会。

【教学目标】

1. 知识目标

（1）气团及分类（理解）。

（2）锋面与天气（应用）。

2. 技能目标

（1）学会运用“冷锋天气”图、“暖锋天气”图，判别冷锋与暖锋及天气变化的特点。

（2）联系当地天气变化的特点，分析冷锋或暖锋过境时和过境后对天气的影响。

（3）进一步培养学生分析问题的能力，指导学生养成读书自学的习惯。

（4）培养学生综合认识问题的能力。

3. 德育目标

（1）进一步培养学生良好的学习习惯和严谨科学的治学态度。

（2）培养学生关注自然现象、探究自然规律的志趣。

【组块划分】

组块一：天气与气候的概念

组块二：影响天气形成的因素——气团

组块三：影响天气形成的因素——锋面

组块四：天气、气候与人类活动

【教学过程】（含部分课堂教学实录）

组块一：天气与气候的概念

设疑

什么是天气？什么是气候？天气与气候有什么不同与联系？

探究

观看录像《天气预报》，了解天气预报有哪些方面的内容。

尝试

学生判别一组描述天气与气候的词语。

小结

天气是气候的具体表现；气候是无数个天气的综合。影响天气形成的主要因素是气团和锋面。

具体过程

师：同学们常注意收看本地的天气预报吗？天气预报有哪些方面的

内容？

（播放录像：中央电视台《天气预报》。）

师：刚才你们看到了些什么？

生：气温、气压、风力、风向、阴晴状况等。

师：这些内容我们可以概括为大气的物理状况，这些大气的物理状况是在多长时间内发生的？

生：24 小时、48 小时。

师：由此可见，天气是大气物理状况在短时间内的具体表现，它是由短期变化的因素造成的，这些因素主要是气团和锋面活动。

同学们还记得什么是气候吗？初中时我们学过，气候是大气物理状况在长时间内的综合表现。我们常用一些词语来描述天气或气候，如晴空万里、四季如春、秋高气爽、“早穿棉午穿纱，守着火炉吃西瓜”，这些词语是描述天气的还是气候的？

生：（依次回答）天气、气候、气候、气候。

师：今天我们就来学习第五节《天气与气候》。

组块二：影响天气形成的因素——气团

设疑

什么是气团？气团是怎样形成的？如何对形形色色的气团进行分类呢？气团控制下的天气特征是怎样的？影响我国天气的气团有哪些？

探究

学生在教师的启发下，了解气团的概念、形成、分类及冬夏影响我国天气的气团。

尝试

提供实例让学生分析气团的性质及其对天气的影响；学生自行确定气团的分类标准，并用不同的分类标准对气团进行分类。

小结

在单一气团控制下，天气是相对稳定的；在两种气团交界的地方，天气复杂多变，我们把这种地方叫作锋面。

具体过程

师：首先我们来了解影响天气的主要因素——气团。什么是气团？

生：（看书回答。）

（大屏幕展示“地球上的气团”图。）

师：地球上有各种各样的气团，请同学们思考，要想形成这样一大团空气，需要具备怎样的条件呢？

师：（继续启发）对流层大气最直接的热源和水源来自什么地方？

生：地面。

师：因此，气团的形成首先要有大范围性质比较单一的大陆表面或海洋表面。（大屏幕展示景观图。）

师：在冰雪覆盖的南极大陆上会形成怎样的气团？

生：冷、干、重的气团。

（大屏幕展示景观图。）

师：在水汽充沛的热带海洋上呢？

生：暖、湿、轻的气团。

师：只具备这一个条件一定会形成气团吗？如果空气的移动速度比较快，还会形成气团吗？

生：还要有稳定的环流条件。

师：这样才可以使大范围空气较长时间停留或缓慢运行在源地上，逐渐获得与源地一致的物理性质。

师：气团形成后，当环流条件发生变化时，气团会怎样？

生：离开源地向其他地区移动。

师：移动过程中，气团的性质是否会发生变化？为什么？

生：与途经地区的热量和水汽发生交换，气团的性质会逐步发生改变。

师：下面让我们给气团分类。事物总是有不同的分类标准，但是每一次分类，只能有一个标准，你认为气团可以根据哪些标准来分类？

生：可根据与途经地区气温的对比、干湿程度、移动速度、尺度大小、形成源地等来分类。

（大屏幕展示按形成源地划分的一组气团。）

师：在众多气团中，主要影响我国天气的气团有哪些？在它们的影响下，我国天气特征是怎样的？

（动画演示冬夏影响我国天气的气团。）

生：（通过观察理解我国冬夏主要天气特征的形成原因。）

师：在单一气团控制下，天气特征是相对稳定的。当原有气团被新移来的气团代替时，天气会发生变化，特别是在两种气团交界的地方，天气变化更为剧烈，我们把这种地方叫做锋面。

组块三：影响天气形成的因素——锋面

设疑

什么是冷锋、暖锋和准静止锋？锋面过境前后的天气特征是怎样的？

探究

动画演示三种锋，通过观察了解锋面两侧冷暖气团移动的状况以及过境前后的天气变化。

尝试

提供一组典型天气变化过程的资料，让学生判断锋的性质；提供一组地面天气形势图，由学生作天气预报。

小结

天气、气候同人类的关系太密切了。

具体过程

（大屏幕展示锋面示意图。）

师：引导学生复习有关锋面的知识。

（动画演示冷锋与天气。）

师：注意观察，主动移动的一方是什么气团？被迫抬升的又是什么气团？降水大部分降落在冷气团一侧还是暖气团一侧？冷锋过境前、过境时、过境后天气特征是怎样的？

生：（通过观察思考回答。）

师：如果冷气团移动的速度比较快，导致前方的暖空气急剧抬升，会造成怎样的天气？

生：狂风暴雨。

师：这种锋叫作快行冷锋。如果冷气团移动的速度比较慢呢？

生：连续性的降水。

师：如果前方的暖气团比较干燥，还能不能发生降水？会怎样？

生：大风沙尘暴天气。

（动画演示暖锋、准静止锋与天气。）

师：（引导学生分析两种锋的性质、冷暖气团移动的状况及其造成的天气特征。）

生：（通过观察回答。）

师：我国北方夏季的暴雨，冬春季节的沙尘暴，冬季爆发的寒潮，四五月份华南地区的雨季，“清明时节雨纷纷”，“黄梅时节家家雨，青草池塘处处蛙”，分别是由何种天气系统造成的？

生：（依次回答）冷锋、暖锋、准静止锋。

（大屏幕展示三幅地面天气形势图。）

生：（尝试进行天气预报。）

师：中央电视台收视率最高的电视节目是《天气预报》。天气、气候与人类的关系实在是太密切了。

组块四：天气、气候与人类活动

设疑

天气与气候是如何影响人类活动的？

探究

提供几则与天气、气候有关的案例供学生分析讨论。

尝试

学生举例说明人类活动与天气、气候的关系。

小结

天气具有偶发性、特殊性的特点；气候具有稳定性、一般性的特点。

具体过程

师：（由新中国成立60周年纪念日导入天气、气候与人类的关系。）

生：（举例说明，如诺曼底登陆、借东风、草船借箭等。）

师：（进一步引申，如：军事上的失败方所依据的是什么？胜利方依据的又是什么？）

生：天气，气候。

师：（总结）天气具有偶发性、特殊性的特点；气候具有稳定性、一般性的特点。

【评价】

这是青岛二中教师李晓轮在"1999 年青岛市高中工作会议"上讲授的一节公开课。在这节课上，李晓轮老师运用我校总结出的"地理四步循环导学法"，将教学过程划分为四个"组块"：天气与气候的概念；气团；锋面；天气、气候与人类活动。

在每一个"组块"中按照"设疑—探究—尝试—小结（或过渡）"四个步骤循环推进，使学生在课堂教学全过程中既学会联系实际分析天气现象，又体验了探究和尝试成功的快乐。因为教师的课堂教学观念是以学生为本，所以在教学中突出了师生间、学生间的多边活动，运用了现代化的教学手段，加强了学法指导。这堂课既生动活泼充满情趣，又科学严谨实事求是。

四、完善课堂教学评价，以评价促改革

课堂教学评价是教学的重要组成部分。科学的课堂评价体系是实现课程目标的重要保障。课堂教学评价应有利于学生创新发展，有利于教师改进教学实践。青岛二中课堂教学评价标准体现了新课程的核心理念，注重学生学习的过程，把学生在课堂教学中的表现作为课堂教学评价的主要内容，不仅包括课堂上的学生活动、师生互动，也包括教师如何利用课堂资源，合理地生成课堂内容和环节去促进学生的学习等。建立教师增值评价的发展性课堂教学评价体系，充分体现出评价的激励、导向和科研功能。

（一）课堂评价：将课堂观察理论应用于课堂教学评价

课堂观察是一种科学的观察方法，作为科学研究的手段，它要求在操作过程中运用大量的图表，调动大量的观察人员，后期还要处理大量的数据信息，建立若干数学模型。如果作为学校课堂教学评价的经常性、制度性的教研方式，这种方法显然难度太大，可操作性也不强。青岛二中通过总结课堂评价的实践经验，遵循课堂观察理论的思想内核，逐步探索出一套适合学校的课堂观察的操作方法，形成了课堂观察的基本理念和初步的实践经验。通过课堂观察去研究教师的教和学生的学，促使教师在教学实践中掌握教学规律，迅速提高教学素质和教学科研水平，提高课堂教学效益。

1. 观察主题的确定

观察主题不要求涉及课堂内所有的教学行为。观察主题的确立紧紧围绕现代课堂对传统课堂的改造重点，对每个观察主题都围绕如何落实现代课堂教学价值观来确定观察中心。观察主题具体，易捕捉，易区分，在每个主题之下分列出观察细则，使观察易于操作。每个观察者仅负责考察一个观察主题，所有观察者各负其责，组合成一个观察系统。青岛二中课堂观察的主题是学生怎么学和学的状况。

学生活动——观察新课程背景下学生学习方式的转变（自主学习、探究学习、合作学习）。

教师行为——观察新课程背景下教师工作方式的转变（做学生学习的组织者、引导者、促进者）。

师生互动——教师与学生交流的状态（提问、活动方式、互动方式、互动情绪、互动管理）。

资源利用——课程资源的来源与价值，课上生成资源的利用。

教学内容与环节——教学内容、环节的科学性，教学内容的人文性，教学内容的低起点、高观点。

2. 定量观察和定性剖析相结合

既有诸如“教师在课上一共提出多少个问题”、“其中有效问题有多少个，无效问题有多少个，精彩设问有多少个”、“共有多少学生发言”、“其中生生交流有几次”这样的定量评价，也有对被观察主题的教学细节作出陈列，并据此作出对被观察主题的追溯性分析，同时提出建议这样的定性评价。课堂观察结果由定量观察和定性剖析两个要素综合给出。

3. 观察小组的建立

观察评课组人员由学校领导、教科研室专家、学科教研组长以及所观察学科的特级教师和名牌教师组成。由十人组成的评课组两人一组（其中有一位本学科教师），分在五个观察主题中。观察评课者来自不同的工作岗位，观察信息形成三角互证状态，这就大大增强了观察的效度，最大限度地克服了由个人经验、描述技能、相关理论水平和学科特征掌握水平而导致的主观偏差。观察课同时作全程录像，以备评课后回顾反思之用。

4. 确定被观察者

被观察对象选择同一个层次的教师，他们在教学实践经验、教学技能、知识结构、心理状态等方面有着共同的特征。这样做的好处是容易比较个体的差异，有利于后期的评课指导和专业培训。首次课堂观察选择了年龄在30—40岁的教师作为被观察者，因为这些教师有一定的教学经历，是学校的中坚力量，同时这个年龄段的教师容易产生职业倦怠倾向。促进这部分教师的发展，对学校来说至关重要。

5. 开好观察分析会

观察评价一改过去评课常出现的空对空地唱赞歌、不痛不痒地说“好话”的情况，目标定位是和被观察者一起研讨怎样体现现代课堂教学理念，怎样转变传统课堂的落后授课方式。观察分析会采取有根有据地让材料说话的教学研究形式，是观察者和被观察者的促膝探讨。根据观察事实，围绕观察中心，针对真实的教学情景，不遮不掩、开诚布公地评析。比如：哪一点符合教育规律，符合新课改理念，哪一点有创意、是亮点，哪一点不符合学生实际，哪个设问提得好，哪个问题无效等。评价关注被评价教师的个人价值，维护观察评价的科学性与分析探究的合理性。评价者和被评价者通过研讨一起寻求提高、完善课堂教学的方法。

6. 充分调动教师专业化发展的内在动力

学校课堂观察关注的是教师的日常教学，观察听课事前通知。观察分析会上，被观察者先向观察组陈述自己的设计理念，并对自己的课作一个简短的自我评析。被观察者在分析会后要对照录像和观察组的评价写出教后反思与感悟，并发表在自己的博客上。所有观察者的意见，分五个观察主题汇总后给出综合性评语。观察小组对每个教研组的课堂观察写出总结。教研组召开教研组会议，研究从课堂观察中得到的评价与思考，从而改进本学科的教学。通过课堂观察专项小组的评判，教师们的课堂教学理念、教学基本功得到了提升。

新课程改革为在课堂教学中彰显教师个性和学科魅力创造了绿色环境。对学校而言，课堂观察可以发现教师在新课改之下的教学智慧和才华，同时让学校真实地掌握在课改进程中教师还有哪些困惑，整个课堂教学现在达到一个什么层次，其中还存在哪些需要集中解决的问题。课堂观察成为推进学校课程改革、落实新课改理念、培养造就适应新课改的教师的有效途径。当然，在课堂观察中，应注意课堂观察的伦理原则，注意工作方法，以保护被观察教师的自尊和自信。比如观察做到开诚布公，平等交流，尊重教师人格，允许教师充分陈述个人观点等。

课堂观察是学校课程改革的切入口，是指导教师学习新课程、理解新课程的窗口。学校紧紧围绕着课堂观察最核心环节——课堂教学，从微观观察入手，用新课程理念和价值观审视教学细节，把新课程标准与教师的基本素养、品味、深度和本学科的理解水平及课堂操作基本功融合成一个整体。

过去学校听课比较注重“评比”，而改造课堂活动提出的课堂观察则把研究对象直接指向学校有一定教学经验的中青年教师，通过分项剖析和专家会诊的方式，对教学细胞作定向观察。这种集中优势力量，深入课堂“内脏”的“孙悟空战术”，把科学评价细化并提升到了新的高度，体现了教学研究与教学实践的统一，找准了在课堂研究中落实“低起点、高观点、高标准”的工作思路。

从一堂课中教师共提出多少问题，其中多少问题有效，多少问题无效，学生共发言多少次，师生交流、生生交流是否有效这样一些“细胞”的观察入手，教学研究的“根”真正扎了下去，改变了过去的教改只漂在表面、停在口头、做做样子的局面。课堂观察如同一面镜子，使中青年教师看到了一个真实的自我，也成为他们教学实践、专业化发展学习的大学校。

语文组为学校的课堂观察开了一个好头。观察小组普遍感到新课改为教师在课堂教学中彰显教师个性和学科魅力创造了绿色环境，同时也为教研组建设提供了的强大动力。

观察小组就语文组八位执教教师突出的特点及问题作了简单概述：

高一四位教师总体水平优于高二教师。其突出特点是理解新课程理念到位，对学生的主体地位、自主学习与教师的主导设计的关系处理得好。

最突出的是邹欣老师，得到了平均四颗星的评价。她以较深厚的文本功底设计并操作了学生对名家名篇的删减理由的争论，让学生站到与名家齐平的高度，甚至敢对名篇“说三道四”，从而借风扬帆，达到了剖析与把握名篇精髓的教学目标。于坤、梅文玉两位老师的课也大步地迈入新课改的优秀课行列，反映出在新课改之下青年教师的业务水平正在迅速提高。

在课堂观察中我们也发现了语文教学普遍存在的几个问题。

（1）有的教师没有树立课堂教学以学生为主体的观念，教学内容没有主次。（2）课堂表面活跃，问题缺乏深度。有的教师教学行为与学生活动脱节，教师机械地读条文，组织学生活动失控，达不到应有效果。（3）本学科专业功底不扎实，课堂驾驭、分析能力不到位。（4）备课粗糙，整体结构散乱，环节不协调。

这说明我们与新课程的要求还有一定距离，仍需要打造更高意义上的自主课堂。

（二）教师增值评价：增值评价将量化方式渗透进学生形成性评价中

1. 教师增值评价的基本含义

进行教育质量的评价不能仅局限于对教师指导成果的评价上，还应在教师指导之前多方面占有信息，诸如学生的智力水平、已有的学习能力、性格、学习适应性、情意态度以及师资水平和教学设备等情况。教育评价的焦点应放在教师指导后较之指导前所产生的“增值”部分。所谓增值，就是评价时将学生入学时的学业水平也一并考虑，用以考察学生接受学校教育后相比于入学时成绩增进的幅度。增值评价的步骤如下：首先根据生源质量得出一个输入值，然后对教育结果进行评价，得出一个输出值，输入值与输出值之间的差就是增值部分。可以看出，增值评价的焦点在于个别学生成绩逐年增进的情况，而不是单纯地比较不同教师、不同班级教育的成效。它是一种发展性、形成性评价，注重的不是最终教育成果，而是教育过程中的改善情况；评价的目的不是鉴定、选拔，而是测定每个学生的进步情况，调动师生的积极性，更好地改进教育工作。

2. 教师增值评价的价值与意义

第一，考虑了学生的原有基础和进步的幅度。

第二，使对不同生源的学校或班级进行相对公平的评价成为可能，使教师更加重视学生的学习和发展。

第三，提高了教师的竞争意识、危机意识和责任意识。

第四，促使教师学习和掌握评价知识与评价技能。

3. 具体实施方案：评价指标及核算办法

（1）学习成绩评价

对学生中考入学成绩、期初各科摸底成绩进行综合核算，确定学生各学科在级部中的位次及标准分作为输入值。对学期末考试成绩进行综合核算，确定学生各学科在级部中的位次及标准分作为输出值。输出值减去输入值得出增值部分，并以班级或特定的学生群体为单位乘以合适的系数后求和。

（2）非智力因素评价

对学生中考入学时的学习适应性、心理健康状况进行测评，包括学习态度（如学习热情、学习计划、听课方式）、学习技术（如读书和记笔记的方式、学习技巧、应试方法）、学习环境（家庭环境、学校环境、朋友关系）等方面。具体内容如表6所示：

表6　教师测评表

你觉得教师在对你的教育过程中，对如下非智力方面的影响如何？请在后面的表格中作出评定。每一项的满分是10分，总分100分。

测评项目	得　分
老师的教育教学激发了你对学习的总的热情或对本学科的学习热情。	
老师在学习方法方面给了同学们较多的影响或指导。	
老师的生活态度热情，从外貌到精神给人积极向上的感觉。	
老师的人格魅力让你感到深受影响。	
老师常常在课上或课下对同学们进行人生指导，在理想、信念、价值观等方面给同学们较大的影响。	
老师重视同学们的人际交往状况，鼓励并引导大家积极交往、相互学习、相互支持、和谐共处、快乐成长。	

续表

测评项目	得　分
老师重视对同学们进行做人的教育和优秀人格品质的培养，如自尊、自爱、自信、自强、乐观、向上、自律、宽容、乐群、耐挫等。	
老师重视对同学们进行自主学习、自我管理的能力培养。	
老师注意引导同学们正确评价自己、积极接纳自己，在此前提下完善自我、超越自我。	
老师重视同学们的身心健康，把这作为教书育人的重要内容和学生学习生活的前提。	
教师姓名		总得分	

将班级各项量化指标纳入班主任增值评价部分。测评周期为一年，一年后再次测评，得出增值部分，并以班级或特定的学生群体为单位求和。

（3）教师口碑及学生满意度评价

对教师每年的四次评教结果进行跟踪调研，增加教师人格魅力指数、生活态度产生的积极影响、人生发展指导的有效性、校本课程开设的质量四项指标。每学年第一次评教的各项得分作为基础输入值，第二次评教的各项得分作为输出值，输出值减去输入值得出增值部分，并以班级或特定的学生群体为单位乘以合适的系数后求和。教师教学情况学生满意度调查内容如下。

青岛二中教师教学情况调查

一、职业道德

1. 爱岗敬业，为人师表，有奉献精神

   A. 优秀　　B. 良好　　C. 差

2. 尊重学生，关心、爱护每一个学生，不抱偏见

   A. 优秀　　B. 良好　　C. 差

3. 认真求实，严谨治学，不断探索，改革创新

   A. 优秀　　B. 良好　　C. 差

二、教学内容

4. 重点突出，详略得当，难易适中

A. 优秀　　B. 良好　　C. 差

5. 紧扣教材，不讲与教材无关的内容

A. 优秀　　B. 良好　　C. 差

三、教学方法

6. 善于启发诱导学生，注意知识形成过程

A. 优秀　　B. 良好　　C. 差

7. 注意培养学生能力，师生双边活动恰当

A. 优秀　　B. 良好　　C. 差

8. 体现教学改革精神，不满堂灌

A. 优秀　　B. 良好　　C. 差

9. 注意指导学生的学习方法

A. 优秀　　B. 良好　　C. 差

四、教学态度

10. 备课、上课认真，指导学生耐心细致

A. 优秀　　B. 良好　　C. 差

11. 无迟到早退、提前下课、拖堂现象

A. 优秀　　B. 良好　　C. 差

12. 作业批改认真，错误纠正，反馈及时

A. 优秀　　B. 良好　　C. 差

13. 注意做学生的思想工作且方法得当

A. 优秀　　B. 良好　　C. 差

五、教学效果

14. 所讲知识是否透彻明了，深入浅出

A. 优秀　　B. 良好　　C. 差

15. 是否能吸引大多数同学听讲

A. 优秀　　B. 良好　　C. 差

16. 是否能让学生当堂掌握所学知识

A. 优秀　　B. 良好　　C. 差

17. 对教师教学情况的综合评价

A. 满意　　B. 一般　　C. 不满意

4. 保障措施

教务处负责整合学生学习成绩、教师口碑及学生满意度的增值评价数据，其中包括基础数据的整理、各种量表的制作、数据的计算以及数据库的建立。

学生处和心理组负责非智力因素的增值评价部分，包括各种心理量表的制定，班级可量化指标的确定、录入及核算以及数据库的建立。

5. 评价结果的运用

教师增值评价的结果计入教师专业化发展档案并纳入教师业绩评价体系。引入多维评价领域中新兴的“图谱评量”理念，建立由目标库、策略库和资源库组成的系统后台支撑，构建教师个人专业知能图谱，并在与标准谱系进行比照的基础上形成个人的发展路线图。成立专家组，根据教师增值评价的结果和教师个人专业知能图谱，有针对性地对教师进行专业指导，并帮助其确定未来专业化发展方向。

（三）学生评价：通过发展性评价促进学生自主学习

1. 通过对学生学习和发展过程的评价，充分发挥学生综合素质评价的“改进、激励和发展性”功能

学生在其学习过程中，最想知道的是他们各个阶段完成任务的情况，最应该得到的是成长过程中的关注和关怀以及引领他们健康发展的有效指导，这样的指导使学生知道自己今后该怎么发展，在课程学习及各项实践的过程中不断体验进步与成功，认识自我，建立自信，促进学生的自主发展和综合能力的全面发展。

（1）注重对学生日常学习和发展的评价，关注学生在学习过程中的点滴进步和变化。班主任、任课教师通过口头评价、作业批语等“即

时性”的评价、反馈等激励方式，不但使学生能够及时了解自己的进步和不足并改进自己的学习，而且加强了师生之间的联系，激发了学生的学习积极性和主动性。将日常评价、阶段评价和期末评价有机地结合，更好地体现了形成性评价的作用，使学生和家长不再只关注期末考试成绩，而且更关注学生成长发展的全过程。

（2）为加强对学生的有效指导，同时帮助学生健康成长和科学规划人生，我们实施了“学生成长发展导师制”。按照师生双向自愿选择、学校适当调控的原则，为每位学生配备了导师。导师通过谈话、辅导、写信等方式，定期了解学生的心理状况，帮助学生制订发展计划，监督学生的发展过程，进行过程性评价。全校共有 100 余名教师成为 2000 余名学生的导师，通过阶段检查和反馈，90% 以上的教师对学生进行了有效的指导，有的教师与一个学生的交流次数每学期多达 20 余次。“全员导师制”使我校人力资源得到充分的开发和利用，营造了全员育人的氛围。

（3）利用“学生成长档案袋”及《学生素质发展手册》等一些成长记录关注学生发展的过程。学生通过成长记录看到自己进步的轨迹，发现自己的不足，并通过成长记录提升自我反省和自我评价能力。

（4）为改进单一笔试考试的不全面性，我们通过诸如面试、实践操作、讨论思辨访谈、问卷、小论文、成长档案袋评价和表现性评价等不同形式，全面地考察了学生的素质。通过分类、分项考察，能够准确了解和把握学生各个学习阶段的优势与弱势，有的放矢地对学生作出正确的评价和指导。

2. 鼓励学生本人、同学、家长等参与到评价中，将评价变为多主体共同参与的活动

多边、互动的评价方式体现了评价主体的多样性与互动性，克服了传统学生评价中“教师说了算”的弊端，让学生本人、学生同伴及其他有关人员参与到评价中，打破了把评价主体和客体绝对化、孤立化的僵化状态，其双向选择、沟通和协作的特点，使学生能够最大限度地接

受评价结果，而不是仅考虑结果本身的正确性。加强自评、互评，使评价成为教师、管理者、学生、家长共同参与的交互活动。

（1）自我评价。由于长期受甄别和选拔性评价方式的影响，学生已经习惯于等待别人对自己作出评价。在学生心目中自己对知识的掌握和理解并不特别重要，而被动等待的那个结果却很被他们看重。让学生感受到并重视别人对自己的评价固然重要，但如果学生对自己的学习成长不能给出一个客观公正的评价，那么这样的学习生活就是在为别人而不是为自己。

为此，我们加强了对学生“自我评价及人生规划”的指导。通过课堂学习的自我评价、生活实践的自我评价、期中阶段自我评价、期末整体自我评价、个人反思与人生规划、成长档案袋评价等自我评价方式，使学生了解自己的优势与不足，确定下一阶段改进的目标，更好地体现了通过评价培养学生的独立性、自主性，促进学生的发展。

（2）小组互评。学生对他人进行评价的过程也是一个学习和交流的过程，由此他们能够更清楚地认识到自己的优势和不足。在学生互评中我们要求学生淡化等级和分数，淡化相互比较，强调关注同学的优点和长处，强调自我反思、互相学习，特别是在指出同学的不足时，强调对个人某些方面的描述和体察，避免将评价变成互相“挑错”和“指责”。

（3）教师评价。教师评价能帮助学生明确努力方向，激励学生产生内在的动力，使学生有意识地克服自身的不足，激发学生的潜能。在教师对学生进行评价的环节，我们也采用了表格量化的形式。

表7　学生学习情况评价表

项　目	评价内容	评价等级
精神状态	1. 学生课前准备充分，物品放置整齐。 2. 学生精神饱满、坐立端正、表情自然、脸带微笑。 3. 学生的发言响亮、清晰。 4. 学生富有浓厚的学习兴趣、高涨的学习热情。	

续表

项　目	评价内容	评价等级
参与程度	1. 学生主动参与的时间长（>70%），投身在自主探究、动手操作、合作学习之中。 2. 学生通过认真观察，能够主动发现和提出问题，有条理地表达思考过程。 3. 学生善于倾听，在倾听中思考，在倾听后评价他人发言并及时补充自己的想法。 4. 学生善于思考，能提出解决问题的策略，表达自己独特的见解。 5. 学生积极参加小组学习活动，分工明确，主动与同学合作交流，并且能够切实解决问题或产生新的认识。	
参与效果	1. 学生普遍具备良好的学习意志品质和道德品质。 2. 学生养成自主学习的习惯，有竞争意识和合作意识。 3. 学生普遍具有问题意识，敢于质疑问难，发表不同的见解。 4. 不同程度的学生均得到发展，从整体上达到教学目标。	

被评价学生	总评等级	班级亮点	改进建议

注：评价等级分为“优、优－、良、良－、一般”五个级别。

除以上形式外，在学生评价上，教师评价、家长评价方式都更注重学生的发展，能够从不同的角度为学生提供有关自主学习、发展状况的信息，为学生更全面准确地认识自我提供了帮助。

第五章 汲取山海精神，塑造学生仁智品质

“若不教，行乃偏，教之道，德为先。”童稚的诵读声犹在耳边。“德为先”的古训，今天我们施行得如何？据调查，现在许多中小学生道德水准、自律意识、生活能力、身体素质普遍下降，心理也变得日益脆弱。人生如船，道德是舵，只有以德为先，方能舵正船直。青岛二中的德育建设是一种开放的道德教育体系，她是基于“山海文化”的仁智观来统领学校全面工作的。

一、新时期德育目标的确立

中国自古以来就是一个文化大国，有着悠久的历史传统和深厚的文化积淀，“仁、义、礼、智、信”，“温、良、恭、俭、让”的传统美德赋予德育丰富的内涵，传统美德教育一直以来都是学校德育的主线。当历史进入21世纪，全球化和国际化带来人们生活方式与思维方式的变革，在传承传统文化的前提下，德育工作面临更多的冲击和挑战。顺应培养青少年综合素质的现代化教育潮流，秉承青岛二中的“山海文化”，在“造就终身发展之生命主体”育人目标的基础上，青岛二中制定了“培养学生‘十项素质’，为学生终身发展奠基”的德育目标。

（一）德育目标确立的依据

1. 时代性

现代社会是一个信息社会，这体现在报纸、广播、电视、互联网等大众媒体传播方式上，而人们的价值观和思维方式也由此受到前所未有的冲击。

社会信息化使得学校德育处于一个完全开放的社会环境中，学校的围墙越来越具有形式上的意义。学生知识的取得、经验的积累、观念的确立将更多地来自社会。社会上各种群体截然不同的价值观，人际关系的是与非，大众传播内容的善恶美丑，不可避免地会对学生产生这样或那样的影响，学校无法把这些影响拒之门外。互联网也使得学生接受信息的主动性、积极性和选择性大幅增强。在互联网上，不同的文化观、道德观、价值观都得以充分展示。这些状况对学校德育提出了严峻的挑战。

面对社会开放和价值观多元化的现实，学校如果仍用较为封闭的教育模式来运营，将学生置于理想的环境之中，脱离现实世界，忽视现代社会对人的自主性和创造性的呼唤，那么在解决现实的社会道德问题、解决青少年道德价值观冲突时，就会显得软弱无力，就不能发挥培养现代人的品德的作用。学校只有直面各种社会信息，坚持德育的开放性，加强德育与生活、社会的联系，善于对学生进行引导，提高其道德判断能力，才能促进学生的健康发展。

2. 终身性

作为一所高中，青岛二中承载着中等教育与高等教育接轨的责任。中等教育要适应高等教育的要求，必须了解和把握高等教育的基本特点。高等教育的基本任务是培养学生的知识、人格，增强他们的自主意识、进取精神、学习能力、思维能力、创新能力以及价值判断能力，与此相适应，高等教育在学生培养方面具有以下几个特点。

首先是自主性的特点。进入大学后，很多学生远离父母，进入心理上的断奶期。自己的生活、学习、交友、将来的人生道路等，都必须靠自己来决定和把握。高等教育既为学生的自主性发展提供了更加广阔的空间，使学生的自主意识和自我管理、教育和发展能力不断增强，同时也对学生的自主发展提出了更高的要求。

其次是研究性的特点。大学阶段是在中等教育的基础上，进一步丰富专业知识、培养创新精神的重要时期。学会分析和解决问题，学会探究和发现事物内在的规律，是这一阶段的基本要求。在学习新知识的同时进行一些理论和实践方面的探索，是学生进行创新活动的起点。大学是研究的基地，具有良好的研究氛围，因此也为大学生的研究活动创造了条件。许多学生进入高校后应当尝试进行理论上的思考。

最后是选择性的特点。学生进入大学后，往往面临许多机会和需要自己进行判断的选择。例如：选择选修课和活动课，选择辅修内容，选择研究方面，选择工作去向等。这远比中学时代多而且更为复杂。因此对于大学生来说，如何进行价值判断，如何作出最优选择，这是他们进入大学后面临的重要一关。因为他们的选择，可能在很大程度上决定他们自己的命运。机会对于每个人来说都是均等的，但个人选择的水平和能力的差异却是很大的。

基于高等教育的以上特点，青岛二中认识到中等教育与大学教育的接轨，就是使中等教育在培养学生的素质方面更好地适应大学教育。这种适应的根本是使学生具有良好的终身发展的素质。这种素质的培养主要体现为中等教育按照“三个面向”和培养四有新人的要求，面向全体学生，使学生全面发展和生动、活泼、主动发展，培养学生的创新精神和实践能力，为学生的终身发展负责。

当今社会是技术革新及社会结构发生急剧变化的时期。这一变化不仅表现在生产、流通、消费等领域的经济结构、过程及功能方面，甚至还表现在日常生活方式的巨大变化上。人们面对的是全新的、不断变化发展的职业、家庭和社会生活。若要与之相适应，人们就必须不断用新的知识、技能和观念来武装自己。

这种学习的终身性赋予了教育的终身性，“书斋”式的教育远远不能满足学生终身发展的需求。学校不仅要教给学生知识，还要教授他们学习的能力；不仅要丰富学生当下的生活，还要关注他们一生的幸福和终身发展的能力。

3. 传承性

青岛二中位于青岛高科技工业园（简称高科园），背依崂山，南临黄海。特殊的地理环境，孕育了二中独特的“山海精神”。

崂山是山东半岛的主要山脉，最高峰海拔 1127.3 米，是我国海岸线上的第一高峰，有着海上“第一名山”之称。它耸立在黄海之滨，高大雄伟。有一句古语说：“泰山云虽高，不如东海崂。”

山，拔地而起，卓尔不群，山的巍峨造就了勇攀高峰的二中精神：

坚忍不拔、追求卓越、开拓进取、迎难而上、求真务实。

黄海因为长江、淮河、辽河和鸭绿江等入海携带泥沙过多，使海水呈黄色而得名，总面积约 38 万平方公里，为西太平洋的边缘海，位于中国与朝鲜半岛之间。

海，波澜壮阔，包容万象。海的广博积淀了海阔天空、博大宽广的二中情怀：深沉蕴藉、海纳百川、波澜不惊、融会贯通、不断超越。

二中是高山，宽厚与仁爱；二中是大海，灵动与智慧。正所谓“仁者乐山，智者乐水”，这来源于自然的灵感正是二中文化的内核。

“仁”是儒家思想的核心，是东方文明“爱的符号”。在中华传统美德中，“仁”居于核心地位。孔子把“爱”规定为“仁”的本始。朱熹说：“百行万善总于仁。”蔡元培先生认为“仁”是一个统摄各种美德的总体性范畴。从“爱”出发，爱自己、爱亲友，然后推而广之去爱别人、爱自然。“仁者爱人”，用一颗博爱之心去处理自己与他人、自己与周围环境的关系，这就是仁的思想体现。

“爱人者，人恒爱之；敬人者，人恒敬之。”我们塑造人“仁”的品格，就是希望学生：以爱自己为基本出发点，修炼自己的“绅士风度、淑女风范”，让文明成为一种习惯性素养；以爱他人为道德准则，积极实践“关爱行动”，主动把关爱的种子播撒在春天里的每一颗心灵中，做一个给别人带来幸福与光明的使者，做一个坦坦荡荡生活在世间的仁人君子；以“仁爱天下”为最高境界，把爱祖国作为自己的至高修养，勤奋苦学，修身齐家，未来成为一个“兼济天下”的仁人志士。

“智”，不仅指知识，更是指可以被直接运用于日常生活中的有生命力的知识，即智慧。智慧是人们分析和解决实际问题的一种能力；智慧是创造性思维能力；智慧是辨是非、明善恶和知己识人的能力；智慧是认识社会、适应社会的能力。

我们塑造“智”的品格，就是希望学生：以知识学习作为起点，培养读书与学习知识的兴趣，形成良好的学习习惯，提升自主学习的能力，为自己的终身学习和教育奠定基础；以创造思维能力的培养为基本价值追求，开展自主合作与探究，把课堂变成思维能力的训练场；坚持以批判质疑的态度对待已有知识，让思维在交流与碰撞中产生创新的火花；以综合素质培养为最高境界，遵循学校十项素质发展目标的要求，积极参与校内外的实践活动，在实践的磨砺中实现个人的全面发展、个性发展和主动发展，为自己的精彩人生夯实基础。

“山海精神”既有纵向的高度生长和历史延伸，又有横向的广度延展和时代融合。山激发我们的行动，让我们去攀登去征服；海沉淀我们的思想，让我们去传承去创新。山的坚韧和海的广博赋予二中拔山超海的气度和力量，造就了二中卓尔不凡的独特气质。

二中人秉承“山海精神”，进行德育工作的积极探索，在实践中逐步形成特色。

（二）德育目标的素质要求

1. 基本素质目标

基本素质目标是每个从青岛二中走出去的学生必须具有的，是其将来立足于社会并成为一名合格公民的素质。对此，学校主要从以下五个方面进行培养。

（1）人文道德素养

全面提升政治素质、思想素质、道德素质、文化修养，成为顺应社会主义市场经济发展的、人格健全的公民。爱国家，爱劳动，爱生活，爱科学。遵纪守法，正直诚信，善良真诚，乐于助人；文明礼貌，尊师重道，自尊自爱；艰苦朴素，勤俭节约。热爱传统文化，掌握一定的传统文化知识，并以此指导自己的生活、学习和实践，有较高的文化素养。

（2）科学文化素养

对科学探索有浓厚的兴趣，掌握一定的科学知识和科学方法，具有质疑与发现的意识。关注科学前沿问题，能够阐述一定的科学基本观点。积极参与研究性学习，掌握研究性学习的基本规范，具有较高的研究性学习能力。

（3）健康的身心素质

具有较科学的世界观、人生观和价值观，对周围事物能作出比较科学的判断。有较好的自我心理调节能力，具有较强的耐挫能力和情绪掌控能力。热爱体育运动，对某一项或几项体育运动项目具有浓厚的兴趣，掌握一定的运动常识和运动技能，养成体育锻炼的习惯，形成健康的生活方式，具有健康的体魄。

（4）人际交往能力

具有良好的合作意识与团队精神。个人目标和集体目标相协调，真诚待人，踏实做事，平等处事，与集体和他人和谐相处；具有为他人的成功喝彩的良好品质；能正确对待不同意见，尊重并理解他人的观点和处境。客观地认识和评价自己与他人，能综合运用各种交流和沟通的方法、工具与他人友好合作。

（5）自我认知和生存能力

能理性地分析个人的思想与性格、学习与工作、交往与处事等方面的优势和不足，善于纠正自己的错误，扬长避短；能根据不同环境与对象作出较科学的角色定位，对个人未来发展能作出较科学的规划；养成善总结、勤反思的习惯，不断完善自己。热爱生活、珍惜生命，掌握一定的安全常识和逃生自救技能，具有较强的适应环境和自主生活的能力。

2. 特色素质目标

特色素质是基于学生共性优势分析的基础，在基本素质形成的过程中重点培养的素质。这种素质既表现出整体的共性，又体现出个体的差异。其内容主要包含五个方面。

（1）独特的智能品质

准确分析判断个人的智能优势，在全面发展的基础上，认真规划优势智能发展目标；掌握相关的知识，培养相关的技能，有针对性地参与或组织相关的活动，积极主动地发展自己的特长；将个性张扬与独特智能的发展结合起来，努力打造独特的智能品质。

（2）卓越的领导能力

具有博大的胸怀和天下为公的思想，培养强烈的责任感、使命感和忧患意识，培养博爱天下、海纳百川的气度；敢于担当核心角色，具有说服他人、引领团队的运作与调度能力，能从大局利益出发，对团队作出果断的决策或对团队行动有直接影响力；能开发并充分利用各种资源自主策划、设计、组织一定的活动。具有出色的演讲才能，掌握一定的演讲、辩论技巧，谈吐幽默、诙谐，思维敏捷，语言富有思想性、逻辑力与感染力。

（3）自主的研究能力

能从生活和学习中独立地发现问题并提出问题；能设计出探究问题的可行性方案，从问题解决的需要出发比较系统地收集、整理信息；能运用科学的方法分析、处理信息；有较强的归纳、论证、概括、总结能力。

（4）执著的创新精神

富有求异思想和创新意识，具有一定的创新能力；能根据一定的任务、目标，在学习和实践活动中运用自己的知识、技能与智力等综合素质，获得某一新成果、新发现、新构思、新设计、新工艺、新作品或新制度等；积极参加生活实践和社会实践活动，掌握一定的实践技术和科学技术，会运用一定的实践工具和高科技试验仪器，具有较强的动手能力。

（5）开阔的国际视野

关心国内外大事，关注国际社会焦点和热点问题；了解国际惯例和国际礼仪，具有国际意识和国际胸怀；了解一些国家的政治、经济、历史和文化；善于收集和处理国际某一领域的前沿知识和信息，能从历史的、辩证的角度分析和认识问题，能对某一方面问题提出自己的观点，并对事情的发展方向作出预见性的判断，逐步培养敏锐的洞察力和灵活的思维方式。

二、实现“五自教育”的学校德育特色

（一）体验感悟式的自主德育

苏霍姆林斯基认为，道德习惯的形成要经历三个阶段，即正面教育阶段、自我道德评价阶段和道德成熟阶段。在第一个阶段，教育学生体验“亲切的同情”、“对恶行的愤懑不平”等情感，使学生养成关心别人、关心周围世界的习惯。在第二个阶段，要求学生能对自己的道德行为进行自我评价，以激发学生养成良好习惯的主动性。在第三个阶段，学生的道德行为已完全成熟。这三个阶段是一个由低级到高级渐次发展的过程。

因此，学校采取以体验感悟为主的德育思路，为学生营造角色体验的校园环境，让学生在体验中形成良好行为规范、做事准则，在体验中深化对德育内容的理解，进而内化为学生的行动力。

为了最大可能地给学生以适应未来、发展自我的能力和素质，为学生的终身发展奠定坚实的素质基础，近年来学校坚持实施“学生自主发展模式”，积极创造条件让学生实现自我教育、自主管理、自我锻造、自创社团、自主学习和研究。

1. 自我教育

自我教育是通过引导学生体验、自醒、自警、自励、升华，达到教育学生自律、自立、自强、“慎独”的目的。学校引导学生走进社区，参与社会实践。他们深入社区作过渡性就业调查，担任社区助理职务，创新精神和实践能力不断提高，社会责任感不断增强。学校还引导学生自主召开主题班会实现自我教育。每学期各班级都要自主召开如集体主义教育、理想与现实教育等主题班会十余次，收到明显的自我教育的效果。

2. 自主管理

自主管理是通过参与、历练、感悟、内化的途径，达到培养学生公民意识、主体意识、责任感、管理能力的目的。学生会、学生自律委员会和学生自主管理委员会是学生实现自主的组织。在这里，学生进行对寄宿制生活中校园文明、生活常规、学校常规等方面的管理。在我校，不跑早操的做法来源于90%以上学生的愿望和医学专家的意见。

3. 自我锻造

自我锻造是通过经历、磨炼、体验、提升的途径，达到培养学生领导能力、组织协调能力、竞争合作意识的目的。学生的各项大型活动如艺术节、体育节等都是由学生自己来组织，学生通过招标工作委员会实现对各项活动的招标，将活动分解落实到各个班级，由班级充分施展自己的智慧和才能，提出活动的实施方案。2002 年 10 月 27 日，学生自行筹备的“青岛二中学生美术书法陶艺作品展”在市美术馆隆重开幕，他们自己筹划展览的每项细节，自己邀请市政府、教育局和文化局的领导，自己去大企业拉赞助，自己联系空中航拍及各新闻媒体的记者。实践证明，学生自己组织的各项活动内容更加丰富，形式更加新颖。学生在实践中增长了才干，提高了素质。

4. 自创社团

自创社团是通过实践、训练、增强兴趣、提高技能的途径，达到培养学生个性、主动性、特长、思维能力、实践能力的主旨。学生社团活跃在青岛二中寄宿制生活的各个领域。学生通过对社团的规划和管理，增强了参与的热情和意识，组织能力也得到了较大的提高。目前，学校共有校刊《交响》编辑部、乒乓球俱乐部、航模俱乐部、天文台兴趣小组等各级社团 50 余个，为学生施展才能提供了广阔的天地。其中，模拟联合国社团与模拟世界经济峰会社团（简称模联模经社团）已成为在国内外有一定影响的学校星级社团，天文台兴趣小组观测狮子座流星雨的数据被南京紫金山天文台收录，论文《狮子座流星雨的成因及规律分析》在全国活动课程与活动教学专业委员会第四届年会成果评选中获一等奖。

5. 自主学习与研究

自主学习与研究是由教导处领导，班主任与任课教师指导学生自主进行的学习与研究活动。在这样的活动中，学生学会了学习，培养了良好的思维品质、科学的探索精神。例如，在课题研究活动中，学生根据自己的兴趣与爱好自行选取研究课题，自行研究，从而走出课堂，走出校园，走向社会。他们的研究范围大到尖端科技——纳米技术，小到校园环境——鱼塘治污，上至天文地理，下至人土风情，内至改革开放，外至国内外政治经济，无所不包，无所不及。在这个充满诱惑的知识海洋里，学生们或上网查询，或到图书馆翻阅资料，或到企业、社区调查研究。这种不依赖老师，靠自己的双腿走路，在实践中摸索经验的学习方式，锻造了学生的能力，增长了学生的才干。

青岛二中第五届学生校长助理2004级高二（1）班申硕同学的文章，体现了学生们在“五自教育”中的收获。

让自己去体验成功

——学生校长助理眼中的二中人才培养模式

2004级高二（1）班　申硕

当初决定报考二中，初衷很简单：二中是青岛的老牌名校；二中有着全市最高的升学率；二中有着许多让其他学校望尘莫及的教育成绩与教育资源。我考进二中，也就能够接受青岛最好的教育了。然而，当我真正走进了二中，来到这梦寐以求的殿堂，我发现，二中能够历经80载依旧成绩斐然，几经变故与革新依然屹立于教育改革的风口浪尖的真正原因，并不是我们平日里津津乐道的学业成绩，也不是所获得的诸多荣誉，而是那贯穿于二中教育始终的学生培养模式。正如二中育人理念——造就终身发展之生命主体，二中的学生培养模式因其所特有的包容性、科学性与预见性，从而能随时代的变迁适应不同时期、任何形式的教育要求。然而，时代与教育形式的变迁，从未改变二中教育的核心思想——引导学生的全面素质的提高。

我深知一系列准确的定义般的诠释无异于枯燥的说教，那么便让我用自己的亲身经历来告诉大家，二中的教育是一种怎样的教育，告诉大家在二中，我们作为学生是如何靠自己去体验成功的。

我体会到，在二中是真正将这种教育落到了实处，学生校长助理的设立及民主评议团的成立便是其中极具代表性的两例。我自己身为本届学生校长助理，可以说对其是深有体会的。学生校长助理，顾名思义，便是由学生担任校长的个人助理，参与学校的日常管理工作，参与学校重大事项的决策与讨论。这个职务就像是连接学生与校长的快捷通道，同学们的心声、同学们的情况及同学们的动态，学生校长助理会在第一时间反映给校长。这样解决了过去同学们有情况上报无门的困窘，使校长能够真正贴近学生，明白学生之所思、学生之所想，从而在学校的整体决策上为学生创造更好的自主发展的空间与条件。

民主评议团则是我校为同学们能更加广泛地参与学校管理而开辟的又一阵地。在每月召开的民主评议团大会上，学生代表们不仅可以将自己发现的问题直接反映给校领导，还可以从校领导那里得到工作的指示、方法及有效的问题反馈。可以说民主评议团是学校设立的由学生评议学校工作的组织，也就是学校学生工作的反馈、监督机构。如此民主化的教育模式，如此透明化的管理模式，不仅使民主之风吹遍校园，更让学生们培养起了强烈的主人翁意识与责任意识。

在二中，学习中体现教育理念，活动中包含教育思想，学校无时无刻不在为学生的终身发展着想。我作为二中的学生，能够有机会接受这种真正意义上的素质教育，可以说是十分有幸。然而以上表述，也只是以我的角度对二中学生教育进行的观察。其实，二中的教育还有许多博大精深之处，因为我的认知能力有限，对于我校的教育工作也只能理解到这一层次。

我想，尽管我的拙见不能全面地反映二中教育的不凡之处，但我对二中培养学生的方式的正确性却是坚信不疑的，那便是——二中人，自己去体验成功！

（二）体现年级目标的系列德育

1. 高一之完善人格

培养目标：适应高中的寄宿制生活，养成良好的生活习惯、学习习惯，对自己的高中三年有初步的规划；积极参与学校的活动，培养一定的领导能力。

表8　高一年级德育主题与教育方式

主　题	教育方式	
良好习惯的养成（9月—10月）	1. 军训，集中强化训练。	
	2. 班会。	（1）遵规守纪是各项工作的保障。
		（2）文明行为从我做起。
		（3）尊师重教。
		（4）人类的美德等。
	3. 校会：邀请专家讲传统文化和道德要求，从文化层面提升管理的效力。	
适应高中生活、锻炼能力（10月—次年2月）	1. 参与活动，磨炼意志，锻炼能力，了解学校。（体育节、艺术节、读书节、科技节等。）	
	2. 班会：集体是我们发展的根基等。	
	3. 心理辅导：如何面对挫折；如何树立自信心；如何处理好各种人际关系。	

续表

<table>
<tr><th>主　题</th><th colspan="2">教育方式</th></tr>
<tr><td rowspan="3">三年生活的初步规划（3 月）</td><td>1. 教师及时与学生及其家长交流沟通。</td><td></td></tr>
<tr><td>2. 通过考试成绩、活动参与效果、人际关系处理等方面帮助学生分析自己的优势和问题，然后较为准确地定位。</td><td></td></tr>
<tr><td>3. 引导学生制订未来三年的发展规划和实施方案。</td><td></td></tr>
<tr><td rowspan="3">充满理想（4 月—6 月）</td><td rowspan="3">主题教育活动。</td><td>（1）革命传统教育。</td></tr>
<tr><td>（2）科技创新教育。</td></tr>
<tr><td>（3）专家和毕业生的报告。</td></tr>
</table>

学生处给高一学生写的《学生入学第一课》这封信，为“完善人格教育”奠定了坚实的基础。

学生入学第一课：同学，你准备好了吗？

——写给高一同学

青岛二中　学生处

亲爱的高一同学：

首先祝贺你如愿以偿地升入你们梦寐以求的青岛二中，开始了高中三年的学习生活。

你或许初中三年成绩优异，占据班里或年级里的最高位置；你或许进入初三发奋投入，后来居上；你或许特长突出，傲视群雄……不论怎样，你都不折不扣地成为了一名令人羡慕的二中学子，为你自己，为你亲人，更为你母校争得了莫大的荣耀。可以说，在高中这个起点上，你已经处在岛城乃至全省的宝塔顶端。

八天军训，你顶住了酷暑，接受了进入二中的第一个考验。如雨的汗水、晒黑的皮肤、坚定的眼神和挺拔的身姿换来的是你的团队意识、时间意识、吃苦意识和纪律意识的增强。你收获的绝不仅是队列、内务、纪律的锦旗，而是一种军人的基本素质，一种二中人特有的、应对三年高中生活的起码素养。它是你接受来自各方挑战的第一笔精神财富。

然而，进入二中，究竟意味着什么，你还需在哪些方面作充分的准备呢？

第一，你为自己三年的二中生活勾画出或正在勾画出一个大致的轮廓了吗？换句话说，你打算用一种什么样的心态、什么样的行为过好三年的每一天呢……你的初中同学也许羡慕你进入二中，在他们心目中，你能够也应该有更好的发展。当然，给自己定位不是好高骛远、空想幻想，脚踏实地才是关键。但是直到现在还不懂得开始给自己规划一下高中三年的生活轮廓，只是一味等着父母老师告诉自己，就显得缺乏自主意识和独立意识。对你们来说，对自己的人生负责，就要想好自己的道路怎么走。作为一个高中生，一个二中的学生，现在开始规划并不晚。二中学生基本素质之一就是总能比其他同龄人想得更远一些，因为，你有那么多令人羡慕的资源优势。现在，我们每一个高一同学都处在同一条起跑线上，机会是均等的，就看你现在能否给自己一个理性的、合理的定位，规划好三年的生活。

第二，你能尽快适应二中的寄宿制生活吗？对此，你要注意讲究个人卫生，经常让他人闻到难闻的气味也是不礼貌的；你要有时间观念，几点休息、起床不能因你改变；你要在内务上格外主动细心，不要偷懒，不要总是因为你而扣分，更不要让同学觉得你是懒惰自私的人；午睡、晚睡时间你不要说话吵闹，熄灯后立刻上床，不要总是磨磨蹭蹭，总显你事多，违反纪律会让人讨厌，也会给宿舍扣分；他人有困难或生病时，你要伸出温暖的手，大家都是兄弟姐妹，都是亲人，能住在一个宿舍就是缘分。

第三，你能尽快适应二中的学习生活吗？到了二中，处在一个全新的环境，大家互不摸底，老师也暂时不了解你，而且有的学科初高中内容跨度较大、难度增强，再加上对老师授课风格的不适应，你可能在一段时间内心理压力加大，有时感到失落，甚至产生自信心的动摇，进而怀疑自己当初的选择。其实，这很正常，每个高一学生都要经过一段适应期，只是内心感受各有不同。你所能做的就是要有充分的思想准备，用积极昂扬的心态适应气氛、适应学习内容、适应老师的授课风格。同时，要学会学习。二中学生自主学习的能力较强，这是因为许多同学对学习环节了如指掌，懂得用它来衡量自己。

学习环节包括预习、听讲、记笔记、课上讨论、课堂训练、课后复习反思、讨论交流、作业反馈等环节。

因此，二中学生应该是爱学习、会学习的典范，是遇到困难会反思、会总结、不气馁、自信顽强的榜样。谁都想一帆风顺、手到擒来，但一个真正的二中人绝不惧怕困难和挫折，而是把它视为对自己素质能力的磨炼和挑战。“不经历风雨，怎能见彩虹”？

第四，你能在行为规范上自我约束并自觉接受他人的管理吗？二中的学生应首先是行为规范的榜样，是自主管理的践行者。二中培养的学生，绝不仅仅是学习好，更是同龄人当中做人的楷模。做人的基本要求就是自觉遵守行为规范。

第五，你能协调好学习与娱乐、活动的关系吗？二中的学生学习素质好，多才多艺，特长突出，这已是公认的事实。这是因为，二中是在“造就终身发展之生命主体”，我们是在为你的一生负责。二中为你们搭建了全面发展的平台，学生处、团委下属的学生会、学生自治会已成立了几十个社团，最大限度地满足了同学们的多种需求，全方位地锻炼提升了同学们的各种素质和能力。

第六，你能学会调节心理、完善人格吗？在二中，以学习为主的多种竞争会时时贯穿于你的三年生活中，这是正常而必然的。有竞争就有压力。这些压力可能来自环境，来自同学，来自家长，来自老师，来自社会等。问题在于，竞争压力之下，你会用什么心态和心理面对。

总之，来到二中，我们跨出了人生的重要一步。高中三年，只不过是人一生中的短暂时光，自主、开放、创新、卓越的二中文化氛围，为你打开了一扇锻造自我、通向未来的大门，相信每个同学都会学有所长，悟有所得，走好人生关键的一步。

2. 高二之拼搏进取

培养目标：对高中生活反思，确定自己清晰的目标；广泛参与活动，具有较高的能力，为高三打下坚实的基础。

表 9　高二年级德育主题与教育方式

主　题	教育方式	
总结反思、目标确定（9 月—10 月）	1. 主题班会：高一的一年我有哪些收获，哪些不足；高二我应当如何度过；高二我应当如何学习；我的理想是什么；常规校规和礼仪教育。	
	2. 校会。	（1）校规校纪和文明礼仪教育。
		（2）到了高二应该注意什么。
	3. 每个人写出自己高二学年的计划书并签名。	
活动参与、锻炼能力（11 月—次年 2 月）	1. 通过学校组织的艺术节、体育节等“周末大舞台”的各种活动，引导学生主动广泛参与。	
	2. 校会：学习方法讲座。	
	3. 班会：如何处理好学习与活动的关系。	
	4. 家长会：如何面对高二。	
向更高的目标前进（3 月—4 月）	1. 主题班会：我为高三准备好了吗？	
	2. 校会：反思、调整、提高。（反思高二第一学期，调整心态，为高三作准备，进一步提高。）	
拼搏进取（5 月—6 月）	1. 心理讲座。	
	2. 班会、家长会、校会：回顾过去展望未来。（学生高二情况的全面总结。）	

高二年级的主题班会“强化自主发展意识，提升自主学习能力——拼搏进取”，为高二的学习生活作了很好的铺垫。

主题班会：强化自主发展意识，提升自主学习能力
——拼搏进取

青岛二中　2006 级高二（2）班

主题班会：高二，我奔跑，我拼搏

目的：高二，是高中三年中的薄弱期，又是拼搏进取的关键期，应进一步强化自主发展意识，提升自主发展能力。制定班级学习公约，发扬班级良好传统，创设良好的学习环境，进一步增强班集体的凝聚力，创设奋发向上的班级氛围。

女主持人：高二，是高中三年中的薄弱期，又是拼搏进取的关键期。

男主持人：为了精彩人生的第一个梦想！让我们用激情点燃青春，去奔跑，去拼搏，无怨无悔。

（大屏幕上投影闪动的标题：“高二，我奔跑，我拼搏——拼搏进取，高二无悔”。）

甲同学讲故事一：（大屏幕上滚动播放运动会起跑、冲刺、接力赛超越对手的照片。）在非洲，每天早晨羚羊睁开眼睛，所想的第一件事就是我必须跑得更快。而在同一时刻，狮子从睡梦中醒来，首先闪现在脑海里的是，我必须跑得再快一些以追上更多的羚羊。于是，几乎同时，羚羊和狮子一跃而起，迎着朝阳跑去，一个拼命地跑，一个拼命地追。为什么？一个害怕被吃掉，一个害怕被饿死。

女主持人（铿锵有力）：奔跑是一种学习方式——集中精力，事事为先；奔跑是一种做事原则——脚踏实地，步步为营。

男主持人（铿锵有力）：拼搏是一种精神追求——挑战极限，勇创一流；拼搏是一种理想信念——相信自己，拼搏必胜。

乙同学讲故事二：美国阿姆赫斯特（Amherst）学院进行了一个很有意思的实验。实验人员用很多铁圈将一个小南瓜整个箍住，以观察它

逐渐长大时，能承受多大由铁圈给予它的压力。

当初实验员估计南瓜最多能够承受226.8千克（500磅）的压力。在实验的第一个月，南瓜就承受了226.8千克的压力，第二个月，南瓜承受了680.4千克（1500磅）的压力。当它承受到907.2千克（2000磅）的压力时，研究人员开始对铁圈进行加固，以免南瓜把铁圈撑开。当研究结束时，南瓜已承受了2268千克（5000磅）的压力，瓜皮因为巨大的反作用力产生破裂。

当他们取下铁圈，费很大力气打开南瓜时，它已无法食用。因为试图突破重重铁圈的压迫，南瓜中间充满了层层坚韧牢固的纤维。为了吸取养分，以便提供向外膨胀的力量，南瓜的根系总长甚至超过了24384米（80000英尺），所有的根都不屈地往各个方向伸展，几乎穿透了整个花园的每一寸土地。

通常我们很难想象一个南瓜能承受如此大的压力。倘若南瓜能够承受如此大的压力，那么人也一定能够承受。

女主持人：一个人的潜力到底有多大？无法准确回答。但是相信生命的潜能永远大于我们对它的估计！一个人在关键时期越顽强，就越能显示一个人的人格魅力。

丙同学朗读：（有感情地，配乐朗读国际激励大师约翰·库缇斯的报告——《别对自己说“不可能”》，大屏幕上投影闪动的标题和字幕。）约翰一出生，医生就宣布了他的死亡。他双腿严重先天性畸形，没有肛门。医生只好给他割道深口，让他能痛苦地排便。他的膀胱和肠子也不正常，医生断定他活不过24小时，嘱咐他的父母准备葬礼。“我的父母伤心地为我买好墓地和小棺材。但是，我活过了一天！”后来，医生又说他活不过一星期，他又挣扎着活过一周！医生又预言他活不过一个月，但他又活过一个月。医生又推测他活不过一年。“但是，35年后我依然健康，并且在世界各地自由自在地旅行！”（读到这里，班内掌声雷动。）

丁同学朗读：（有激情地，换贝多芬的交响曲《命运》做背景音乐，继续向下读。大屏幕上投影闪动的小标题——相信自己，挑战极限。）“截肢手术让我身体的平衡跟以前不一样了，我必须要重新学习走路、走楼梯，甚至上厕所。不过这些对我来说不是问题，只是挑战而已——我根本不相信有问题，我只相信有挑战。唯一让问题消失的方法就是把它们变成挑战，并积极地面对。不管面前是什么样的挑战，我都用我的方法积极地冲向它。我实在记不起自己当时站了多少次又摔倒了多少次，我只知道如果摔倒10次，那么第11次一定要站起来，摔倒50次那么第51次要站起来，如果该死的100次摔倒，那么第101次再站起来!”（班内爆发出热烈的掌声。）

男声小合唱：《真心英雄》（烘托气氛，掀起小高潮。）

男主持人：作为高二学生，我们的确应该像约翰·库缇斯那样顽强拼搏，“摔倒100次，第101次也要站起来”，不经历风雨怎么见彩虹，没有人能随随便便成功，但我们的拼搏也要讲究方式方法。

戊同学讲故事三：两次出人意外地夺得国际马拉松赛的世界冠军日本选手山田本一总是“凭智慧战胜对手”。十多年后，在他的自传中写道：“每次比赛前，我都要把比赛线路仔细地走一遍，并把沿途比较醒目的标志画下来，如第一个标志是银行；第二个标志是一棵大树；第三个标志是一座红房子……这样一直画到赛程的终点。比赛开始后，我就以百米的速度奋力地向第一个目标冲去，等到达第一个目标后，我又以同样的速度向第二个目标冲去。40多公里的赛程，就被我分解成这么几个小目标轻松地跑完了。”

女主持人：为了实现我们人生的梦想，我们要脚踏实地完成一个一个小目标，红军长征两万五，唯有一个“走”字，关注自己脚下每一步，也就走下来了。你也是一样的，做好手头的每一件事，你的目标就慢慢靠近了。请大家打开高一入学时写的信——“写给高二的我”，然后制定新的规划和目标。（写完后，每人的目标卡片粘贴于学习专栏。）

男主持人：高二必须要有拼搏进取的意识、状态和行动。环境成就人，为了我们共同的目标，为了我们共同的发展，我们需要更好的班级拼搏氛围，下面请各宿舍讨论制订班级学习公约。10分钟后各舍长上讲台交流汇报。

女主持人：生活中有很多东西是当我们失去以后，才知道它的宝贵，才想起要去珍惜，可为时已晚。所以珍惜现在，把握现在，才是最好的决策，才不会留下太多的遗憾！所以（稍顿。）

男女主持人（齐声）：让我们以拼搏的精神成就未来，将拼搏进行到底！

最后，同学们在郑智化的《水手》歌声中结束这次班会（他说风雨中这点痛算什么/擦干泪不要怕至少我们还有梦/他说风雨中这点痛算什么/擦干泪不要问为什么）。带着余音和激情的班会结束了，它的后续效果却在持续产生。

3. 高三之放飞希望

培养目标：思想成熟，有自己的见解，渴望到更高的层次锻炼自己；对自己的未来道路充满信心；充满对即将离开的母校的眷恋和为母校争光的决心。

表 10　高三年级德育主题与教育方式

主　题	教育方式	
理想信念、责任教育（9—10 月）	1. 校会、班会。（介绍成功人士的成长经历、优秀毕业生拼搏进取的切身感受，以讲座、座谈等形式开展。）	
	2. 班级文化建设。（制定班训，发扬班级良好传统。制定班级学习公约，创设良好的学习环境。作好班级环境布置、加强班级文化建设，进一步增强班集体的凝聚力，创设奋发向上的班级氛围。）	
	3. 高三常见心理问题的干预与辅导。	

续表

<table>
<tr><th>主　题</th><th colspan="2">教育方式</th></tr>
<tr><td rowspan="7">学习方法教育
（11 月—次年 2 月）</td><td>1. 学习方法系列讲座。</td><td></td></tr>
<tr><td>2. 校会、班会：如何制订学习计划。</td><td></td></tr>
<tr><td rowspan="3">3. 讲座、经验交流。</td><td>（1）好的习惯是成功的基础。</td></tr>
<tr><td>（2）谈答题技巧。</td></tr>
<tr><td>（3）自习效率从何而来。</td></tr>
<tr><td>4. 期中（末）考试的得与失。（通过校会进行考试分析，通过班级及个人总结，分析自己的得与失，以树立信心，作好复习状态和计划的调整。）</td><td></td></tr>
<tr><td>5. 在静悟中提升：复习最后阶段静悟动员会、静悟及指导。</td><td></td></tr>
<tr><td>学习心理教育
（3 月—4 月）</td><td>写给教师的一封信。</td><td></td></tr>
<tr><td rowspan="2">毕业爱校教育
（5 月—6 月）</td><td>1. 活动:“把美好留给母校，让回忆成为自豪”系列活动。</td><td></td></tr>
<tr><td>2.“四个一”教育：给母校留下一个好印象，给高一高二同学做一个好榜样，为母校留下一个美好回忆，一颗红心两种准备。</td><td></td></tr>
</table>

高三年级“把美好留给母校，让回忆成为自豪”系列活动，是学校为完善学生人格而精心设计的，它引导学生为三年的校园生活画了一个完美的句号。下面是活动的两个片段。

[片段1]

写给高三同学

青岛二中 学生处

亲爱的高三同学：

学校是承载你们到达理想彼岸的一艘航船，现在目标即将达到。你们即将离开母校，将离开曾培养你、教育你、批评过你的老师，将离开曾承载你在知识海洋里遨游的教室和你的课桌椅，离开曾多次带你走入甜蜜梦乡的宿舍，将离开为你补充营养和能量的食堂，离开你曾经走过的小路……这一切可能是永远的，这一切都将成为你的回忆，你的一切也都将成为老师的回忆。不知此时你是何种心情，在校的时间已经很短很短了，你还能为母校、为老师留下什么呢？我们希望，全体毕业生在离开母校的时候，通过自己的言行，把感人的故事留下，让毕业的日子成为生命中最灿烂的回忆。

给你几点建议：如果你做到了就在后面画“√”，在离校的那天（毕业典礼之后）把此卡留下，学校将永久保留。

1. 穿一身整洁的衣服，仰望飘扬在校园里的国旗，从心里说一声：“祝福祖国”。

2. 把任课教师请到教室来，全班同学起立，向老师鞠躬致谢。

3. 把班主任老师请到教室来，全班同学起立，向班主任老师行鞠躬礼。

4. 到学校食堂去，对炊事员师傅说声谢谢。

5. 到学校门卫室去，对日夜执勤，保证校园安全的门卫说声谢谢。

6. 到阅览室、图书馆、实验室去对管理人员说声谢谢。

7. 单独到办公室去向班主任说声谢谢。

8. 到校长办公室去向校长说声谢谢——也许校长叫不出你的名字。

9. 对母校今后的发展一定有不少好的建议，把它写出来交给校长。

10. 和同学一起走过的时光里，难免发生小的摩擦，产生小的矛盾，毕业的时候，对他们说声：对不起！希望原谅。

11. 把老师和同学的联系方式认真地记下来，以便联系。

12. 在教室门口和自己的课桌前留个影，对它们说声谢谢。

13. 在自己最喜欢的挂图、塑像和建筑前留个影，对它们说声谢谢。

14. 用自己的笔把今日的校园画下来，献给母校或留给自己。

15. 把对母校的感激，写成一篇也许并不优美的文章，献给母校或留给自己。

16. 用手中的相机把母校的风景拍下来，献给母校或留给自己。

17. 如果方便，和父母亲一起在校园里认真地走一走，向着校园里的一切，包括一草一木说声谢谢。

18. 在喜欢的运动场上，再认真地跑一圈儿。

19. 到班主任老师的办公室去，打扫卫生、整理桌案。

20. 把教室里的地板认真清扫一次，把桌椅摆整齐，把玻璃擦干净。

21. 把学校分给班里的卫生区再认真地打扫一次。

22. 向母校的图书馆或班级图书角捐赠一册有意义的图书。

23. 端一盆水或一杯水，浇灌在校园里的一棵小树下。

24. 将班级曾经获得过的奖状、证书等细细地收藏起来，装在一个档案袋里，放在班级图书柜上或装在镜框里，送班主任留存或班长留存。

25. 到宿舍将寝室打扫得干干净净的，走时向舍管老师说声谢谢。

26. 将黑板擦干净，为后来的学友写上“希望你学得比我好”。

27. 全班同学在教室里高歌一曲《二中校歌》，友好地离开教室。

28. 把班主任请来，和全班同学一起手拉手走出校园，站在校门口，微笑着向可爱的母校、向敬爱的班主任老师挥手再见。

29. 走出校门之后，回过头来，面对校园恭恭敬敬地鞠躬，从心里说声：母校我永远爱你。

[片段2]

生命之中永不磨灭的绿

（青岛二中学生文章）

那片幽幽的爬墙虎抽出绿绿的叶，连带柳叶和草色，向你的眼睛逼来那刻骨铭心的绿意，像是在宣布什么，又像是在告别什么。有一种叫做哀愁的思绪夹带着绿色的气息在心里弥漫开，来怀念自己一去不复返的高中青涩时代，留下永不磨灭的印记。

绿色的军装和远处黛色的山也许是我高中生活开始时最浓的一笔，新生活洋溢着春天最亮的嫩绿，带着热情与饱满、蓬勃与朝气，闯入了我那宛如树上的青果般的心灵，宣布着最清纯的美好情感的到来，宛如那纷飞的柳絮，孕育着更浓的绿意的绽放。那时的我们有着嫩绿的新鲜，有着心境的恬淡，汇成一股和谐的绿流，在绿茵场上，在树荫下，在草坪上，在花丛中，留下我们欢快的印记，就像满园的绿色，显示出无处不在的生命力。

更喜欢那潭浓绿的湖水，碧色盈盈，就像用一千零九十五个日夜积淀而成的浓得化不开的友谊之绿。喜欢漫步于夏日的小湖旁，漫步于柳叶和爬墙虎围起的静寂的清凉的围墙内，在炎炎夏日里找寻绿所带来的心境的平和，就像在最烦躁不安时在朋友的笑意中找到最平静适心的庇护所。

所以，我不愿离去。

总是希望自己是永远长不大的孩子，永远浸在这片绿中。可是年华似水，以后的我便只能追忆，让这成为我生命中永不磨灭的记忆。

如果记忆如钢铁般坚固，那么我该微笑，还是哭泣？

如果钢铁如记忆般腐蚀，那么这是欢乐的城堡，还是荒芜的残垣？

我隐隐感到了恐惧，因为我害怕时过境迁后的物似人非，害怕若干年后心中的绿已散落天涯，我只能独自凭栏。

回过头去，我看见了洋溢着青春之美的笑脸，他们眼中闪着坚定。那坚定告诉我，我也是他们心中最明亮的绿！即使真的天各一方，那绿意会永驻我们心里，因为这是刻在我们生命中永不磨灭的“绿”。

（三）立体化德育举措

1. “周末大舞台”，给你精彩

“周末大舞台”是青岛二中为适应新课程改革的要求于2005年提出的培养学生综合素质的举措，该措施既保证了学生的学习时间，又发展了学生的综合素质，可谓一举多得。同时，作为学校的参与类课程，它以体验感悟为主旨，是学校为学生提供的能力素质展示和个性发展的平台。“周末大舞台”主题鲜明、兴趣引领。活动既有专家报告，如“国学进校园”活动之《论语》系列讲座、“仁义礼智信温良恭俭让”逐字主题报告、国际国内热点追踪方面的形势报告等，又有为学生所喜爱的文体活动，如篮球比赛、排球比赛、羽毛球比赛、爬楼梯比赛、游泳比赛、帆船运动体验、奥运知识竞赛、模拟申奥活动、校园歌手大赛、校园集体舞健美操比赛、舞蹈比赛、器乐演出、陶艺比赛等。活动设计贴近学生实际、开阔学生视野、拓展学生素质、提高学生能力、陶冶学生情操，活动吸引人、教育人、锻炼人，已成为每一个二中学生不可或缺的人生课程。而运动会、体育节、科技节、艺术节、主题教育等活动，全部都由学生采取公开竞标的方式自主承办，不仅各项活动开展得有声有色、具体有效，而且通过承办活动培养了学生的决策能力、组织能力和协调能力，让所有学生都能根据自己的兴趣和特长，找到自己的舞台，找准未来人生的发展方向。

学校邀请过著名校友王涛院士、田麦久教授，青啤集团党委书记全安功，新东方总裁俞敏洪等，为学生开办立志报国和专业知识等方面的讲座；学校也曾邀请校内外的专家教师为学生逐字讲解中国传统文化的精髓，提升学生的人文素养；“四大节”、“两大赛”是学校的传统优质活动课程，内容丰富，教育效果明显。

学校“周末大舞台”以及其他一切形式的学生活动，从前期策划到组织实施，全部由学生自主完成，充分体现了“自我教育”、“自主管理”、“自主学习的研究”、“自我锻造”、“自创社团”的“五自模式”。

（1）艺术节

艺术节是青岛二中艺术教育成果的集中体现，是繁荣和促进校园文化的重要途径。艺术节活动极大地丰富了学生的课外生活，锻炼、提升了学生的综合素质，为学生特长培养、个性张扬提供了广阔的舞台。学校艺术节同时也为组织优秀作品参加青岛市艺术节比赛作好了前期准备，在学校广泛开展活动比赛基础上优中选优。所以我校艺术节于每年9月15日—11月1日举行。艺术节以学生处为组织核心，以音美组为活动实施核心，以校领导为检查监督组织，以全体师生参与为活动主体，活动设计注重高雅艺术培养兼顾群众普及性艺术教育的原则，雅俗共赏。

艺术节的组织形式：首先，前期工作是策划整个艺术节，学校要求所有想组织活动的学生会部门都详细地写出自己的活动方案并上交，为了保证活动的严密性，不出现任何差错，每个活动方案后须添加应急方案，即提前想到活动过程中可能出现的突发状况，并提出解决方案，做到万无一失；然后，学生会审查每个方案，并形成整个艺术节的总计划，其中包括活动名称、承办部门、时间、地点以及参与对象等，并上报学校进行审批。

艺术节固定性项目：技能达标、班级大合唱比赛、集体舞比赛、器乐专场演出、舞蹈类比赛、校园歌手大赛、宿舍文化展评、陶艺制作大赛、美术作品征集大赛、黑板报设计大赛、开闭幕式汇报演出等。艺术节灵活性项目：曲艺类大赛、百米长卷、篆刻展、摄影展、动漫展、T恤设计大赛等。

学校艺术节品牌的树立得益于艺术团的逐步发展。青岛二中艺术团作为学校素质教育的一面旗帜，早已成为学校一道亮丽的风景线。早在20世纪80年代，青岛二中就组建了管乐队。经过多年的风雨历程，2002年青岛二中艺术团正式成立，艺术团下设管乐团、合唱团、民乐团、舞蹈团、弦乐团、话剧团等团队，每年在校团员约200名，累计团员达4000余名，在学校每年的节庆活动中发挥了重要作用，为青岛二中校园文化建设作出了重要贡献。每年青岛市艺术节，我们都拿着多个第一和金牌组织奖凯旋，并两次受邀参加青岛市新年音乐会。学校每年有近30名学生通过艺术特长或专业进入理想大学深造，这些团员将青岛二中文化撒播到全国许多大学和世界许多地方。艺术团越来越多地成为学校文化交流、学生活动以及扩大国际影响不可或缺的重要窗口。

2007年青岛二中艺术节总负责干事的活动感言，为学校艺术节在提升学生素质方面的作用作了注脚。

活动感言

（2007年12月28日）

第17届艺术节闭幕式暨高一才艺展示决赛于2007年12月8日（星期六）在我校礼堂圆满结束。作为这次活动的负责干事之一，我的感触良多。

这次活动从计划到执行历时一个多月。起初，学生会文艺部内采取选拔方式选取合适的计划——每位文艺部干事都写一份关于此次活动的计划及活动流程，由我撰写的那份计划书很荣幸地被选中。那时的计划书是不完全的，只有简单的活动流程以及应急方案，可行度并不高。在敲定这份计划书后，我们的部长就指定我和其他几位同学一起担任这次活动的主要负责人。

于是几位负责人在我的带领下连续召开了几次会议，并多次修改计划书及应急方案，使其一步一步变得可行，撰写了相应的比赛评分细则、可以发放给各班的活动细则等，并且连续召开三次文艺委员、班长会议，进行动员、抽签等活动。评委方面，我们除了邀请校内的专业老师、校内的同学（如学生会主席、副主席、文艺部部长、相应社团的社长）以外，还特意从校外邀请了青岛歌舞剧院的专业老师作为我们的特邀嘉宾，对于每一个节目进行更专业、更全面的评审。

初赛共进行了三天（11月26—28日），分别利用了下午的课余时间。参赛的节目类型丰富多彩：歌舞、电影情景再现、小品、舞台剧、合唱、歌舞剧、各种器乐演奏等。我们开放了初赛现场，每个班都有相应的观众来为自己的班级加油助威，使现场更有比赛气氛，也给了参赛者更大的动力以及表演的兴致。在比赛途中也相应地出现了一些意外，但在整个文艺部所有干事的共同努力下，并没有过多地影响整个比赛的进程。初赛在28日的铃声中完美落下了帷幕。

在初赛过程中，我们感受到每一个班级、每一位同学对于这次活动的支持，以及每一位表演者的努力。然而我们按照规定，根据分数取总分的前12名。

决赛于2007年12月8日举行，在这次的比赛中，入围的参赛选手在更精致地修改过自己的节目之后，将更精彩的一面展示给全校的同学。决赛进行得很顺利，文艺部的干事分工明确，不论是在后台或者是在场下都将自己的工作做到最好。很多干事都一边处理工作一边准备自己的参赛作品。

决赛我们邀请了很多的嘉宾做评委，其中来自青岛歌舞剧院和小海燕艺术团的专业评委老师们的参与使得我们这次比赛的专业程度更高，而且我们还邀请了青岛公证处的公证员为此次活动的最终分数进行了公证，并现场宣布分数。在比赛进行中，还有学生会全体同学、学生会文艺部、国际部、校合唱团、校刊《交响》编辑部等友情参与的节目，使得比赛更具有可看性。在算分的过程中，我们还邀请辛主任现场演唱了一首歌曲。

我们的艺术节在同学们的欢声笑语中落下了帷幕。每一位同学对于此次活动都感触良多。我作为这次活动的总负责干事之一，同这次活动一起成长。在活动的策划、执行中学到了很多以前都不知道的知识，同时也提高了自己的办事能力。很感谢文艺部给了我们一个可以发展自己展示自己的舞台，这也是我们在成长中所积攒的一笔宝贵财富！

(2) 体育节

你看过中学生自己组织的全明星篮球赛吗？你想过一把五人制足球赛的瘾吗？你听说过爬楼梯比赛吗？你想见识一下学生自己设计的检录和数据分析软件吗？你想感受一下比奥运会开幕式还热闹的场面吗？你想知道我们是如何说服那些大大小小的公司企业为学校体育节提供赞助

和无偿服务的吗？那么请你到青岛二中来，在这里学生把上述所有的元素集合在一年一度的体育节中，让大家感受到快乐的运动，尽情地展示自己的风采。

体育素质作为学生综合素质的重要组成部分，在提升学生的综合素质和特色素质中发挥着重要作用。为此，学校整合学校资源、社会资源、教师资源和学生资源，通过“周末大舞台”、学生社团活动、体育节活动招标等各种形式，将学生的课堂体育运动延伸到课下，为学生综合素质的提升搭建舞台，让学生在组织体育运动，参与体育运动，享受体育运动中身体锻炼和能力提高的快乐，从而为学生全面发展、个性发展和主动发展提供全面有力的支撑。

在体育节中，学生社团发挥了极大的作用。学生的体育类社团通过组织活动和比赛，使具有相同的体育爱好和兴趣的团队成员得以切磋技艺，强身健体，同时还起到了在广大学生中传播体育知识、普及体育运动、弘扬体育精神的作用。我校目前有校级体育社团小组 26 个，班级体育社团 150 多个。包括球类社团（足球、羽毛球、网球、乒乓球、街球、女子花式篮球、毽球等）、棋类社团（国际象棋、围棋、中国象棋、军棋、跳棋等）、旱冰社、游泳社、跆拳道社等。它们覆盖全校各个班级，几乎人人有体育项目、班班有体育活动。

在 2007 年的体育节中，我校以北京奥运会和青岛奥帆赛为契机，在学生中传播奥运知识，同时通过奥运这个平台，为发展学生的素质进一步打造空间。学校从 2005 年开展了模拟奥运会活动。模拟国际奥林匹克委员会的同学们于 2007 年 4 月正式启动模拟国际奥林匹克委员会申奥大会（MIOC），这项活动旨在激发更多同学的奥运情感，模拟国际奥林匹克委员会申奥大会的形式，让二中学子站在全球化视角之上认识问题、思考问题，通过综合辩论、学生论坛、角色扮演和国际会议模拟等多种形式，把奥运、把世界展现在大家的面前，切实将“科技奥运、绿色奥运、人文奥运”的理念落在实处。国际奥委会原主席萨马兰奇、外交部原部长李肇星、青岛市副市长臧爱民等领导分别致信我校同学，对我校学生关注奥运、积极参与奥运的精神给予了高度的赞扬。

学校运动会的主角是学生，高中孩子有其思考问题的独特视角，完全具备成人的能力。由他们来承办，不仅可以培养他们自主办事的能力，还可以让他们感受来自学校的特殊信任。

让学生通过竞标的方式主办学校运动会的消息一发布，立即在校园里引起强烈的反响。同学们积极竞标、认真设计，还向一些商家寻求赞助。为了赢得学校运动会彩旗花束队的主办权，高一年级三个班联手拟订了《竞标计划书》，他们对每一个细节都作了周密的思考，详细测算了所需经费金额，虽经过几次失败，但最终与青岛温州商会文化传播有限公司达成协议，拉来2000元的赞助。于是，饮料、对讲机等运动会必备的用品，就这样进入了学校运动会会场。

学校要求学生在运动会竞标组织中不仅要弘扬体育精神，还应将“绿色、人文、科技”的理念贯穿其中。以下这份《运动会精神文明竞标书》的摘要就体现了许多科技含量。

运动会精神文明竞标书（摘要）

1. 利用校园网在线提交献歌曲目

为方便献歌班级提交献歌曲目，本班将在班级电脑上开设FTP文件传输服务。献歌班级可以直接将制作好的伴奏MP3通过校园局域网发送到本班电脑。一首5分钟的歌曲仅需约15秒即可发送完成。

2. 提供歌曲编辑软件

为方便献歌班级制作时长符合要求、去原唱的伴奏音乐，本班将在班级FTP上发布专用的音频编辑软件和详细的使用教程，辅助竞标班级制作高质量的音乐伴奏。

3. 网上工作证申领

本班将在全会场使用统一制作的工作证。需要工作证的班级和部门负责人可在会前通过网络发出工作证使用申请。本班将定时汇总上报的信息，为每个工作证分配唯一的编号，并将编号与姓名对应输入数据库，供运动会当天查询。

4. 现场四台计算机互联

大会期间，本班将在会场设置四台计算机。两台负责精神文明评比分数的扫描录入，一台负责提供网络服务和录像处理，另外一台设置在主席台或器材室门口，安装在这台计算机上的查询终端可以提供精神文明检查的详细资料（包括记分明细、检查时间、检察员信息、当时的看台录像等）。四台计算机用集线器连接成局域网，可以互相访问、高效工作。

5. 先进高效的扫描成绩录入系统

为解决往届运动会精神文明检查成绩录入速度慢、错误多的问题，本班为成绩的录入开发了与高考答题卡阅卷原理相同的光学标记识别（OMR）系统。评分表被设计成答题卡的形式，检察员仅需使用粗头记号笔在卡片上相应分数处画一个黑点，即可完成评分工作。卡片被收集后，送至器材室的专用计算机进行扫描，再由计算机自动识别卡片上的信息点（包括检察员编号），最后全部信息被输入数据库，即可提供查询。有了计算机的帮助，整个过程被极大地简化了。评分由原来的记录两位分数变成画一个黑点，录入由原来的录入 80 个数据变成扫描一张卡片，而且绝对不会出错。处理 48 张卡片的时间从原来的 50 分钟缩短为现在的 6 分钟。评比后 10 分钟内即可公布结果。使用的软件由本班同学自主研发，实验过程中识别的准确率达到了 100%。

6. 方便直观的成绩查询终端

为方便评比成绩的核查和申诉仲裁，本班自主开发了成绩查询软件，安装在查询专用电脑上。需要核查分数的同学仅需输入三位的班级编号即可查询全部明细。如对评分结果有异议，可申请查询检查时的录像。如果对会场服务人员不满意，可再进行举报，本班将于会后将举报信息反馈到相应的部门和班级。这个过程将由本班设置的“仲裁组”专门负责。

7. 精神文明检查全程录像

为规范精神文明检查过程，便于活动的记录和评分仲裁，本班将在精神文明检查期间对各班的看台进行全程录像。录像将送至器材室设置的专用高性能计算机进行转换压缩。约10分钟后即可发布至主席台设置的查询计算机上供各班察看。

(3) 科技节

科技节是青岛二中的一项传统，是学校素质活动的重要组成部分。我校以“科技”为中心，围绕科技组织一系列培养学生素质的综合活动，起到了提高学生各方面能力、提高校园科技氛围、培养学生对科技的兴趣等多方面作用。

科技节中最具特色和创新力的几个活动为：科技多米诺、网络多媒体大赛、无动力火箭比赛等。

① 科技多米诺

“机械多米诺”就是设计一系列的机关完成特定的任务，道具可以采用生活中的一切东西，可以是家居用品、工业材料、废旧物品、食品百货等，甚至可以专门制作。主要是用多种富有创意的连环机关设计，完成充满趣味与挑战的任务。创意性、趣味性是设计的前提。每件作品要有一个主题，可以是任何好玩的内容。

例如，用一卷普通卫生纸可以灭火！卫生纸和灭火，听起来风马牛不相及，但是喜欢异想天开的选手可以做到：将纸抓住一头松开；纸卷延轨道滚下触动一个金属球；由于惯性它的滚落触动一个电风扇；开始运转的风扇吹动一组排列齐整的书本多米诺；最后一本书的倒塌再次激发了一个更大的球滚动；它沿滑轨掉进一只悬挂的桶内；球的重量令火源上的一瓶水缓缓升起，重心的改变使水倾覆；水恰好淋在一只燃烧的蜡烛上面，火就这样熄灭了。导致这一系列连锁反应的就是当初那卷卫生纸。这个将不可能的事情变成现实的装置就是“机械多米诺”。

我校2008—2009学年度科技节上科技多米诺竞赛的命题为：a. 用塑料瓶使乒乓球投篮；b. 吹一口气用纸团推倒字典；c. 使用一个小铁球，使无电的风扇转动；d. 设计无电力载物上升装置。

由各班自行组织团队，抽签决定命题。要求运用一切可以运用的物理、化学知识，制作一套联动体系，完成命题。整套体系不得少于四个独立的步骤，并且除最初启动装置外，不得借助人工外力影响装置的运行。

② 网络多媒体

PS 设计大赛：旨在普及计算机知识，培养学生的艺术情操和创新意识。大赛要求在规定时间内完成相关命题。初赛围绕几个自选主题充分发挥想象力和创新力，而复赛作品素材全部给定，学生至少使用两幅图片，自由组合，考查学生应变能力。

博客大赛：旨在给学生一个展示自我个性、生活风采的平台，扩大网络博客的影响力；激发学生对科技、对信息科学的兴趣，迎合校际科技月的主题；推广博客文化，倡导“分享、贡献”的博客精神；以博客风采大赛的形式吸引校园内的博客爱好者积极参赛，同时吸引广大同学参与投票，以此增加网站浏览人数和点击率，扩大网站的影响力。

③ 奇幻世界巡礼

该活动的主题是让学生通过动手操作、设计，重现或改良科幻小说、科幻电影或游戏中的高科技产品，展现其原貌或体现部分功能。目的在于在动手操作中培养学生对科学的探索精神，激发其操作实践热情，在完成作品的同时探究学习相关的科学知识，阅读有关书籍和资料，拓宽视野，培养兴趣。

（4）读书节

读书节是学校素质活动的重要组成部分，青岛二中读书节以“读书”为中心，围绕读书组织一系列培养学生素质的综合活动，起到了提升学生各方面能力、提高校园读书氛围、培养学生的读书兴趣等多方面的作用。

2008—2009 学年度读书节以“读书漂流”和“我写我故事——续写接龙”等活动为主线，为学生提供了阅读、交流、感悟的机会。

首先，“不动笔墨不读书”。“我写我的故事——续写接龙”活动，为学生提供了一个读书、写书、创造自己文字的舞台，让学生的文字与思想在故事中跳跃，用最独特创新的方式，用最具挑战性的比拼，激发起学生书写世界的激情。活动形式如下：每班在给定题目中任意选一题在续写本中进行续写，整个故事至少由 10 名学生合作接力完成，每个班分配一个故事开头，每份题目中有 5 个关键词，学生必须将关键语句用在文章中。

续写接龙开头

1. 有四个年轻的旅行者，分别叫做“每个人”、“某个人”、“任何人”和“没有人”。他们一起……

关键词：决心、放弃、挣扎、漫长、旷野荒原

2. 天下的山峦，仿佛都跑到这儿来结集，浩渺无际深黛色的群山延绵着、起伏着，犹如黑色云头。在正西边一座方形山峰上，凌空站着一株枯树……

关键词：盘羊、山祭、黑旋风、火狐、豹子

其次，“一千个读者就有一千个哈姆雷特”。“读名著演话剧”活动，给学生自由空间来诠释经典，给他们广阔天地来施展才华。用学生自己的文字来改写自己的哈姆雷特；用演技带给观众不同的视觉感受；用心灵去阅读、去感悟心中真正的经典。

最后，“感悟交流，分享收获”。“读书漂流”活动，让学生对读书的字句感悟，在思想的海洋上漂流，从文学散文到时事评论，从人物传记到漫画故事，从幽默到深刻，从柔美到慷慨，用自己的广告，推荐自己喜爱的文章，做一次心灵的推销员，精神的代言者。

另外，我们还开展了“我为文章做广告”活动，每班从领取到的杂志中选择一篇优秀文章，结合其中心内容，从写作特点等多个角度，迎合题目内容，撰写 20 字以内的一句话广告。

2008—2009 学年度读书节高二级部获奖广告词

最具影响力广告词：谁谋杀了历史？——高二（16）班

最具潜力广告词：希望，是名为多戈的等待——高二（11）班

优秀广告奖：流水不腐，鲜活灵动——高二（2）班

听灵魂的唱歌，展翼翅，破风浪，翔天上——高二（13）班

秉一方丝帕，拭心灵之窗——高二（14）班

值得一提的是，读书节的顺利开展、读书氛围的形成，得益于学校“书吧”的建立。2002年6月14日的《中国教育报》，刊载了介绍青岛二中校园“书吧”的文章。

青岛二中：教室旁边设“书吧” 无人管理考验学生诚信

本报讯（记者 孙军）与平日不同，近日，每天上午第一节课的下课铃响过，山东省青岛二中教学楼的中厅“书吧”里便挤满了看书读报的学生。奇怪的是，“书吧”内看不到管理人员的身影。

记者走进青岛二中的教学楼，发现除了教学楼一楼外，其余五层楼梯口的中厅里都设有一个“书吧”，就在教室的旁边，课间、课后，学生可以来此即兴阅读。“书吧”内共有刊物91种、800多册，平均每个“书吧”50余种。通过招标，学生给它们起了寓意深刻的名字，分别是“鸿志书吧”、“静思书吧”、“朝露书吧”、“求真书吧”、“翔宇书吧”。并且，每个“书吧”的墙上都悬挂着“学而不思则罔，思而不学则殆”、“人的天职在勇于探索真理，理想的书籍是智慧的钥匙”等名言，赋予校园“书吧”独特的文化内涵。

在学校5个书吧中，汇集了三百多种报刊。每天清晨，由每个楼层的书吧管理员把报纸和杂志摆放在书架上供学生们阅览。来书吧的读者可以根据自己的兴趣和爱好自由选取自己喜爱的杂志和报纸阅读。在这里，没有条条框框的限制，也没有大声的喧闹。读者是自由的，思想是开放的，行为是自律的。很多学生说：课间如果不到书吧，就好像少了点什么；如果不看看当天的报纸，就好像忘却了什么。书吧已经成为学生课余生活中不可或缺的一部分了。

经过几年的不断发展，书吧已经成为学校一道独特的风景线。这里已是广大师生最喜爱的读书学习场所之一，也是学校校园文化建设的一个重要阵地。

2. 社团建设

近年来，青岛二中以“造就终身发展之生命主体”为育人目标，探索出了适合学生特点的“五自教育”模式（自我教育、自主管理、自我锻造、自创社团、自主学习与研究）。学生社团作为活跃在校园里的一种学生组织形式，已越来越被广大学生认可和接受，并逐渐融入校园文化中，成为学生课余生活不可缺少的重要组成部分。

目前学校共有50余个社团（因社团发展的开放性和自主性，交替和变更的现象时有发生，所以没有很确切的数字）。我们根据各社团活动的特点，以及学校现有的教育资源及教师的指导力量，把学生社团活动设置为如下五类性质的活动课。

（1）学科类：历史社、军事社、日语社、韩语社、德西社、商务经济社、心理社等。

（2）科技类：天文台、生物社、化学社、环保社、汽车社、创意社、航模社等。

上述两类社团以满足成员对知识的需求为基础，以提高学术水平和实践能力为共同目的，紧密结合专业学习和学术研究，带有较强的专业实践性质和多学科交流的特点，是第一课堂专业学习的有益延伸。这些社团强调专业兴趣，社团成员通过论坛、讲座、展览等学术交流活动，通过调研、走访、服务社会等学术实践活动，通过各个级别和类别的学术科技比赛，真正达到丰富和拓展专业知识面，将专业知识有效地运用于实践的目的。

（3）艺术类：文学社、校刊《交响》编辑部、话剧社、动漫社、电影社、街舞社、手语社、DV社、吉他社、K歌社、管乐团、合唱团、室内乐团、民乐、舞蹈、陶艺、钢琴、摄影&PS社、明星社、篆刻社、绘画社、武侠社、DIY社、魔术社等。

此类社团是以成员的文学兴趣、艺术特长和相同爱好为基础，以满足社团成员的精神生活为宗旨而建立的非专业性的文化、艺术社团。由于这类社团的活动形式活泼，大都以演出、展览、观摩、交流等方式进行，内容轻松、自由、富有青春朝气，具有较强的娱乐性，更易贴近学生，因此在社团中处于主体地位，数量大、种类多，参与群体广泛。

（4）体育类：球类社（足球社、羽毛球社、网球社、乒乓球社、街球 & 女子花式篮球社、毽球社）、棋类社（象棋社、围棋社、中国象棋社、军棋社、跳棋社）、旱冰社、游泳社、跆拳道社、武术社等。

此类社团是指具有相同的体育爱好和兴趣的学生，为提升其在该项活动中的技术水平而组建起来的，以各类体育活动项目来分类的学生社团。社团往往通过组织活动和比赛，使团队成员得以切磋技艺、强身健体，同时还起到了在广大学生中传播体育知识、普及体育运动、弘扬体育精神的作用。

（5）综合类：电视台、广播站、记者团、爱心基金、模拟联合国社、演辩社、推理社、急救社、调酒社、茶艺社、中医研究社、创业社等。

如何使学生成为自己的主人，如何提升学生自主发展、自主规划的能力，这是学校教育面临的重大课题。在学生社团活动中，学校坚持学生才是社团活动的主人。学生社团从开始组织时就是自发的，它的领导管理者都是学生自己，它的活动从计划到实施都是以学生为主体商议解决的，这就充分尊重和培养了学生的主体意识。主体意识的形成，使学生更加深入地、有计划地、有步骤地开展社团活动，这个过程就是学生自我开发的过程，也是一个实现自我发展的过程。

根据《青岛二中社团章程》的规定，社团成立必须向团委递交申请，并附一份社团章程，其中包括社团的名称、类别、宗旨、活动方式、场地、成员的管理等。写好社团章程并不是件容易的事情。什么是章程，如何写好章程，如何突显自己社团的特色，都需要发起人的共同商讨，需要热情、智慧和创造力，就像一群创业者，带着梦想和理智进行探索。例如，爱心基金社团的同学们学习美国大学的助学金申请模式，将活动从校内推广到社会，在国庆期间在书城广场开展了一次公益募捐活动，获得捐款 3000 余元。这期间，从活动的策划、审批、联系书城到联系城管部门给予支持，都是学生独立完成的，他们从中受益匪浅。后来，他们还拓宽了资金的来源渠道，与一部分企业合作，建立长期的基金项目。

很多学生社团活动都是课堂教学的延伸，涉及各个方面的内容，既有政治的、经济的、文体的，也有专业性的、生活技能性的、服务性的、实践性的。中学生完全可以通过参加各类型的社团，丰富和拓宽自己的知识面，开阔视野，接受人文科学和自然科学等诸多学科知识的教育，从而活跃思维、激发创新灵感，适应现代科学学科间交叉渗透和综合化发展的趋势。我们也力求通过发展社团在校园中构造一种良好的文化环境，塑造浓郁的人文氛围，以促进学生心理的成熟及人格的整体、和谐发展。比如，历史社、军事社、商务经济社，研究的内容和方向无不是对课堂所学知识的一种延伸，其建社兴趣都是在课堂上引发起来的。模拟联合国社团在召开大会的时候，所讨论的议题都是综合性的，如艾滋病的防治与国际合作、反恐的机制与国际合作、发展中国家的可持续发展、世界遗产的申请等，都具有很强的学科交叉性和综合研究性，充分展示了学生对社会、人类问题的关注，显示出青岛二中学生的思想品位和人文层次。

同时，学生社团通过开展各种各样的实践活动锻炼学生能力。每个成员都是抱着接受锻炼、提高素质的目的开展活动并投入其中的，通过实践把知识转化为素质，再把素质转化为自身能力。大量事实证明，凡是参加过社团、接受过锻炼的学生，智力品质和非智力品质都有很大的提高，特别是在组织协调能力、分析问题和解决问题能力、交往沟通能力、语言表达能力等方面的提高尤为突出。比如，模拟联合国社团的主要组织者和参与者，都分别被国内外知名大学录取，并且很快适应了高校的学习及生活，起点高、发展快。2005 年被美国斯坦福大学以全额奖学金录取的林鄰同学，是模拟联合国社团的创社人之一；2006 年被美国米德伯里学院以全额奖学金录取（山东省仅 1 人）的李聪聪同学、以青岛地区文科状元身份被北京大学录取的李玥同学、被保送至浙江大学竺可桢学院的李子辰同学，以及 2009 年以全额奖学金考取美国芝加哥大学的杨金同学，都曾是模拟联合国社团的主要组织者。

培养创新精神是学生社团的精神内涵和目标。学生社团的每一个活动从形成到实施都是一个创造过程，在这个过程中，学生的辩证思想和发散思维都得到了很好的锻炼与培养。动漫社的成员自己设计的服装、自己制造的道具，武侠社特色的纳新方式，电影社的同学自绘的精美海报，DIY 社社员自己动手制作的精美物品，《交响》独具特色的封面和插图设计，电视台自制的宣传片等都说明了这一切。应当说，这些新颖独特、令人眼前一亮的构思制作，都充分展示了学生内在的、富有创造精神的可贵品质。创新精神提高了社团活动的层次。

自 2005 年开始，学校每年评选星级社团，至今已经有 24 个社团被评为星级社团，它们是天文台、校刊《交响》编辑部、管乐团、校园电视台、动漫社、模联社、话剧社、电影社、合唱团、街舞社、手语社、吉他社、旱冰社、网球社、历史社、韩语社、商务经济社、创意社、棋类社、民乐团、爱心基金、记者团、历史社、羽毛球社等。

天文台——2001 年建台。拥有相对完备的观测设施，多次组织爱好者进行野外观测；曾给中国天文台提供数据并被采纳，拍摄的照片被南京紫荆山天文台征用；学生在指导老师的帮助下撰写的相关论文曾获省市科技创新二等奖；目前正在组织天文年活动。

校刊《交响》编辑部——2000 年组建。已经出至第 25 期，排版工作全部自行完成，经费都是通过赞助方式获得，内容全部来自民间的原创，具有一定销售规模。

管乐团——组建于 2001 年。常年坚持排练，在校内外大型活动中有积极的贡献；经常在校内开展表演和知识普及活动，代表学校参加市艺术节表演，成绩优异。

校园电视台——2002 年组建。学校投资 40 余万元，设备非常齐全，配有专业的辅导老师，指导学生自行完成节目录制和播出；多次获得全国百佳中学生电视台的荣誉，节目荣获金、银、铜奖；从这里走出去的学生不少考取了中国传媒大学和中央戏剧学院，为他们人生之路的选择奠定了良好的基础。

动漫社——2002 年组建。多次举办动漫画展，参与省市的 cosplay

展演，成绩良好；展演的服装、道具全部由学生自主设计制作；举行动漫文化讲座，提升动漫的文化层次；现已集成一本社员自主完成的漫画作品。

模拟联合国社——2004 年组建。参加过五届北京大学全国中学生模拟联合国大会活动，两次获得最佳组织奖，并获最佳代表称号若干；参加过三届世界中学生模拟联合国大会活动，每次都有单个代表获奖；已经成功举办三届全市中学生模拟联合国大会，今年将举办全省中学生模拟联合国大会；模联具有良好的传统，模联人都有着良好的发展态势。

话剧社——2005 年组建。节目全部由学生自编、自导、自演，已经推出两届校园话剧节，参与了很多校内外的大型活动。

电影社——2005 年组建。自筹款项购置经典影片观看并开展影评活动；与汇泉影城建立长期合作关系，了解电影奥秘，并有机会与明星面对面。

事实证明，学校通过学生社团建设发展学生能力的人才培养模式完全与大学教育接轨，与社会需求接轨，进而与国际教育接轨。尽管高中阶段面临着严峻的高考检验，但青岛二中始终坚持遵循教育规律、发展办学特色、为学生终生奠基的教育理念，锐意改革，勇于创新，赢得了社会及家长的充分肯定。

3. 青岛二中学生城市化管理委员会

青岛二中始终以造就终身发展之生命主体为育人理念，在培养学生五项基本素质的基础上，着重发展学生的五项特色素质，即独特的智能、自主的研究能力、卓越的领袖气质、执著的创新精神、开阔的国际视野。多年来我校十分注重对学生综合素质和自主发展管理意识的培养，并为更好地达到此目标而进行了不断探索。

2008 年 9 月，经过学校领导、教师和部分学生代表的深入讨论，决定建立城市化管理委员会，借鉴城市管理的形式，给学生提供一个更广阔的自主发展和管理的平台，使每一名学生都能够充分地参与到学校的各项事务中。

学校设想青岛二中就是一座城市，由学生选出的校长助理担任这个城市的市长。这座城市设立了一系列的类似政府的决策和管理职能机构，对于学校管理以及教育教学的方方面面都有不同的职能部门去管理和运作。同时，设置了学生议事会，作为对城市化管理委员会进行决策和监督的机构。这使得学校能够充分利用现有的资源，让学生在学校模拟城市的运作当中更好地体验社会生活的方方面面，使他们在面对未来的社会生活的时候不会感觉陌生、矛盾和困惑。

青岛二中城市化管理委员会下设学生自治会、素质拓展委员会及环境保护委员会三大职能部门。

其中，学生自治会是全校最大的学生自主管理部门，各项常规检查工作，例如课间操、眼操、迟到的检查等均由自治会的常委完成。除了进行日常检查，自治会还开展了许多深受学生喜爱的活动，例如元宵灯谜会、“文明礼仪大闯关”等。

素质拓展委员会，又称素质拓展营，是在青岛二中社团部的基础上发展而来的，其下有大大小小的社团近 50 个，涵盖素质发展的方方面面。素质拓展委员会按社团性质组建了九大训练营，全面开展各种活动。其中，模联社参加了北京大学模联大会和世界模联大会，多名同学获得最佳代表称号，我校也多次获得优秀组织奖；商务经济社组织的模拟经济峰会也取得了空前成功。挑战生存营还结合我校高二学生的学农活动，联系了专业的素质拓展组织对学生进行素质拓展训练，受到老师、学生和家长的热烈欢迎。

环境保护委员会是青岛二中新成立的一大组织，旨在培养广大学生的环保意识，通过实际活动为社会环保事业作出一名中学生应有的贡献。环境保护委员会组织了废电池回收盒设计大赛、用废旧物做材料的服装设计大赛等多项活动，还将节能检查列入优秀班集体评比的标准。现在的校园里，到处都有关于节能的温馨提示，白天走廊灯打开的现象少了，投影仪不关闭的现象少了，同学们都能够自觉地从身边小事做起，节约能源，宣传环保。

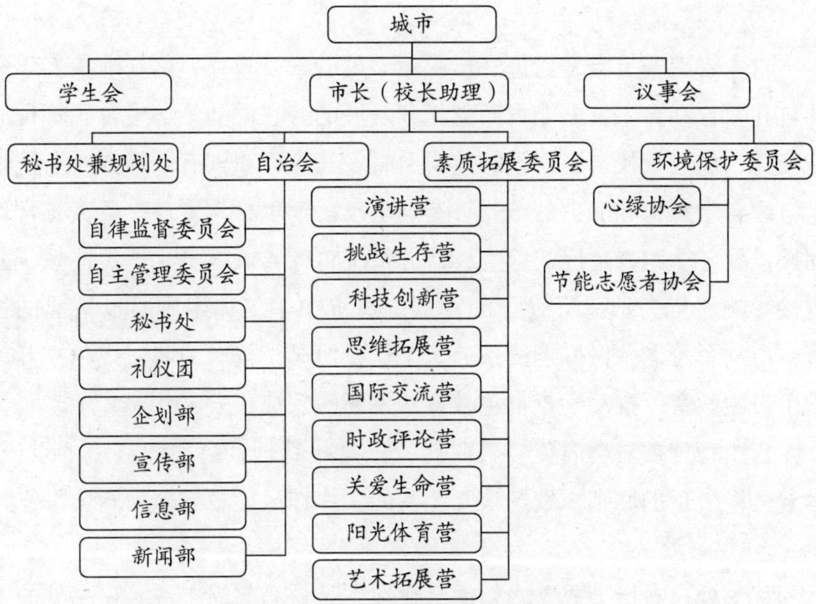

图2　青岛二中城市化管理结构图

(1) 自治会

自治会现有九大部门，分别是自律监督委员会、自主管理委员会、秘书处、企划部、礼仪团、宣传部、信息部、新闻部和外联部。自治会在学校领导和教师的大力支持下，各部之间团结互助、协调工作，为学校监督和管理作出了应有的贡献，也为学生锻炼自己、发展自己搭建了平台，成为校园中一道亮丽的风景。

① 自律监督委员会

青岛二中自律监督委员会是自治会九大部门之一，是一个集常规检查与活动组织于一体的多元化部门。常规工作包括早自习迟到检查、午自习纪律检查、大型活动的组织及秩序维持工作，主要是对学生落实校规校纪情况进行监督。自成立之初至今，自律监督委员会已经历了五年的风雨历程。在几届领导、教师、常委的共同努力下，由原先的小型组织、常规部门，发展成为成员近百人、功能强大、组织完善的学生自治组织，自律监督委员会正在茁壮成长！

② 自主管理委员会

自主管理委员会是为进一步深化学校的素质教育、更好地培养学生的自我教育和自主发展能力而创建和发展的。它调动了学生自我管理的积极性，成为我校自主管理的重要力量。其主要职责有：加强对全校学生自律自主意识和能力的培养，参与学校的学生日常管理；负责日常课间操以及冬季跑操情况的检查，计分情况将计入班级量化评价体系，并直接影响“行为示范班级”的评选；负责中午午休走廊静校情况的检查；协助舍管老师做好走读条分送工作；协同学校有关部门或独立开展学生自主教育，推动学校自主教育的不断深入。

自主管理委员会肩负“自我教育，自我管理，自我锻造”的重任，本着公平公正的原则，发扬认真扎实的工作作风，更好地为同学服务。

③ 秘书处

秘书处自自治会成立之初便已存在，是核心部门之一。秘书处的工作分为策划和宣传两大部分，据此而分成两大功能部门——宣传部和文书部。

宣传部是一个组织必不可缺的部分，部内每一名干事都积极认真地完成任务，出海报、派传单是他们基本的工作。在别人看来这可能十分枯燥，但对他们来说，每一次的创作都是一次奇妙的体验，他们不会厌倦，也不会烦恼于服务组织、服务同学。

文书部的工作主要是记录和策划，每次活动前的策划书，都是由他们细心整理出的。并且，文书部还有一个重要的职责，那就是做自治会的智囊团，为自治会的活动出谋划策，为自治会的工作解困排忧。

④ 礼仪团

青岛二中学生自治会礼仪团，自 2006 年 5 月成立以来，一直坚持“将礼仪引入二中，让文明传遍校园”的宗旨，积极承办学校礼仪宣讲及外事接待等任务，至今已经圆满完成青岛二中对内、对外接待任务六十余次，可以说，礼仪团是一个既年轻又富有经验的团队。

现在的礼仪团共有高一、高二成员六十余人，分为三个队，每队下设两个组，时刻准备承担学校的各项接待任务。礼仪团现已成为一支文明、懂礼、规范的团队。除了完成接待任务，礼仪团还作为青岛二中第一支文明礼仪宣讲团，到各班进行礼仪知识的讲解，将礼仪之风吹满校园，让校园更加文明、和谐、完美。

⑤ 企划部

企划部是一个充满生机与活力的部门。在这里，学生可以尽情畅谈自己对一项活动的设计，并和同学们一道对活动进行周密的设计和计划，锻炼自己的领导和组织能力。在这个团队里，学生可以迈出校园、踏入社会，为筹集必要的资金“拉赞助”，体验与公司经理对坐畅谈的趣味，磨炼“少年白领”的综合能力。

⑥ 宣传部

宣传部的最主要特色充分体现在其主办的《朝露》杂志中。《朝露》杂志创办于 2007 年年初，是一本年轻的杂志，但优秀的质量、丰富的内容却为它赢得了不少的读者。《朝露》杂志的创办者是 2005 级高二的一群学生，创办的板块主要有文学、电影、音乐、学法指导、名人访谈、与国际接轨的大学咨询等。《朝露》杂志目前面向全市销售，不仅适合高中生，而且适合即将升入高中的初中生以及其他文学艺术爱好者。

此外，宣传部还负责设计平日各种活动的宣传海报，在彩色的世界里，让学生的绘画才能得以充分地展现。

⑦ 信息部

2006 年 9 月，自治会信息部创立。信息部是以宣传自治会为职责的学生群众组织，主要工作是通过自治会网站对自治会进行宣传和推介，还要制作电子海报，对自治会活动进行网上文字及图片报道，参与组织自治会相关活动等。

自治会信息部是一个崭新的部门，因而在各个方面都从“零”开始，在不断地学习中发展与进步、完善与超越。

⑧ 新闻部

新闻部是 2008 年成立的部门，它主要负责在校园里及时传播国际国内重大事件、报道校内校外最新动态等，保证在第一时间为同学们提供丰富的信息饕餮大餐。高清晰摄影配上色彩斑斓的宣传介绍，教学楼的东厅永远闪烁着新闻部同学们智慧与辛勤的结晶，展现着二中人丰富多彩的校园生活。

（2）素质拓展委员会

青岛二中于2008年9月成立学生城市化管理委员会。作为这一学校重大改革中的一个举措，原学生会社团部从学生会中独立出来并进行了改革，成为学校又一个新的学生组织——青岛二中学生素质拓展委员会（素质拓展营），该委员会是学生城市化管理委员会的下设学生组织之一。

素质拓展委员会一方面秉承原学生会社团部的优良传统——搞好学生社团活动，丰富学生课余生活，使同学们能够发展自己的兴趣爱好；另一方面，在此基础上开拓创新，提出了更高的工作目标：培养同学们的各项素质，提高同学们的综合能力，实现“造就终身发展之生命主体”的育人目标。

为了达到这一目标，素质拓展委员会设立了九个训练营，它们是：挑战生存营、演讲辩论营、关爱生命营、阳光体育营、艺术拓展营、国际交流营、时政评论营、科技创新营和思维拓展营。每个营又下设与之相关的各个社团，学生可以根据自己的爱好参与到各个社团的活动中去，开阔视野、提升自我。

经过改革、确立工作目标、建立工作体系和制度后，学校利用“周末大舞台”的时间举行了素质拓展委员会（素质拓展营）的开营仪式，向全校师生介绍了委员会及其下属各营，让同学们对委员会有了更深入的了解。在开营仪式上，组委会展示了由高二（2）班杨婧、田雅婧同学设计的青年营营旗，代表“素拓”二字的拼音首字母“ST”被艺术化，组成了一个燃烧着的火炬图形，象征着富有活力的、蓬勃向上的青年一代。

开营仪式之后，学校在礼堂及中心广场举办社团推介会。各社团的上一届社员在舞台上展示自己社团一年的活动成果，并以此吸引同学们的兴趣，让同学们能根据自己的兴趣爱好选择适合自己的社团。魔术社的魔术表演、吉他社与 K 歌社的联袂出演、街舞社的活力舞蹈、轮滑社的高难度动作、街球社的娴熟技巧、武术社的独门绝招，无一不博得同学们的阵阵掌声与喝彩。

在素质拓展委员会中，挑战生存营是很受学生欢迎的一个营。挑战生存营与青岛市团委的相关部门取得联系，请专业老师来到学校，为 50 多名同学进行了相关的专业培训。经过多方联系和讨论，挑战生存营于 2008 年 10 月 1 日在青岛二中举行了首次活动。活动进行了一个下午的时间，在专业老师的带领下，同学们共参加了“生日链”、“走钢丝”、“运小球”、“齐心协力过大桥” 等有趣的训练项目。在两个多小时的活动时间里，同学们不仅体会到了活动本身的乐趣，更重要的是在活动中明白了团队合作的重要意义，体会到了互帮互助的高效益和作用。在一些益智类的活动中，同学们还一同想办法分析难题、解决难题，为找到最好的方法绞尽脑汁，为争取团队的最终胜利尽自己最大的努力。在整个活动过程中，同学们由最初的拘谨变为活泼，由开始的紧张变为放松。整场活动结束了，同学们还都沉浸在充实而富有意义的活动中，回味这寓教于乐的过程，大家纷纷表示，这次的活动很有意义，大异于以往刻板教条的说理讲座。在这次活动中，同学们以感受头脑风暴和分组合作的方式，真真正正地体验了团队合作的力量，学会了信任与被信任，也提高了动手操作和解决问题的能力。

国际交流营同样是一个活动丰富的部门，下设的模联社于 2003 年代表我校参加北京大学全国中学生模拟联合国大会，获得最佳组织奖，3 名同学获得最佳代表奖，并且有 6 名同学代表中国赴美国纽约联合国总部参加世界中学生模拟联合国大会。2004 年 10 月，青岛二中举行了学校的首届模拟联合国大会。2005 年 3 月，作为省内唯一受邀学校，青岛二中代表俄罗斯参加“北京大学全国中学生模拟联合国大会 · 2005”。2005 年 8 月，学校举办了“青岛二中模拟联合国大会 · 2005”，这是我国大陆地区首届由高中生自己筹办的模联大会。2006 年 3 月，青岛二中代表智利、比利时、立陶宛和坦桑尼亚参加“北京大学全国中学生模拟联合国大会 · 2006”。2006 年 8 月，青岛二中发起并邀请青岛九中、青岛五十八中参加，举办了“青岛二中全市中学生模拟联合国大会·2006”。2007 年 3 月，青岛二中代表摩洛哥、西班牙、突尼斯参加“北京大学全国中学生模拟联合国大会·2007”。2007 年 7 月，由青岛二中模联社发起，邀请青岛九中、青岛五十八中、青岛一中、青岛十五中、青岛十九中各校代表参加“青岛二中全市中学生模拟联合国大会·2007”。我校的模联社曾收到了时任联合国秘书长安南和外交部原部长李肇星的贺电。

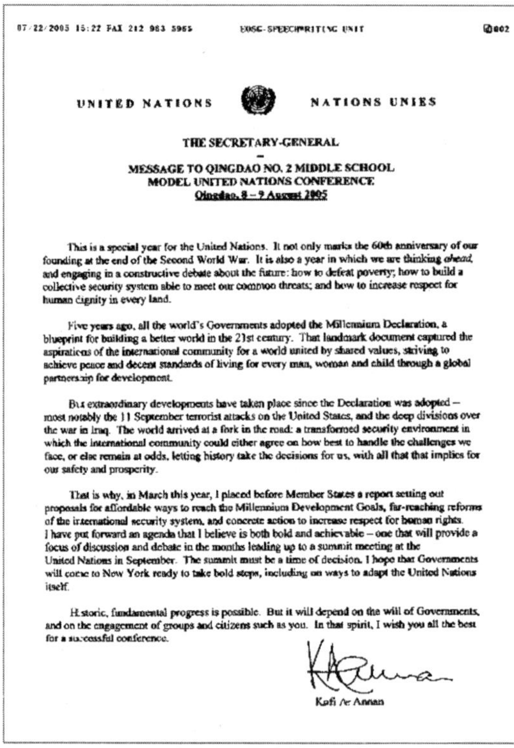

07/22/2005 15:22 FAX 212 963 5965 EOSG-SPEECHWRITING UNIT 002

UNITED NATIONS NATIONS UNIES

THE SECRETARY-GENERAL
–
MESSAGE TO QINGDAO NO. 2 MIDDLE SCHOOL
MODEL UNITED NATIONS CONFERENCE
Qingdao, 8 – 9 August 2005

This is a special year for the United Nations. It not only marks the 60th anniversary of our founding at the end of the Second World War. It is also a year in which we are thinking *ahead*, and engaging in a constructive debate about the future: how to defeat poverty; how to build a collective security system able to meet our common threats; and how to increase respect for human dignity in every land.

Five years ago, all the world's Governments adopted the Millennium Declaration, a blueprint for building a better world in the 21st century. That landmark document captured the aspirations of the international community for a world united by shared values, striving to achieve peace and decent standards of living for every man, woman and child through a global partnership for development.

But extraordinary developments have taken place since the Declaration was adopted – most notably the 11 September terrorist attacks on the United States, and the deep divisions over the war in Iraq. The world arrived at a fork in the road: a transformed security environment in which the international community could either agree on how best to handle the challenges we face, or else remain at odds, letting history take the decisions for us, with all that that implies for our safety and prosperity.

That is why, in March this year, I placed before Member States a report setting out proposals for affordable ways to reach the Millennium Development Goals, far-reaching reforms of the international security system, and concrete action to increase respect for human rights. I have put forward an agenda that I believe is both bold and achievable – one that will provide a focus of discussion and debate in the months leading up to a summit meeting at the United Nations in September. The summit must be a time of decision. I hope that Governments will come to New York ready to take bold steps, including on ways to adapt the United Nations itself.

Historic, fundamental progress is possible. But it will depend on the will of Governments, and on the engagement of groups and citizens such as you. In that spirit, I wish you all the best for a successful conference.

Kofi A. Annan

时任联合国秘书长安南的贺信

世界文化月之模拟申博活动，是国际交流营的另一个有特色的活动。这次活动主要以模拟申博这一特色活动为主题，主要内容是学生们代表申请世博会主办权的各国代表团进行申博演讲和特色展演。模拟申博大会分为场内申博和场外宣传展示两个模块。场内申博地点为学校礼堂，主要进行申博演讲和特色展演活动。场外宣传则是在中心广场进行

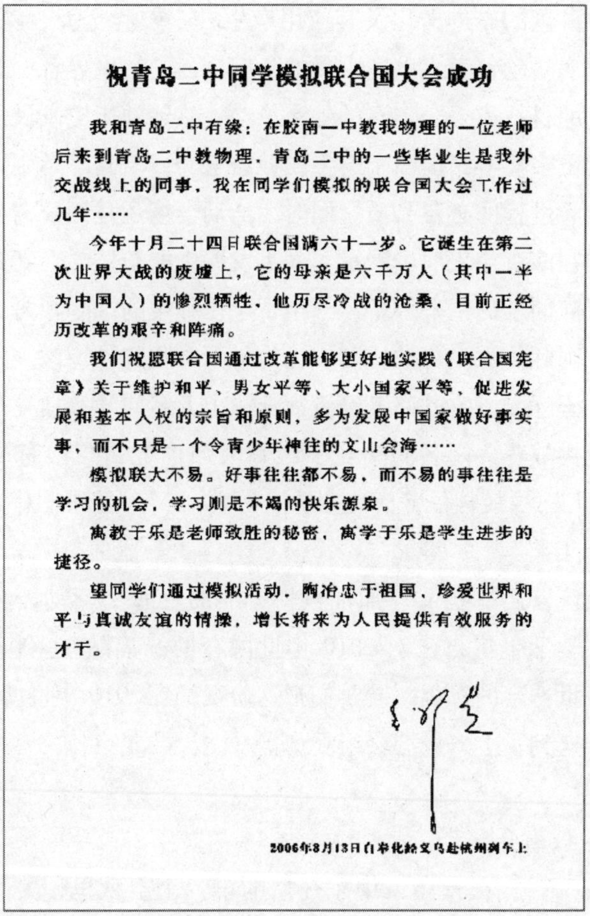

祝青岛二中同学模拟联合国大会成功

我和青岛二中有缘：在胶南一中教我物理的一位老师后来到青岛二中教物理，青岛二中的一些毕业生是我外交战线上的同事，我在同学们模拟的联合国大会工作过几年……

今年十月二十四日联合国满六十一岁。它诞生在第二次世界大战的废墟上，它的母亲是六千万人（其中一半为中国人）的惨烈牺牲，他历尽冷战的沧桑，目前正经历改革的艰辛和阵痛。

我们祝愿联合国通过改革能够更好地实践《联合国宪章》关于维护和平、男女平等、大小国家平等，促进发展和基本人权的宗旨和原则，多为发展中国家做好事实事，而不只是一个令青少年神往的文山会海……

模拟联大不易。好事往往都不易，而不易的事往往是学习的机会，学习则是不竭的快乐源泉。

寓教于乐是老师致胜的秘密，寓学于乐是学生进步的捷径。

望同学们通过模拟活动，陶冶忠于祖国，珍爱世界和平与真诚友谊的情操，增长将来为人民提供有效服务的才干。

2006年8月13日自奉化经义乌赴杭州列车上

时任外交部长李肇星的贺信

各国风情展示。

此次活动为突出国际化标准，主持人使用了中、英、韩三国语言主持。各代表团的演讲均采用中英双语的形式，演讲内容包括会徽设计及场馆设计的理念、寓意及特点，简要阐述该国家（城市）的政治、历史、经济、科技或外交的优势。特色展演形式则包括音乐、运动、国家特色活动、服饰、舞蹈等，向在场观众、评委们展示所代表国家的文化、经济优势，以取得申博的成功。

模拟申博活动通过让学生参与、组织模拟申请世博会主办权的活动，对世界各国的先进文化及其应用产生一个较为全面、深入的认识。通过筹划此次活动，学生以主人翁的角度全面了解世界各国优秀的文化内涵、先进的科技成果、丰富的外交策略、悠远的历史发展进程等，通过同世界的更多接触，提高了学生的社会素养，培养了学生关注世界发展、关注国际进程的必备品质。同时，活动会场还是一个富有特色的讲坛，学生们在演讲与表演中展示了人类发展中的新概念、新观点、新技术。各位展演同学的精心筹备，开拓了学校师生的国际视野，为学校师生带来一次国际优秀文化的盛宴，也为校园文化建设增添一笔亮彩。

另外，国际交流营的商务经济社选派了五名同学参加复旦大学全国中学生商业挑战赛，两名同学获“最具潜质商业精英”称号，团队获“最和谐团队”、“最佳任务解决团队”等称号，一名同学获大会最高奖项“最佳员工奖”。

国际交流营还举办了“加油世博，加油上海”活动，全校学生以及全市各中学学生将自己对2010年世博会的祝福贴在100米长卷上，表达对上海世博会的祝福，同学们把这份祝福在2010年世博会倒计时1周年的时候送到了上海世博会组委会。

4. 学生议事会

2000年9月，在青岛二中东迁后的第一个金秋里，美丽的校园中诞生了一个极具特色的学生组织——民主评议团。民主评议团的宗旨是“一切为了学生的发展”，这与青岛二中“造就终身发展之生命主体”的办学目标也是一致的。民主评议团用实际工作换来了同学们的信任和支持，代表们也以能担任这样的“上管天文地理，下管鸡毛蒜皮”的“大使”而感到骄傲，随着涉猎范围的不断扩大和部门作用的逐步增强，民主评议团受到了更多的关注。学校决定将民主评议团更名为“学生议事会”，旨在更好地发扬民主，使每个同学都能积极参与学校管理。

学生议事会主要是对学校各项事务进行评议，举办评议大会，由各班代表反映本班同学的意见和建议，经过讨论和整理后再反映给学校领导。通过这种方式，密切广大学生和校领导之间的关系，加强沟通交流，不断对学校的各个方面进行完善，以营造更好的学习生活环境。我校“周末大舞台”时间的调整，就是由议事会讨论提出，经学校领导认可后实现的。这个类似于人大的机构，对于青岛二中的发展起到了不可替代的作用。

下面这篇关于青岛二中学生议事会的报道，全面地反映了学生议事会的职能。

校园里的“人民代表大会”

——青岛二中学生议事会举办新学期评议大会

阳春三月，全国各地的人大代表奔赴北京参加人民代表大会，听取温家宝总理的政府工作报告，反映民意。2009 年 3 月 6 日下午，青岛二中学生议事会举办新学期评议大会，模仿全国人大听取政府工作报告的形式，由议员对青岛二中城市化管理委员会上学期工作报告和新学期计划作出评议，提出意见和建议。

城市化管理委员会制度实行一个学期以来，现由学生自治会、素质拓展委员会和环境保护委员会三大部分组成。会议首先由城市化管理委员会市长吴静超作 2008 年工作总结，然后由议员根据活动的开展情况进行投票，现场评选出“最具创意奖”、“最佳组织奖”等并颁发奖状。接着由市长公布 2009 年工作计划，议员对计划提出意见和建议，审议活动的可行性，以此使新学期活动更能符合同学们的心意。

本次活动的举办，俨然一次人民代表大会，气氛热烈又不失严肃。最重要的是，通过此次大会，我们看到青岛二中民主机制的运行更加流畅：通过学生议事会收集同学的意见，由同学为学生活动打分。

学生议事会是青岛二中一个极具特色的学生组织。作为与我校学生会、城市化管理委员会平级的组织，学生议事会的工作原则一开始就是明确的：自由、民主、平等。它主要负责行使监督和评议的职能，保证每一名学生都能参与到学校发展的过程中，使学校管理更民主、学生活动更有序。

青岛二中以“造就终身发展之生命主体”为教育理念，教给学生的不仅是知识，还包括高尚的人格和独立自主的精神，学生议事会正是在这样的期望之下诞生的。如果将青岛二中比作一个城市，那么学生议事会就是扮演负责监督的人民代表大会的角色。没有豪言壮语，因为有着坚定的信念。这是一个为同学服务的组织，是一个促进学生与领导交流的平台。在这里，议员们与领导面对面，说出同学们的心声；在这里，议员们集思广益，为学校的建设献计献策。

青岛二中是学生们的家，试问有谁不希望“我的家我做主”呢？而实现校园民主就是学生议事会一直以来的梦想，学生议事会也在为此而不懈奋斗着。学生议事会的特色就是民主，我们也在通过各种丰富多样的形式，增强学校的民主气氛，培养同学们的民主意识，鼓励同学们积极主动地参与到学校管理中来。

学生议事会成立以来，先后举办了多次评议大会，每一次都会根据同学们的意见选出2—3个有价值的议题，提前发放文字资料，由议员在全校范围内收集同学们的意见和建议，届时在评议大会上提出。

就这样，在全体议员的努力下，许多议题得到学校的肯定。青岛二中的传统活动——“周末大舞台”，旨在培养学生多方面的素质，开阔视野。但是由于各方面的原因，同学们周六参加活动的积极性并不高，活动的质量也难以得到保证。同学们通过学生议事会的评议大会，将这些“民声”及时反映给了学校领导，使领导们了解同学们真正的想法。通过民主讨论，最终定于周五下午开展“大舞台”活动。这样一来，同学们参与活动的积极性高了，活动质量高了，同时我们也拥有了一个完整的周末可以自我发展、自我提升。

食堂永远是学生们聊不完的话题，甚至还有同学写了几首打油诗来开玩笑。对此学生议事会专门召开一次关于食堂的评议大会，经过议员的反映，学校食堂的就餐环境有了新的改善，同学们就餐的心情更加舒畅。

美丽的雅典是民主政治诞生的地方，在青岛二中这片沃土上我们也应该有属于同学们的校园民主。为了增强学校民主的气氛，学生议事会举办了“民主周”活动，通过主题演讲、设置意见箱、收集“金点子”等活动，调动同学参与学校监督的积极性。其中举办的“学生代表大会”，模拟全国人民代表大会的基本流程，邀请学校领导和各个学生组织的负责人，对学校生活的方方面面提出自己的见解，开阔了学生的视野，加强了学生的参政意识。

作为青岛二中甚至青岛市独特的学生民主组织，学生议事会一直将“民主”思想贯彻到底。从每周例会到评议大会，“民声”就是学生议事会的养料，反映同学们想要反映的，监督学生活动情况。

心有多大，舞台就有多大。经过一个学期的努力，学生议事会形成了完整的评议机制，议员的力量也在不断壮大着。我们有理由相信，随着经验的不断积累，青岛二中的校园民主会走出二中，走向全市。一样的梦牵着一样的心，一样的心凝聚着无穷的力量。就让学生议事会将这股民主之风吹得更远！

A8 青岛新闻·城事

“模拟人代会”开进校园里

青岛二中36名学生“代表”昨议城市热点，最佳“议案”将提交有关部门

《半岛都市报》报道青岛二中学生议事会组织召开的“模拟人代会”

以上这些学生组织，是青岛二中的同学培养自己能力、发展自身素质的极好平台，青岛二中的学子们，在学习之余组织、参与这些极富意义的学生活动，是其生活中必不可少的一部分，而通过这些真正属于学生自己的学生组织，同学们对学校理念的了解更深入了，对学校的发展规划更关注了，“我的学校我做主”的主人翁意识也更强了。青岛二中的同学们都十分热爱青岛二中这片可以自由翱翔的天空。

5. 特色主题活动

(1)“感恩·关爱”教育

当下的学生多为独生子女，受多元文化的冲击，容易沾染功利主义、自由主义，从而形成自私自利的不良品质。为加强学生优良道德品质的培养，我们秉承山海精神，培养“仁”的品质，我们的感恩教育和关爱教育不仅要让同学们对自己接受的爱持有一种神圣和感激的态度，更要主动去关爱他人，从爱的接受者转变成爱的实施者。

因此，学校开展了一系列“感恩·关爱”教育活动。

第一，感恩老师、热爱学校活动。学校利用每年的教师节对学生进行感恩教育，鼓励学生为老师、为学校做一件有意义的事。例如：给学校提一条建议，做一次义务劳动，给老师写一封信、做一张贺卡、献一束鲜花、送一句感言、赠一首诗等。

第二，感恩父母、热爱家庭活动。①今天我当家。让学生利用假期里的某一天操持一天的家务、管理一天的支出，从中体会到家长的不易，激发对家长的感恩之情。②写一封感恩信。在军训或学农期间，让每名学生将自己对父母的感恩之情，写成一封信寄给父母，交流心声、增进亲情。③做感恩饭。利用周末或节假日，独立为辛劳的父母做一顿可口的饭菜。④说感恩话。古人云“言为心声”，鼓励学生经常对父母说说体贴或感激的话。周末回家，主动与父母交流，让父母放心。把对父母的感激用语言表达出来。

第三，“感恩的故事”演讲比赛。在班中开展以“感恩”为主题的故事演讲会，通过生动的故事诠释人生的哲理，使学生们认识到“孝心、爱心”是“立人之本”，是一切德行之源，并学会感恩。

第四，“感恩”主题手抄报、黑板报展示。各班用新颖的排版、立意鲜明的“感恩”内容，制作手抄报和黑板报，于第四周集体展出，使学生亲眼目睹感恩活动中优秀学生的形象和感人事迹，从中受到感染。

第五，“感恩”主题文艺节目汇演。编排以“感恩”为主题的文艺节目，让学生将文化艺术融入“感恩”活动中，从中得到熏陶。

第六，成立爱心基金。

学生会生活卫生部带领同学们利用课余时间，走向社会，通过校内外募捐、拉赞助、卖彩票、卖报纸、卖废品等方式，自己赚得“爱心计划”的资金，并启动了“爱心计划”，将筹款捐助给需要帮助的困难学生。在同学们的努力下，爱心基金不断增多，受资助的学生面不断扩大。几年来，总共募集资金125947元，帮助了几十名家庭贫困品学兼优的二中人。同学们也在活动中经历着、锻炼着、成长着。

以下是高一学生举行的“关爱教育”主题班会的摘录，体现了青岛二中“关爱教育”系列活动的针对性和实效性。

我　和　你

——“关爱教育”主题班会

参加人员：高一（5）班学生、老师及部分家长

主持：本班学生刘雨莎、刘昊翼

策划：班主任王新宇

（主持人开场白）

刘昊翼：今天我们在这里召开“我和你”主题班会，“我”是在座的每一个同学，“你”是谁呢？

刘雨莎：是我们生命中最重要的人，是我们的爸爸和妈妈。他们轻声细语的叮咛，意味深长的教诲，默默无言的呵护，体贴入微的关怀，时时让我们感受到亲情的美好。

刘昊翼：但是，随着年龄的增长，我们与父母的距离似乎有点远了。我们不再是爸爸妈妈的“小尾巴”，不再喜欢参加他们组织的活动，不愿意让父母走进我们的房间，可能我们早就厌倦了父母的唠叨……

一、展示调查问卷统计结果（提出问题）

（调查总人数53人）

1. 父母对你的关爱是否有让你误解或不喜欢的时候？

　A. 是（44人，占83.0%）　　B. 否（9人，占17.0%）

2. 你是否有过因为表达关爱的方式不当反而让父母不高兴的经历？

　A. 是（30人，占56.6%）　　B. 否（23人，占43.4%）

3. 你觉得父母对你的需求了解有多少？

A. 80%（23人，占43.4%） B. 60%（24人，占45.3%）

C. 30%（6人，占11.3%）

4. 当与父母发生矛盾时，你是否主动与他们沟通和解？

A. 是（22人，占41.5%） B. 否（31人，占58.5%）

刘昊翼：调查结果显示大部分同学与父母沟通不顺畅，不能充分地感知来自对方的关爱，并可能因此时常碰撞出“火花”。在我们的日常生活中，就会时常看到这些火花。下面请罗艺斐同学与我们大家交流一下她写的一篇周记。

二、周记引发的联想，感受父母对子女无私的爱护（分析问题）

1. 罗艺斐读自己的周记

周末要返校时，考虑本周体育考试，我想换一双合脚的运动鞋。临出门前，突然发现想穿的鞋不见了。妈妈先下楼启动车子了，一定是妈妈把鞋穿走了。我只好先穿另一双鞋。下去再跟妈妈换吧，我心想。

我本想在出发前就跟妈妈换过来，可妈妈说：“一会儿路上车该多了，到学校再换吧。”

到了学校，妈妈下车来到后座，连车门也没关，就要和我换鞋。当时马路上返校的同学特别多，又临近公交车站，我觉得在这儿脱鞋太丢人了。但是妈妈没有丝毫顾虑，直催我快点，我不情愿地脱下鞋。妈妈好像想起什么，突然说：“别换了，你穿着这双鞋，另一双也拿着，我光着脚回去就行。”我本来就很烦心，一听这话，觉得妈妈荒谬至极，随口冒出一句：“光脚回去，你有病啊！”妈妈惊异地看着我，轻声说：“你这孩子……怎么说话呢？我是想让你多双鞋穿。”我立刻反应到刚才伤了妈妈的心，一时不知道说什么好。其实我很想说：“妈妈，对不起。”但是道歉的话始终没有说出口。

下车以后，妈妈还像以前一样拥抱了我，并祝我一周愉快。妈妈脸上的表情很平静，像什么也没发生一样。

走在通往宿舍的路上，我的心里一直堵得难受……

刘雨莎：请罗艺斐现场对妈妈谈感言、罗艺斐妈妈谈感言。

2. 同学们联系平日里父母辛劳的付出，谈谈体会来自父母的关爱，请2—3名同学在班上交流分享

刘昊翼：下面请我们的心理老师曾莉老师就同学们交流的内容进行点评。

3. 心理老师发言

① 父母的关爱因为不用追求就已获得所以易被忽视，独生子女的特有身份更容易如此。(所以要用心感受父母的爱)

② 青春期是对父母的否定期，易出现对父母关爱的叛逆和误解。

③ 青少年渴望长大独立，拒绝被关爱、被感动。

④ 因为太亲近，少了尊重的形式和内涵。

⑤ 因为代际差异（年龄、时代、角色)，难以理解父母。

在这些方面，做孩子的应作出思考，做父母的也要作出思考。

三、家长发言

给孩子的一封信

亲爱的孩子：

从你呱呱坠地的那一刻起，我的世界就完全改变了。我是如此感谢、珍视你的到来，因为你纯真的眼神和甜美的笑容里，饱含着生命的美丽。看着你一天天成长，从满身奶香的娇弱婴儿，到青春洋溢的阳光少年，我无比喜悦和满足，你是我的奇迹，是我生命的延续，为你，我愿付出自己的一切。

可是，孩子，很多时候，工作的繁忙、生活的压力让我变得粗糙了。我忙着照顾你的衣食住行、叮嘱你各种琐事、关注你的学习成绩，却恰恰疏忽了成长中的你最需要的是倾听和理解。两代人的观念、行为的差距，也常常成为我指责你的原因，其实仔细想想，我不也是从年轻时候走来的吗？只是，孩子，在我的心中，你是如此的宝贵，我希望你拥有世上的一切美好，更希望你能少走我曾走过的弯路。于是，我常急

躁地批评你，我能觉察到成长中的你，心中有焦虑和不安。但是，孩子，我知道总有一天，你会离开我的怀抱，飞向属于自己的天空。正因为如此，我希望能够在有限的时间里，教给你更多，让你体会到我对你的挚爱。

孩子，你要记住，无论在哪里，无论遇到什么事，我的怀抱都为你敞开，我愿意分享你成长中所有的乐与苦。

四、把爱落实到行动中（解决问题）

刘雨莎：我们如何对父母主动关爱、如何把对父母的关爱落实到日常行动中呢？请大家拿出笔，用简短的语言，把周末最想为父母做的事写下来。

刘昊翼：亲爱的爸爸妈妈们，你们什么时候最希望得到孩子们的关爱？希望孩子用什么样的方式表达关爱呢？也请您用简短的语言把它写下来。

五、班主任小结

今天的班会是我们“关爱”主题教育的系列活动之一，“关爱”的内涵非常丰富，关爱的对象有很多，关爱父母只是其中的一个点。我们为什么要从这个点切入呢？

因为孝敬父母、关爱父母是中华民族的优良传统。“孝”是百行之本、众善之初。汉代许慎《说文解字》解释：“孝，善事父母者。”几千年传统的儒家思想，一个突出的方面就是“孝”。《孝经》谈道“大孝者，天之经也，地之义也，德之本也。”

（屏幕展示金文、小篆和繁体隶书、楷书的“孝”字。）“孝”是个会意字。金文和小篆的“孝”字，子承其亲，意思是孩子背着父母。身为子女，我们要知道如何行孝，孔子说：“犬马皆能有养，不敬何以别乎？”孝顺父母，要出自真诚的爱心。再看这个小篆的“爱”也是个会意字，表达大鸟哺育小鸟的一个温情的动作或场景。整个字的上端，是一只俯首的大鸟，那个“心”实际上就是大鸟的下俯的头，而下面的“夂”，则是一只嗷嗷待哺的仰嘴向上的小鸟的头。爱是父母对子女的舐犊之情。现在繁体隶书和楷书的“爱”字，中间是个“心”字，爱就是“心受”。这就提醒我们，无论是爱人，还是被爱，都要用心付出和感受。关爱是相互暖心的行动，从这颗心产生，让那颗心感知。我希望在座的爸爸妈妈多给孩子表达关爱的机会，也希望爸爸妈妈愉快地接受孩子关爱的表达。

六、合唱《感恩的心》

（2）传统文化教育

中华传统美德是五千年中华文明的历史积淀，作为传统文化的核心，与之相应的是源远流长、博大精深的道德传统。而学校德育是传承中华传统文化的主要渠道。青岛二中始终把“继承和发扬民族文化传统和民族精神的教育”及“中华传统礼仪教育”作为学校德育工作的重要内容之一。

首先，以经典诵读为先导，加强学校传统美德教育。

为了更好地加强学生对传统文化的理解，针对高中学生的年龄特点，通过语文教学和政治教学布置学生诵读经典内容。让学生每天利用一定时间，饱览古今传统经典。学生从对传统经典的好奇，到对内容的初步理解，到彼此间的相互传诵，从“孔融让梨”、“黄香温席”，到“囊萤映雪”、“精忠报国”，从“学而知”入手，逐步达到“知而行”、“行更知”的德育佳境。

其次，以校园环境建设为导向，营造学校传统美德教育的氛围。

为了让学生更好地理解和学习中华传统的系列内容，学校给学生提供更多更好的教材及图书。同时，学校也更加注重校园环境的建设及传统文化氛围的营造。一进学校的校门，走在以“仁、义、礼、智、信”、“真、善、美”命名的“达仁路”、“达义路”、“达礼路”、“达智路”、“达信路”、“尚真路”、“尚善路”、“尚美路”等校园道路上，看着宣传栏和校园显著位置上的诸如“忠勤、仁义、厚德、睿智”的名言警句、古代教育家孔子等人的肖像及古香古色的图画诗文，让人感受到传统美德教育无处不在。

为了使传统美德教育更深入学生的学习和生活，学校针对不同楼层年级的特色，开动传统美德教育的联动车。从教学楼开始，学校力图让每面墙壁会说话，从图文并茂的名言警句，到班级黑板报上学生学习传统美德的感悟体会，真正实现传统美德教育的针对性和实效性。

另外，学校语文教师对中华传统文化中的经典内容——“仁、义、礼、智、信、温、良、恭、俭、让”逐字作了十场报告，联系现实赋予了它们新的内涵。学校还聘请全国知名高校的专家学者来校作《论语》解读，播放了全国知名学者有关《论语》、《老子》、《庄子》的讲座光盘。通过这些举措，逐渐形成了现代教育理念与传统文化渗透有机结合、以“传统美德”为精神力量的德育风格。

青岛二中中国传统文化教育月活动设计

（一）阐释传统文化之内涵

由本校语文组老师轮流对“仁、义、礼、智、信、温、良、恭、俭、让”十大儒家所提倡的优秀人格品质向全校同学进行宣讲。阐释中华传统文化中的优秀品质，引导同学树立正确的人生观和价值观，同时在校园内形成一种良好的文化氛围，倡导将其融入生活的每个细节。活动结束后，每班根据这十种精神品质，分别评出十位最佳代表进行表彰，鼓励大家向这些同学学习。

（二）品味传统文化之角色扮演

利用班会时间，各班开展关于中华传统文化的讨论活动。每班由班委组织，分成十个小组，从“仁、义、礼、智、信、温、良、恭、俭、让”十大优秀品质中任选一个进行模拟表演；小组同学自行设计表演内容，来体现其中一项品质的深刻内涵；全体展示过后，由同学们谈出心中的体会，班委总结，并引导大家努力拥有这十大优秀品质。

（三）品味传统文化之知识拓展

中华传统文化博大精深，各种名著典籍中蕴藏着丰富的哲学思想和民族智慧。由学习部、演讲训练营和校电视台联合举办读书节活动，带动全校同学读经典，使其更加全面地了解中华传统文化。在此次读书节活动中，学习部负责征集传统文化知识，演讲训练营负责培训同学对传统文化知识进行讲演表述。校电视台负责节目的制作和播出，并于每天的5：40—6：20通过校园电视台在全校播出。通过读书节活动，以一种良好的文化传播途径丰富同学们的传统文化知识，使其更加了解中华文化的精髓实质，逐步形成个人良好的行为习惯，成为一名有内涵的中学生。

（四）品味传统文化之实践应用

组织慰问孤寡老人，庆祝重阳节。由社会实践部和关爱生命营联合组织开展社会实践活动，在每班招募2—3名志愿者，去星光老人院进行实践活动，看望并慰问老人，向老人们致以节日的问候，并表演各类节目，和老人共度重阳节。志愿者们“孝敬老人”、“关爱生命”、“无私奉献”等优秀品质，带动和影响了身边的同学，从而开展一次又一次的实践活动。将品质与实践结合，将学校与社会结合，更加充分地引导学生学习中华传统文化，形成更加优秀的人格品质。

（3）绅士风度、淑女风范教育

人类已经迈入了21世纪。这是一个经济全球化、文化多元、价值多元的时代，人们更加崇尚个性和自我发展，尤其是广大青少年。在这种背景下，学生对文明礼仪素养的认识有所淡化，校园中不文明现象也时有发生。为此，学校决定开展现代绅士淑女教育。活动过程如下。

第一，校长动员。

青岛二中校长孙先亮在学校“做现代绅士淑女”动员大会上作了动员报告。以下是报告的精彩摘要。

中国素以“礼仪之邦”闻名于世，中华民族历来十分重视文明修养。荀子云：“人无礼则不生，事无礼则不成，国无礼则不宁。”文明礼仪是我们学习、生活的根基，学生的文明素养是校园文化的重要体现。那么，学生的文明素养应该体现在哪些方面呢？

其一，仪表端庄，简洁大方。不一味追求时尚，不穿奇装异服，不留前卫发型，一身干净整洁的校服就是最秀丽雅致的装扮，简洁折射的是青少年独有的魅力。

其二，举止文明，彬彬有礼。见了客人及师长要主动问候，常用“您好、请、谢谢、再见”等文明用语。有校内外的其他老师来听课，要掌声欢迎，下课时要掌声欢送，等客人离开再走出教室。遇下课人流高峰不便问候时，可向老师及客人微笑致意。微笑是世界上最美丽的语言，它既无障碍，又让人温馨舒适。公共场合下要随时注意自己的形象，不奔跑，不喧哗；上下楼梯时要右行，让师长或女士优先；乘车时要让老人、儿童、病残者优先，主动为他们让座；参加公共集会时，要认真听讲，做一个文明的观众，不做与会议无关的任何事情，需要时给予热烈的掌声表示赞赏和感谢，让讲话者（或领奖人）因你的掌声而感动、自信、自豪，让会场充满温馨与和谐的气氛。

其三，含蓄内敛、博学大气。绅士、淑女不仅是一种外在的形象，更重要的是内在的气质，让人感觉到一种由内而外的美，而这种内在的气质必须有正直善良的心为底蕴，以广博的知识为支撑，以豁达的胸襟为桥梁，做一个含蓄内敛、博学大气的当今时代的绅士、淑女。不仅要努力学习课本知识，更要广泛涉猎课本以外的各种知识，渊博的知识自会使人产生一种儒雅大气的风度和气质。大气者在于识大体，有个性而不事张扬，有骨气而不自命清高，不以一己之好恶评论世事，而以包容之心善待众生。文明的绅士、优雅的淑女每做一件事、每说一句话都会考虑是否会伤害他人，是否与周边的环境不协调，从而流露出一种谦谦君子的翩翩风度和优雅女士的动人魅力。

其四，慎独其身，讲求公德。公德意识最能反映个人的文明素质，尤其是独处时。当你以虚拟的身份在网络中自由翱翔时，你是否考虑过你的言行对他人、对社会会产生什么样的影响？当有的同学在网上用粗话发泄自己对某位老师或学校的不满时，你是否想过那位老师的感受以及学校的声誉？当你冲动时飞起一脚将黑黑的鞋印印在墙壁上时，你是否想到它有碍观瞻，别人需要花多少气力才能将其清除掉？当你随手在墙壁或桌椅上涂鸦时，你是否想到他人的感受，学校的影响？如果我们能留心一下这些不经意的小事，能独善其身，遵守公共道德，强化公德意识，我们就是绅士、淑女，就能为文明和谐的校园及社会生活平添一道美丽的风景。

第二，发动学生讨论。现在重提绅士淑女教育是否不合时宜？现代绅士淑女的内涵是什么？最终对现代绅士淑女的内涵形成了统一的认识，即《当代绅士淑女礼仪》。

当代绅士淑女礼仪

1. 富有爱心，善解人意，尊老爱幼，正义助人。
2. 仪表端庄，气质高雅，举止文明，含蓄内敛。
3. 知识渊博，志存高远，正直豁达，自强不息。
4. 主动问候，微笑致意，谦逊礼让，彬彬有礼。
5. 坐态端正，站态自然，形态稳健，谈吐大方。

下面这篇采访实录多方位地反映了"'绅士风度、淑女规范'主题教育月活动"的成果。

"'绅士风度、淑女规范'主题教育月活动"专题采访

青岛二中　自治会新闻部

采访地点：学生食堂

记者：师傅，您好！请问您感觉最近的同学们相比以前在打饭时的表现有什么变化吗？

食堂师傅：确实有变化，现在跑饭①的比以前少了一些，也很少看到气喘吁吁的同学了。还有，前几天有个女生卡里钱不够了，后面一位同学就帮她打了卡，看样子他们不认识，那女生一个劲地说谢谢。还有，越来越多的同学打完饭会对我说谢谢，或者微笑一下，让我心里感觉很温暖。打饭的队伍也很齐，很少有拥挤插队的事情发生。

采访地点：学校小卖部

记者：老师，您好！请问您知道近日学校举办的绅士淑女主题教育

① "跑饭"指为提前买到饭，跑步到食堂的现象。

月活动吗？您觉得现在的同学们与活动前相比有什么变化吗？

售货员：有啊，排队比以前更有序了，对我说谢谢的人也更多了，双手接东西的人多了，还有微笑也更多了，语气更柔和客气了，也没什么排队不耐心、发脾气的同学了，忙乱里没打卡的也能主动回来补上，拿错东西的能主动归还，变化挺大的。我在这里工作也越来越愉快，这个活动确实不错。

采访地点：教师办公室

记者：老师，您好！请问在最近学校举办的绅士淑女主题教育月中，您觉得同学们在行为举止上有什么明显变化吗？

老师：有啊，以前许多同学见了老师的面都装作不认识，而现在我在学生面前经过的时候，明显地感到向我问好的学生多了，师生关系也变得更加和谐，而且也能听到同学们之间使用文明用语了。他们彼此之间的关爱程度也有所上升。同学们已经把“绅士淑女”当成了自己日常行为的一个标准，平日十分注意自己的言谈举止，使自己努力向这个标准靠拢，我认为这项活动对同学们产生的积极影响是显而易见的。学校应该继续搞下去。

6. 全员导师制

当前，家长对学校的要求已经不仅仅局限于有好的文化课成绩，考上一所好的大学，更希望老师关注学生的心理健康、学生的生命质量。这就要求学校不仅要提高教学质量，更要提高教育质量；不仅要关注群体，更要关注个体。每个学生也都渴望得到更多的关注，在自己的成长过程中受到及时的、更有针对性的指导，这种指导应更加突出学生的成长过程，而不是对阶段性成长结果的评价。

尽管班主任是学校德育工作的主力军，但他们的工作负担普遍较重。如果仅靠班主任对学生的思想、心理、情绪等进行全方位的指导，工作往往会滞后于事态的发展，而无法做到及时的预防。

此外，每一个学生都有自己喜欢的老师，而这个老师未必是自己的班主任。学生愿意接受这些老师的教育和指导，以便于将自己的思想、心理问题及时地倾诉出来，有效防止问题的发生和事态的扩大。

如何满足家长的需求？如何盘活学校资源？如何使每一个学生能及时地受到老师的教育和指导？青岛二中的决策者开始酝酿、论证和筹划“全员育人”这个富有改革创新精神的系统工程。

为什么定位于全员导师？所谓全员是指每个教师都应该并有责任自觉参与到对学生的帮助指导中，对他们的思想、性格、学习、生活等给予全方位的帮助指导。全员参与并不意味着人人都一定会成为导师，但每位教师应具备成为导师的思想准备和自我要求。

导师的职责是什么？它与班主任的区别在哪里？怎样避免工作的无效性？经过反复推敲、征询各处室意见，我们明确了导师工作职责，这就是：了解学生，帮助学生分析其优点，指出其不足，鼓励学生扬长避短；指导学生制订发展计划和人生规划；经常与班主任沟通交流，形成教育合力。

经过一系列的前期酝酿、论证工作，《青岛二中全面导师制实施方案》顺利出台。该方案对导师工作的目的意义、职责要求、实施步骤以及优秀导师的评选办法作了详尽具体的规定说明，并在新学年的全体教工会议上进行宣读、布置。全员导师制工作正式启动。

首先，学生自选导师、填写《导师选择意向表》（选定一位导师、提出需要帮助的问题、对导师的期望）。然后，导师根据学生要求，定时或不定时、定点或不定点地对学生给予及时的帮助。思想困惑、早恋困惑、交往困惑、学业困惑、生活困难……事无巨细，随时随地都可进行交流与沟通。办公室、书吧、学生宿舍、运动场及校园各个角落，随时可以见到师生促膝谈心的场面。“老师就在我身边”已成为学生的共同感受。这种爱与责任，不是高高在上的说教，也许就是几句掏心窝子的话，也许就是作业本上的几句批语，也许就是一次有力的握手，也许就是一次不经意的鼓励……导师不是圣人，但却是愿意走进学生心灵的人，是愿意把自己的爱无私奉献给学生的人。有这样的导师群体，学生幸甚，教育幸甚。

学生是幸福的。生活学习在青岛二中，学生在充分享用学校得天独厚的育人资源的同时，更得到了来自每个导师的关怀帮助。导师是幸福的。能够做学生的导师，无疑是学生对自己人格和学识的认可，更是学生对自己的期望和鞭策。每个导师都倍加珍惜这份荣耀和责任，也不同程度地体验到了作为导师的幸福和快乐。下面的两则导师感言充分证明了这一点。

生物教师卜宪娜在《导师感言》中写道：

我们也曾经年轻，也曾经有过和他们一样的感受、一样的困惑、一样的痛苦，要时时从他们的角度出发，走进学生的情感世界，去感受学生的喜怒哀乐，把自己当做学生的朋友，才能进行行之有效的交流和辅导。而且在对学生进行辅导时，我始终遵循自愿和平等的原则，只有在其自愿时或真正需要时才进行辅导交流，不强迫学生谈问题。在所有的教育艺术中，我认为最重要的前提是平等、尊重和信任。平等地对待学生，尊重学生的独立人格，尊重他们的选择和兴趣爱好，尊重他们的思想和见解。只有尊重，我们才会耐心倾听，真心分享；只有尊重，我们才不会把自己的意愿强加给学生，才不会主观武断地去分析他们、否定他们。而信任学生则是对他们最大的奖励。我们对学生发自内心的尊重和信任才会赢得他们对老师的尊重和信任，他们才会接受我们的引导和教育。

数学教师于静宜在《做学生良师益友》一文中写道：

十六七岁的中学生，他们的生理、心理都在发生着变化，在他们实现人生奋斗目标的过程中需要有人帮助和指点。尤其是寄宿制学校的学生，他们每天面对着同龄人，与同龄人之间的交流毕竟有一定的局限性，而作为成年人的教师，在其最需要人帮助的时候，会带给学生积极的有指导作用的意见和建议。“导师”承载了太多的来自学校、家长、学生对我们的信任，更让我们感受到其中的一份责任……我没有把谈心时间和地点刻意固定，课后去食堂的路上，晚自习前校园林荫道上，在这种轻松愉快、不加任何雕琢的氛围中，我欣慰地感受到，学生的心离我越来越近。做导师很重要的内容就是要做学生的益友。做益友，才能真正融入学生生活。

只有献出爱心，我们的导师工作才能充满深厚的感情，才能让学生真正体会到其中深厚的人文关怀。只要有了爱心，我们会与学生走得很近，心连得很紧，我们的导师工作才会有成效。我们的每一位导师正是把关爱洒向了班里的每一位学生，滋润着学生们的心田。

青岛二中全员导师制的产生和发展，不是偶然的。多年来，青岛二中始终坚定地走着素质教育的探索之路，对“素质”的理解更加理性、全面，更具有“以人为本”的特质。以学生为本，无论何时都是教育的核心。而用什么方式、什么手段体现这个核心却没有一定之规。在这方面，青岛二中的决策者真正体现了“领先一步，追求卓越”这一理念。从全员导师制的论证、构想到方案的起草、成型，再到全员大会的传达、布置、实施，每一步，每个环节，均“走”得踏实稳健。因为这个方案是立足于青岛二中的现实需要，立足于青岛二中的素质教育，因此，它的全面实施很快就产生了积极作用。它丰富了学生的心灵世界，提升了学生的人格品质；它挖掘了教师群体潜在的育人资源，与班主任工作互为补充、相得益彰。在信息沟通、资源共享、效益共生方面，全员导师制达到了有机融合。因此，这种制度的不断成熟和发展，在很大程度上提升了青岛二中的育人层次和办学效益，受到全体学生和家长的由衷欢迎。

7. 心理教育

社会转型期带来的种种困惑，使人们的心理冲突日益增多。世界观、人生观和价值观的多元化，给教育提出了一个十分严肃的课题，即教会学生如何判断、选择和确立做人的准则，如何营造健康的精神家园，以“关注学生心灵，塑造健全人格”为宗旨的学校心理健康教育因此应运而生。

自 1998 年开始，青岛二中就在已有的心理健康教育工作基础上，引进专职的心理健康教育教师，进行更深入的研究。十多年来，他们结合学校“人格健全、素质全面、终身发展”的育人目标，以科学的理论、正规的操作，高起点、高标准、全面、深入地开展心理健康教育工作。

（1）开设心理健康教育课

青岛二中在高一年级开设了心理健康教育课，向学生普及较为系统的心理健康知识，提高学生的心理保健意识和心理健康水平。心理健康教育课联系学生心理实际设定授课内容。

自我意识辅导。青岛二中是青岛市综合实力最强的高中，每年中考都能招揽到青岛市最优秀的学生，可以说是群英荟萃。这就使得学生的竞争压力增强，容易迷失自我：或者消沉、自卑，觉得自己笨了、不行了；或者虚张声势、自吹自擂，寻找各种机会表现自己；或者逃避现实，用一些不切实际的做法寻找心理平衡。面对学生的这些不良心态，心理老师在新生入学之初就通过自我评价、他人评价、心理测量等各种方式，引导同学们认识自己、悦纳自己，促进其建立相对客观、积极的自我意识，进而发展自己，适应环境。

人际交往辅导。一个人的人际交往状况是反映其心理健康状况的重要参考指标。对人冷漠、苛刻、攻击，自我封闭、孤僻、傲慢的人，其心理健康状况一般说来不是很好。现在的中学生大都是独生子女，在人际交往方面往往存在或多或少的缺陷，例如对人的理解、尊重、宽容、亲和力等多有不足，再加上高中同学间的竞争增强，这就使得同学间的交往趋于复杂。有一位同学在心理笔记中写道：“我相信自己永远是卓尔不群的，我无法容忍宿舍内同学的俗气。我是在高空飞翔的大雁，中了猎人的枪弹，受了伤，掉了毛，成了一只掉到地上的鸭子。”为引导同学们更好地相处，心理老师开设了“走通心与心”、“让我们同行”、“友谊从沟通开始”、“听你，听我——学会倾听”、“学会赞美与拒绝”、“既生瑜，也生亮——关于包容”等心理辅导课。此外，中学生与父母的交流和沟通也存在不少障碍，针对这一问题，心理老师开设了“跨越代沟”、“发现母亲”等辅导课。异性交往永远是高中生热议的话题，为此，他们开设了“成长在爱的春天”等讨论课。

学习压力辅导。青岛二中的学生比较普遍地存在较大的学习压力。每个学生对学习成绩的自我期待不同，不管是学习好的还是学习差的学生，只要其实际学习成绩与自我期待有一定差距，就会不满。学习较差的学生，学习过程中体验不到满足感、胜任感，学习情绪长期处于低迷状态，就会出现学习上的习得性无力，进而导致或轻或重的厌学情绪。在厌学的消极情绪下，学生的智力发展受阻，该会的也不会了，就会出现“我不行——所以我不干了——结果我就真的不行了”的恶性循环状态。学习好的学生，若达不到自我期待状态，就会更加苛刻地要求自己，不允许自己享乐，不允许自己考试出两个错误，直至把自己逼得产生过度焦虑或强迫症状。为了让学生对考试有客观认识，对自己的学习有客观定位，心理老师围绕考试心态调整开发了“认识焦虑，拥抱考试”、“考而不死是为神”和“关注过程，追求成长”等学习心理辅导课。

情绪辅导。青春期的情绪就像坐过山车一样，激烈而多变。如何引导学生正确认识情绪、学会调控情绪、立志奋发向上？为此，心理老师开发了“在挫折中成长”、“做情绪的主人”、“心若在，梦就在”、“我的未来不是梦”、“面对不可能的任务”、“高台背摔”等关于情绪和挫折的心理辅导课。

价值观辅导。心理健康教育的根本是让学生建立积极的人生观、世界观，为了让学生客观积极地认识社会、认识生命、认识人生，心理老师开发了“精神拍卖会”、“话说公平”、“小议面子”、“寻找拥有与缺失”、“生命的意义”、“寻找心灵的百宝箱”等心理辅导课。

心理健康教育课的授课过程以活动为主，讲授为辅。课程设计形式多样，取材广泛，淡化理论，强调体验。心理训练、问题辨析、情境体验、角色扮演、游戏辅导、小组讨论、小品故事、音乐欣赏、绘画表达等都是心理健康教育课的课堂形式。整个授课过程中特别强调学生的内心体验，只有真正触动了学生的心灵，才能使学生确有所得，达到认知改善、情感参与、技能获得、意向形成、行动介入的目的，从而在其日后的学习、生活中加以运用。

十年来的心理健康教育课深受学生欢迎，近几年来的学生满意率常常达到99%以上。为满足学生的需要，2004年以来，青岛二中又在高二年级开设了年修20课时的心理选修课。老师自编讲义，以活动体验、讲授、电影欣赏、讨论、感悟、练习、脑力激荡等方式进行授课，让学生提高人际沟通能力，深入了解自我内心世界，增强自信和心理健康维护能力，初步了解心理学历史和发展，认识青春期心理等。报名人数连年增加，深受学生欢迎。

（2）面向全校学生做心理咨询，开通“青岛二中心理热线”和“心语”信箱

青岛二中云集了青岛市内的优秀学子，这些学生在以往的学校生活中，通常得到的是肯定和赞赏，在家庭中，也因学习成绩优异而备受家长的宠爱，因而掩盖了他们身上心理、人格等方面的许多问题。来到青岛二中这所岛城名校，一流的同学、一流的老师、一流的设施、一流的环境，给人一个感觉，好像等着学生的就是一路的鲜花和坦途、名牌大学的录取通知书和通往一生幸福的通行证……而事实上，接到青岛二中的录取通知书，同时也接到了新生活的挑战书：学习难度的加大，竞争对手的增强，同学交往的困惑，寄宿生活的磨炼，同学生活空间的高度融合所产生的冲突与摩擦等。接到录取通知书时的兴奋与自豪，会被高中生活的各种困扰所冲淡，这会使对此没有思想准备的同学感到失望，进而情绪低落、夸大困难、逃避现实，被自卑、不满、敌意所笼罩，而看不到学校有利于学生成长的优越条件。心理咨询像心灵的天使，她引来涓涓清泉，浇灌学生心灵的百花园，涤荡学生心中的郁闷，让学生一次次重新高扬生命的风帆！

心理咨询作为学校心理健康教育的重要组成部分，可以及时排解学生的心理困扰，化解学生的心理问题，阻止不良情绪的蔓延和极端行为的发生。心理咨询室每天下午4：20—5：20向学生开放，两位心理老师同时值班，周一、周三晚6：30—9：30由两位老师轮流值班，作好咨询记录，定期研讨案例。在青岛二中心理健康教育中心门口的墙壁

上，设有“心语”信箱，接收学生的书信咨询，学生可以化名或不署名而只告知老师回信联系方式，比如所送达的信箱地址或一个电子邮箱地址。信件咨询可以弥补当面咨询时间固定的局限，还可以使学生将一些私密性心理困扰更有安全感地倾吐出来。

由于心理咨询工作的特殊性，心理老师常常在师生休息的时间工作，除了时间上的付出外，做心理咨询还要付出大量的心理能量，接受许多负面情绪的影响，精神负荷很重，但只要能让学生心灵上幸福、安宁，心理老师就会感到莫大的欣慰。接受心理咨询服务的学生及家长向学校打来感谢电话，说他们实实在在地感受到了心理咨询带给自己的积极影响，这些影响还将在他们日后的生活中持续性地释放能量。

（3）举办学生心理系列讲座

学校心理老师联系学生实际，结合各年级特点和学生普遍关心的问题，举办了专题心理讲座。给高一学生的讲座为“张开青春的臂膀，拥抱崭新的生活”，主讲高中生活和学习适应问题。给高二学生的讲座为“做自己的心理医生”，主讲如何培养健康的心理、健全的人格；还有题为“走出青春的‘雾区’”的青春期心理讲座，主讲中学生异性交往。给高三学生的讲座为“享受高三，拥抱高考”，主讲如何正确看待高三的压力和紧张生活、如何调控自己，以健康向上的心态备考、应考等。

有时在班主任的邀请下，心理教师也为个别班级设计符合班情的心理辅导活动课，比如：激发学习动力的“星星点灯”，促进团体凝聚力的“一路有你”，培养合作精神、创新意识的“搭高塔”和“盲人方阵”，辅导学习心理的“进入最佳学习状态”，克服厌学情绪的“爱你如初”，增强毅力、抗挫力的“再踮一踮脚”等，深受欢迎，富有实效。

（4）联合家长共同做学生的心理支持系统

在心理健康教育工作中，青岛二中的领导和老师认识到，学生的心理健康状况与其所受的家庭教育密切相关，如果不是把教育褊狭地理解为知识的传授，那么，家庭教育比学校教育对孩子的人格健全、心理健康这些关系终身的素质有更大的影响力。于是，青岛二中通过家庭教育讲座、家庭教育研讨班、家庭教育专线电话、家庭教育科研等形式，广泛而深入地开展本校学生的家庭教育工作。

学校为高一家长举办了题为“给孩子独立自主的成长机会，做孩子终身发展的人生导师”的讲座，为高二家长举办了题为“关注孩子心理健康，促进孩子终身发展”的讲座，为高三家长举办了题为“做孩子的心理支持系统”的讲座。这一系列讲座都受到了家长的欢迎。每年，在高一学生入学之初，心理老师会给高一家长写一封短信，请家长以“孩子在我眼中”为题，从多个角度（学习、交往、个性、能力、人生观等）谈谈自己的孩子，尤其要多谈谈对孩子的正面评价，以帮助孩子在新环境中重新认识自己、接纳自己，进而拓展自己、完善自己。

心理老师在班主任的帮助下，分年级向学生家长发出邀请，家长们自愿参加心理老师主讲的、以“与孩子一起成长”为题的家庭教育研讨班。每期共举行系列研讨五次，每次都在周六下午进行，针对学习心理、亲子交流、中学生异性交往等家长们普遍关心的问题，探讨教育理念、方法。“与孩子一起成长”的观点，让家长们意识到家庭教育并非易事，需要家长及时学习、更新教育的理念和方法。研讨班采取的形式多种多样，如讨论、体验、电影赏析等，家长们反映极佳。

青岛二中还将心理老师的办公室电话向全体家长公开，作为家庭教育咨询热线，接待家长的电话咨询，并欢迎家长来访，解决个别问题。家长们带着焦躁的情绪、棘手的问题打来求询电话，老师们热情接待，耐心地与家长们交流，必要时还请家长们来校面对面交谈，解决了许多来自家庭深层和家长自身的问题。

（5）建立学生心理档案

将高一年级 16 个班学生开课一年来的心理课所想、所感和心理调查等，整理成学生的心理档案，每人一份，分班装订，按学号顺序排列，保存三年。学生心理档案，作为了解、调查和干预学生三年在校期间心理状态的翔实资料，在学生的个体心理咨询、危机干预中发挥了重要作用。

（6）创办《聆听》心理报

由心理教师组织、筹办《聆听》心理报，学生自主参与组稿、编辑、制作、出版等工作，使学生自觉掌握心理知识和相关的思想方法，获得发展的主动权，在参与活动中向自我教育的境界迈进。《聆听》心理报面向师生发放，宣传心理健康知识、理念、方法，受到广大师生的欢迎、好评。

（7）办好“心理自助餐”

为解决心理健康教育课时少，学生对心理知识的需求得不到满足的问题，学校购买了有利于学生心理健康的报纸杂志、青春期心理素养丛书、成功学读物、名人传记、心理学通俗读物、中国文化中有关人文教育的书籍等三百种左右，放在学生阅览室和书吧中供学生阅读，以求让学生学会心理自助，做自己的心理医生。

（8）举办“中学生心理健康教育”全员培训

在青岛二中的心理健康教育工作中，心理教师的作用是龙头，全体教师是主体，班主任则是主体中的骨干。心理教师为班主任和全体教师开办心理健康教育讲座，普及心理健康教育的基本知识和理念，促进心理健康教育在各学科和各教学环节中的渗透，提高教师的心理健康意识，减少师源性问题的产生，避免发展性问题障碍化，进一步提高预后效果。同时，教师自身的心理健康状况会潜移默化地影响学生的心理健康，所以学校还特别关注教师自身的心理健康，聘请校外专家和本校的心理教师为教师们做心理健康自我维护的心理辅导活动，举办“教师心理沙龙”，为大家提供心理健康方面的学习交流机会。这样的全员参与，促进了学校心理健康教育工作真正深入、扎实地开展。

（9）心理健康教育教科研

在青岛二中的心理健康教育工作中，老师们不断地进行各种各样的心理调研，承担多项省、市级教研课题。他们自己设计并进行了高一家长的家庭教育调查、高一学生自我意识状况调研、高三学生学习及心理状况调研、教师心理状况调研等，调研的结果分析成为学校教育教学工作的参考。心理老师承担了校级教科研课题“中学心理健康教育模式探索”、市级教科研课题“考试焦虑的心理干预”和“构建和谐家庭，促进子女健康成长”、省级教研课题“以研究性学习为基础的校本课程开发”的子课题、全国教育科学“十五”规划课题“在课堂教学中，以个别化教学为手段，促进儿童心理健康的实验研究”的子课题“课堂教学中实施个别化教学的主要策略”等。其中，在“在课堂教学中，以个别化教学为手段，促进儿童心理健康的实验研究”课题结题时，青岛二中被评为先进单位，曾莉老师被评为先进个人。

（10）积极推动校外心理健康教育工作

“一支独放不是春，万紫千红春满园”。青岛二中很注意发挥优秀师资力量的辐射效应，经常外派教师，积极推动校外心理健康教育工作的开展。心理专职教师曾莉老师连年担任青岛市、淄博市、威海市心理健康教育教师培训班讲师，应邀在青岛、济南、淄博、潍坊、威海、东营、滨州、烟台等地作心理健康教育报告100多场次。多次到青岛电视台、青岛广播电台、青岛交通广播电台做青少年心理和家庭教育专栏节目的特邀嘉宾。

8. 家长学校

当今社会，多元化的价值观纷扰了家庭教育的方向，功利主义的泛滥扭曲了人们的教育观和成才观，教育方向和核心价值观的偏离，使学校德育工作事倍功半、孤掌难鸣。在近年来的教育工作中，我们也时常感到，一个优秀孩子的背后，一定有高素质的家长，反之，一个问题孩子的背后，往往也有一个问题家庭。因此，联手家长，澄清与矫正家庭教育的观念和方法，从尊重人的成长规律入手，共同培养人格健全、素质全面、可持续发展的人，是目前学校德育工作的突破口。所以，顺应学生和家长的需求，创新家长学校办学模式以求提高家庭教育的有效性，成为我们必然的追求。

（1）从问题入手，引领科学家庭教育理念的回归

我们通过进行家庭教育问卷调查发现，家长们对子女教育主要存在以下几个方面的问题：一是家庭教育的误区较多，表现在过度保护与过

高期待、过度重视智力因素培养等方面。二是家庭教育方法的缺失，基本还处在原生态，离科学、理性的家庭教育还有很大距离；三是家庭教育的重心偏离，升学教育依然是重中之重。这不禁让我们思考，要实现家校联合，必须通过家长学校，与家长就一些核心价值问题达成共识。例如：怎样正确认识学习与能力、品格与人生、人际交往与成功之间的辩证关系；怎样理性认识成绩与实力、学习与高考、高考与人生的关系。要正确理解教育的本质是让孩子身、心、智的全方位成长，正确定位家庭教育的职责是培养出帮助孩子受益一生的品格。

（2）构建完整的课程体系，探索全面提升家庭教育水平的途径

家庭教育是一个系统而复杂的工程，我们经反复研讨，精心策划，构建起一套完整的课程体系，并根据需要把课程分为四种类型。

第一类是公共课程。这是家长学校的引领性课程，由学校领导及专家亲自授课，主要向家长们诠释党和国家的教育方针、新课程改革的内涵以及学校的办学理念，引导家长们站在国家和民族的高度理解教育，遵循教育规律和青少年成长的规律，做学校教育的理解者和合作者。

第二类是班级课程。这是家长学校的主体课程，由班主任做主讲教师，实施小班化授课。班主任是最了解本班学生和家长的人，由班主任做主讲教师更有针对性和实效性，更能激发家长的学习信心和热情。

第三类是研讨课程。这是家长学校的辅助性课程，由家长学校专职教师召集，家长自愿参加，围绕人格培养、异性交往、亲子沟通等具体内容展开，旨在解决个别化的问题。研讨采取讨论、体验、电影赏析等形式多样的活动，针对学习心理、亲子交流、早恋等家长们普遍关心的问题进行。

第四类是活动课程。这是家长学校的特色课程，由家长和孩子共同参与，以增加亲子间的沟通。我们每年采取不同形式，组织由家长和学生共同参与的亲子沟通活动。

此外，设置自修课程，引导家长主动学习、自我提升。我们开办网上青岛二中家长学校，设有家教讲堂、向您荐文、案例启迪、留言板、信息窗等板块。由家庭教育研究室的骨干教师担任网络辅导员，分时

间、分门类与家长共同探讨家庭教育出现的问题。同时，推荐家庭教育方面的经典书籍，供家长们研修。

（3）建设一支有专业素养的师资队伍，确保家长学校的质量和效益

要让班主任做家长学校的主讲教师，首先要培训他们成为家庭教育方面的探索者和领路人。几年来，我们采取“先培训后上岗”的原则，定期为班主任（主讲教师）进行家庭教育方面的培训。培训内容重点围绕两个核心：一是学生的心理健康教育，目的是了解青少年的心理成长规律，关注学生的全面发展；二是家庭教育的理念及方法，目的是帮助家长提升家庭教育的理论和水平。每次家长学校开课前，还要分年级进行针对性的专题培训，班主任可根据培训内容，结合本班具体情况进行创造性地发挥，既体现学校总体课程的要求，又有鲜明的班级特色，从而保证开课的效果。此外，我们还成立了“家庭教育研究室”，由青岛市家长学校讲师团讲师、我校心理教师曾莉老师作为核心骨干，加上八位资深班主任组成，定期研究家庭教育的新形势、新特点，讨论家庭教育的艺术和方法，以及家庭教育的热点难点问题，指导整个家长学校的工作。

（4）创新家长学校办学模式

教学过程课程化。经过认真调研，反复修正，讨论制定了《青岛二中家长学校课程方案》，形成了相对完备的课程体系：公共课程 4 讲，班级课程 12 讲，研讨课程 5 讲，活动课程 3 次。老师们严格按照青岛二中家长学校课表的时间、内容组织各班的家长学校教学。

教学管理小班化。建立以班级为基本单位的家长学校授课和管理机制，实行班主任负责制。从高一开始，学生入校，家长学校也同时开学。每次家长学校开课，各班都要有学员签到表，学校为每个家长制作了一本家长学校听课笔记，家长们都要认真听讲、记笔记、做作业，每学年都评选家长学校优秀学员，对他们予以表彰并请他们在班内交流学习心得。

教师队伍专业化。目前，我们已经打造了一支专业化的家庭教育讲

师队伍，校长、德育副校长亲自授课，市家长学校讲师团讲师、心理老师做专业指导和讲师，48 位班主任，年龄不同，学科背景不同，但都能胜任家长学校的授课任务，并逐步形成了自己独特的教育风格，深受家长的喜爱。

教学形式多样化。在家长学校具体授课过程中，我们与时俱进，开拓多种授课形式。我们采用小班授课、专家讲座、网上交流、专线电话、个别辅导、亲子活动、教育研讨等灵活多样的形式开展工作，增强家长学校工作的时代性和实效性。

青岛二中家长学校模式，努力追求实效性、时代性、创新性。以班主任做主讲教师、先培训后上岗、小班化教学，努力追求实效性；多方调研、从问题入手、顺应家庭教育和学生发展需求、利用网络媒体，充分体现时代性；多样化教学形式，如创建完备的教学体系、开办网上家长学校、举行家庭教育研讨班、开通家庭教育热线电话以及由专家上大课改为班主任主讲的小班化教学等，充满创新性。近几年来，青岛二中家长学校连年被青岛市妇联、青岛市教育局联合评选为青岛市优秀家长学校，2009 年 11 月，青岛二中家长学校获全国妇联、教育部联合评选的全国示范家长学校称号，家长学校已成为青岛二中立体化德育的一个不可或缺的重要组成部分。

三、保障德育顺利实施的有效手段

（一）德育工作体系和长效运行机制

学校注重反思德育工作，按照德育工作提高针对性、增强时效性的要求，积极探索德育工作规律，针对学生不同年级、不同层次、不同时期的思想实际，开展富有实效和特色的教育。从完善德育工作体系入手，学校对德育工作进行了总结梳理，制定了《青岛二中德育工作系列方案》，使学校德育工作科学化、制度化，形成了德育工作长效运行机制。

（二）德育工作队伍建设

学校以提高班级管理艺术为目标，努力建设一支既会管理、更懂教育艺术的班主任队伍。加强理论学习，开展“每学期读一本班级管理的好书”活动，提升班级管理的理论水平。以案例研究和实践研究为基本方式，针对班级管理中的重点、难点和疑点，定期组织全体班主任开展班级管理艺术研究，不断提高班主任的工作能力，努力培养专家型班主任。完善评价办法，建立以发展性评价为导向的班级工作评价方案。引导班主任在德育工作中主动变革、积极创新。

进一步调动全校教职员工在学生教育培养工作中的积极性和主动性，引导广大教师更加关注学生的思想、情绪、学习和生活的每一个细节，形成全员育人的氛围，促进学生的学习能力和综合素质不断提升。

（三）级部管理制度和班级管理

为了便于管理，学校不仅按级部管理，还把每个级部分为四个分部，以级部为大单元、以分部为小单元，工作中充分发挥年级组长和分部组长的管理作用。年级组长和分部组长的职责不仅是协调和组织，更应当是统筹和引导。每学期制定各级部、分部发展规划，提倡各级部自主提出问题、分析问题和解决问题。以年级组为单位，年级组长为核心，定期进行年级德育工作研讨，加强对年级薄弱班级问题的研讨，调动级部全体教师的力量，共同营造级部积极向上的德育氛围和稳定良好的学习氛围。开展各年级中分部之间的工作比较和评价，努力争创优秀分部。

通过班训及班级管理目标、学习目标、班级制度、班级宿舍公约的建立，突出班级制度管理，营造有利于学生发展的良好班级文化氛围，在班级中为学生的个性发展创设机会、搭建舞台，使学生在竞争中认识竞争、学会合作。落实《青岛二中示范班级评选方案》（两周评选一次）、《青岛二中优秀班级评选方案》（一学期评选一次），通过有效的评价和竞争机制调动全体教师和学生的积极性。

（四）提升德育工作的品牌影响力

贯彻学校以学生发展为本、为学生的终身发展负责的理念，坚持学生“自我教育、自主管理、自我锻造、自创社团和自主学习与研究”的学生“五自”发展模式，通过自主参与、体验感悟，使学生道德情操、理想信念、心理品质及综合素质得到全面发展。学校不断将社团建设、“周末大舞台”、创新辩论赛、班干部轮换制、全员导师制、心理健康教育等德育工作领域的特色提升为德育工作品牌。首先，在“学生自主发展模式”的统领下，集中力量进行总结与提炼，促使其沉淀与升华；其次，做到在品牌领域内的创新，既坚持品牌建设不动摇，又以打造品牌为目标不断丰富内涵和拓展外延；最后，加强对品牌的宣传工作，充分利用各种媒体和途径进行品牌的推介。通过各项工作的开展，提升了学校德育工作的品牌影响力。

（五）以主题教育活动保障德育工作的有效实施

为了使德育工作有效进行，学校常年开展以下主题教育活动：①理想信念教育，通过教育使学生初步确立正确的人生目标，坚定自己的人生信念；②文明修身教育，培养学生良好的文明行为习惯和高尚的道德品质；③关爱教育，培养学生爱自己、爱他人、爱集体、爱国家的情感；④感恩教育，使学生懂得感激、学会感恩、奉献社会；⑤传统文化教育，创设以“传统美德”为精神力量的德育必修课程，丰富教育载体，培育学生民族精神和人文素养；⑥开展社会实践活动，使德育课堂在社会上得到拓宽和延伸，培养学生的社会实践能力，促进学生知行统一。

（六）学校、家庭、社会等教育资源的整合

努力办好家长学校，进一步发挥家庭教育的功能。定期召开家长委员会会议和家长会，改进家长会的内容和形式，充分发挥家长委员会的

作用，发挥家长的作用，引导家长把思想统一到对学生的教育上来，形成“学校—家庭—社会”的教育合力，共同做好学生的培养教育工作。密切学校与社区的联系，规范学生社区实践活动的内容和形式，充分发挥社区的教育功能。加强与大企业之间的联系，为学生提供一个了解社会、丰富人生阅历的机会。

第六章 实施绿色管理，构建师生成长平台

青岛二中能一直处于中等教育发展的前沿，能一直切实做到“领先一步，追求卓越”，是与学校领导的高瞻远瞩、办学目标和育人目标的正确指引、绿色课程的设置和生态课堂教学的实施密切相关的。严格说来，除了课堂教学，这些都是静态的。但是，学校的一切活动都是动态的、系统的。学校的良性运转依靠什么？依靠管理，依靠绿色管理。学校作为一个系统工程，欲保持其最佳的良性运转状态，必须要有最合适的管理。

一、世纪之交的困惑与思变

（一）学校东迁带来的挑战

1999 年 7 月，为了适应规范化学校的发展，进一步改善办学条件，青岛二中迁入了景色宜人的崂山脚下的新校区。依山而建的楼宇，错落有致的布局，树木繁茂的校园，设施齐全的硬件，一系列物质条件的改善无疑给青岛二中的发展带来了新的契机。然而，历史的、现实的诸多困惑，也给青岛二中带来了前所未有的挑战。

挑战一：学生生活转变，寄宿管理空白。由于新校区离市中心较远，学生由全员走读转为全员寄宿。寄宿制为保障学生的有效学习和全面发展提供了有利条件，但也给学生管理工作带来了一系列问题。如何使学生尽快适应寄宿生活？如何及时有效地解决由此产生的一系列棘手问题？如何及时建立健全管理机制？诸多困难一下子摆到了每个二中人面前。

挑战二：教师结构断层，骨干教师缺失。“文革”之后，由于种种原因学校很少引进新教师，这造成教师年龄结构的单一。1999 年迁校后随着老教师退休高峰的到来，教师断层问题严重，尤其是骨干教师断档。青岛二中的教学质量还能不能保证？学校发展靠什么支撑？2000 年初，学校大批招进青年教师，但青年教师经验明显不足，教学能力一时难以适应学生要求，质疑的声音不绝于耳。

挑战三：家长心怀疑虑，招生面临困境。21 世纪之初，寄宿制办学模式在青岛尚属首例。家长们更为担心的是：这些从未离开过父母的独生子女能否独立生活？没有独立的学习空间，晚上五十多人挤在一间教室里学习能否适应？青岛二中能否完成由走读制到寄宿制的过渡？尽管市教育局曾予以青岛二中招生政策上的倾斜，但社会的舆论、家长的担忧还是在一定程度上影响了学校的招生。三年之后保护政策取消，学校将再次面临招生工作严峻的挑战。

（二）新课改的考验

2004 年，山东省作为首批进入高中新课程改革的四个试点省份之一，开始推进新课程改革。青岛二中作为山东省重点高中，再次被推到改革的风口浪尖。新课程改革是我国在新的时代背景之下，在全面反思与总结以往高中教育的经验与问题的基础上，对原有课程体系所进行的重大变革。课程理念从偏重知识的传授向培养学生的综合能力转变；课程结构从统一向灵活转变，增设选修课程；课程内容从强调课本知识向更加关注知识的拓展转变，给学校在课程内容设置上一定的自由空间；课程实施过程中注重学生兴趣的差异，给予学生一定的选择权。对于习惯于贯彻执行国家课程内容的高中学校来说，这无疑是一个颠覆性的挑战。如何使习惯于传统授课方式的教师接受新课程理念？如何充分利用课程资源开发符合国家课程标准要求的选修课程？如何建立健全同新课程改革相适应的一系列规章制度？这些均成为无法回避的现实问题。

新课程改革是国家高中教育改革最为核心的一环，而青岛二中作为山东省课改的重点联系学校，其改革的成败意义非凡。如何成功推进新课程改革是青岛二中所面临的严峻考验。

（三）思变：领路者的使命

面对挑战与考验，作为素质教育的排头兵，青岛二中勇敢地承担起了开拓者的使命。中国素质教育的道路在艰难地延伸着，新课程改革只是一个起步。青岛二中的办学者清醒地认识到：新课程改革绝不是局部的修修补补，小打小闹，更不是形式的花样翻新，而是一种彻底的、根本的理念变革。改革必然伴随着“阵痛”，不是“舍得不舍得”的问题，而是必须改、怎么改的问题。素质教育的内涵是什么？高中教育到底要培养什么样的人？什么样的课程体系才是既符合学生身心发展需要又满足社会需求的课程体系？新课程改革是否能够达到改革者所预期的目标？新形势下，学校管理自主权越来越大，学校如何利用这些自主权，加强理念、制度、组织等各方面的创新？在国际化日益加深的今天，学校如何利用优质的教育资源，在国际上赢得一定声誉？这是青岛二中面临的新挑战。青岛二中必须充当中国高中素质教育开拓者的角色，为中国高中素质教育的改革贡献更多的理念和制度的创新。

二、绿色管理的理念

面对东迁、新课程改革等诸多问题的挑战，青岛二中的管理者们审时度势，未雨绸缪，矢志不渝地把人的发展、学生综合素质的提高与教师的专业化成长作为管理改革的方向标，以果敢的魄力进行了大量的理念、策略和文化创新，使青岛二中一直屹立高中教育的顶峰，实践着青岛二中“领先一步、追求卓越”的办学理念。

所谓绿色管理，就是一种“符合师生身心健康发展的、尊重人的个性差异的、使人具有可持续发展能力的且符合和谐发展观的”管理模式。学校绿色管理就是把教师和学生能力的可持续发展作为管理的根本目标。绿色管理的核心是以人为本的管理理念：坚持以人为本，充分实现学生、教职工、社会共同参与学校管理；坚持把关心人和发展人置于学校管理工作的核心，以学生发展为本和教师发展为本，努力促进师生的全面、协调、可持续发展；坚持把学生成长和发展的要素渗透到学校管理工作的方方面面。

管理的目的是人的发展目标的实现。从讲求科学性的管理到今天的人本管理，这种发展是人类管理学上的重大进步，当然，人本管理在其目的性上也存在着巨大的差异。与组织机构管理、企业经济管理等许多管理不同，教育管理对于人的发展目标的追求是直接和现实的，教育应当而且必须通过各种手段和方式来满足人的发展要求，实现人的发展的最优化。

青岛二中所确定的教育管理的目标追求是：第一，始终坚持以人为本，即尊重人的地位，发挥人的作用，关心人和发展人，其中尊重人是前提，发挥人的作用是动力，发展人是方向；第二，坚持把发展人置于学校管理工作的核心，以学生发展为本，以教师发展为本，努力促进师生的全面发展、协调发展和可持续发展；第三，努力把学生成长和发展素质的各种要素，渗透进学校为学生或者学生为自己制定的各种规章制度和举办的各项活动之中。

“人是目的”，绿色管理的真谛正在于此。

（一）扁平化模式

本着以人为本的绿色管理理念，以扁平化模式为管理策略，在“自主、开放、创新”的管理氛围中，青岛二中在管理模式、教师管理、督查制度、管理组织与管理方式等方面进行了成果卓著的探索。

扁平化模式的基本特征是管理重心下移、权力下放，赋予基层和个人更多的管理自主权。这一管理策略必须有相关的措施来确保实现。只有在管理实践中真正赋予具有管理才能的人更多的管理机会，才能充分调动管理者更高的积极性，才能最大限度地做到物尽其用、人尽其才。

在新的时代背景下，学校教育管理面临新问题，其中最为突出的是学校管理工作的复杂化与非常规化。传统学校组织架构是适用于传统的学校管理任务的，比如：教务处负责学校的教学和教务工作，组织教师学习和贯彻国家制定的教学计划与教学大纲，制定教学管理制度，协调各年级各学科教学和各种教学活动，组织和领导教研组的教学研究活动；学生处主要负责学生的德育工作；总务处主要负责学校财务、校园建设与维护工作；团委主要负责组织团员的各种活动。各个组织都有分工明确的职责，各个部门可以独自完成各自的任务，应该说这套组织架构在过去是适应学校管理工作需要的。但是随着教育改革的深入，学校管理工作面临一些新的问题，原有组织架构难以适应解决新问题的需要。比如，由于新课程改革涉及校本课程、活动课程、社会实践课程、研究性学习课程等，远非原先的某个独立部门能够独立完成，必须依靠部门之间的通力合作，而原部门之间的职责分工使得部门之间的合作并不是那么通畅。

为了贯彻扁平化模式策略，让更多人参与到管理中来，应对学校管理工作复杂化与非常规化所带来的挑战，青岛二中引进了项目管理模式，将这种管理模式创造性地应用到学校管理工作中，收效明显。

项目管理是指将学校管理中的重点工作、疑难工作或重要事项作为一个独立的项目，由一个项目负责人来临时组建项目组并完成项目的管理方式。根据项目的重要程度，项目一般可分为学校重大项目、重点项目和一般项目，根据项目实施的时间又可分为长期项目和短期项目。项目的确定遵循集体决定的原则，重大项目、重点项目由校务会、校长办公会研究并提出，一般项目通过校长办公会提出，进而分项、确立项目目标、确定项目负责人。项目负责人在其指定的权限范围内，享有跨部门对学校人力、物力资源合理使用和调配的权力。项目负责人可以是校级领导、中层干部甚至普通教师，具体人员由校长办公会根据项目内容和相关人员对任务的胜任程度确定。项目组人员人选一般由分管干部和项目负责人权衡后确定。项目组人员，不论其原先行政级别是高于还是低于项目负责人，在这个项目的实施过程中，项目负责人对其有指挥、调度的权力，这样就可以确保各项工作顺利完成。

项目管理这种管理方式，不仅仅是对原有组织架构的一种冲击，也是对管理者管理观念与管理能力的一种挑战。如果不处理这些问题，项目管理的实效性将大打折扣。青岛二中管理上有着自主开放的传统，这有助于项目管理的推进。针对管理者管理观念与管理能力的问题，由校长亲自主持进行多次培训，并利用与海尔公司邻近这一得天独厚的优势，组织管理人员到海尔公司参观学习，还请来在专业管理方面有独到建树的卡耐基管理公司相关人员到学校进行专业培训。青岛二中的项目管理不仅经历了管理理念的学习运用过程，也经历了一个用诸实践并形成特色的逐步探索过程，在这个过程中，各个部门对项目管理的管理方式形成了一种习惯和自觉，并内化成为一种自觉的行为。从 2006 年开始逐步推行项目管理的运作方式以来，学校先后将高三管理、中考招生、课程资源管理、人力资源开发和国际教育交流与合作等一些特别需要各部门共同协调参与、各种资源综合投入的工作拿出来实施项目管理，由指定的中层干部作为项目负责人对该项工作进行规划和流程设计，项目负责人打破部门局限，根据工作需要协调并调动校内人、财、物等资源，全权负责项目的运作，并对项目承担风险责任。

项目管理对学校重要工作、疑难工作和一些新型任务的完成起到了至关重要的作用。青岛二中顺利实施与推进新课程改革，并最终成为改革的引领者，就得益于将新课程改革作为一个独立的项目进行管理的方式。

项目管理应用于新课程改革

一、项目背景及目标

2004 年，山东省成为首批进入高中新课程改革的四个省份之一。青岛二中作为山东省重点学校，如何保证新课程改革的顺利实施，对整个高中新课程改革的成败具有至关重要的意义。

新课程改革，改变了原有的课程内容与结构，增加了社会服务、社会实践和研究性学习等新型课程。这些课程的实施远非教务处独自能够完成的。为了拓展学生知识范围，满足学生不同兴趣和能力的需求，学校拟开设选修课程。这就需要根据学校教师的知识水平与能力、学生的兴趣需求开发新的课程及相应的教材。

因此，新课程改革涉及以下任务：

1. 学科类课程在课程理念和课程内容上的变革；
2. 社区服务、社会实践、研究性学习的开发与实施；
3. 选修课程的开发与实施；

4. 学校整个课程内容体系的统筹实施。

如何整合学校课程资源，开发新课程内容，制定切实可行的课程实施方案，是摆在我校面前的严峻挑战。鉴于这项工作的复杂性，学校决定以项目管理的方式来推动新课程改革的实施。

二、项目进程及成果

阶段一

2004 年，学校成立以教务处副主任李晓轮为组长、以年级组长与各班主任为成员的课程研究项目组。

项目组完成了《青岛二中学分认定管理办法》、《研究性学习管理办法》、《青岛二中走班制管理办法》、《青岛二中学段制授课方案》、《青岛二中"学习伙伴"制度实施方案》、《青岛二中发现并支持学生优势智能发展方案》等制度研制工作。

阶段二

由于项目组当时还只是一个研究小组，只负责各类课程调查与研究工作，具体的实施工作还是由教务处、学生处、团委各自实施，因而组织比较零散。随着新课程改革的推进，所涉及的人员越来越广泛，任务量越来越重。鉴于这些情况，学校将项目由重点项目转为重大项目，并于 2008 年 6 月成立课程研究与指导中心，负责对学校课程进行规划、开发、评估与管理，使得课程的研究和管理合而为一。课程研究与指导中心成员构成及职责如下。

（一）人员构成

主　任：由分管教学的副校长担任。

副主任：由教务处、学生处、团委的中层干部担任。

课程研究员：教研组长负责推荐，由对课程开发有一定专长的教师担任。

课程顾问：邀请青岛市各个行业有突出学术造诣的专家担任。

（二）人员职责

1. 主任、副主任统筹领导中心的工作，负责课程规划，组织课程研发。

2. 课程研究员按照规划要求进行课程开发，负责调查学生的学习兴趣、发展要求和方向；作好开课与选课指导，确定考核等级；督促编订教材，审核课程计划、教案；进行校本培训，做好档案管理工作。

3. 课程顾问负责对学校课程规划提出指导意见，参与课程建设。

在项目组的领导下，学校学科课程与选修课程的开发工作在第一阶段的基础上任务更加细化，内容更加明确，操作更加规范，研究性学习与活动类课程的内容与实践也逐步走上正轨。

项目组的成果集中体现在《山东省青岛第二中学2008级课程实施计划》和《青岛二中学生选课指导手册》中。该成果对高中三年的教学时间安排、课程设置的基本策略、课程设置的基本情况及依据、课程的管理及奖惩办法等诸多方面作了详细的规定，全面阐释了学校课程管理的策略与方法。其中的走班制、研究性学习“2+1”模式等皆为自主创新。

这个项目从建立课程研究小组到成立课程研究与指导中心，创造性地完成了预定任务，是项目管理在学校管理实践中的成功范例，也体现了项目管理在学校管理工作中的生命力。项目管理的核心在于以项目目标为基础，实现管理组织重构。课程的自主开发与管理相对于以前的国家课程一统天下、学校只能严格贯彻执行的时代来说，充分体现了学校的自主权。青岛二中在学校管理中创造性地将项目管理运用到教育管理方面，应该说是学校管理方式上的一个巨大的创新。

项目管理这种管理模式在学校管理实践中的成功实施同样体现出其本身所具有的优越性，创新之处是其对于现有学校管理组织架构的超越。

学校管理工作中一个重要的任务是保证学校的各项政策与决议得到落实，各项任务能够及时、保质保量地完成是关键。由于被管理者存在一种固有的惰性，因此实际的管理工作并不尽如人意。被管理者或不能按时完成任务，或不能保质保量地完成任务，或不去完成任务。由于学校管理工作的日益繁多，单纯依靠领导者个人自觉进行监督检查，无法保证各项政策与决定的执行。青岛二中在这方面作出了富有成效的探索。2005年，针对学校各项工作执行力不强的问题，学校制定《青岛二中干部工作督查条例》，建立督查工作领导小组，负责学校各项措施和决定的贯彻落实。干部工作督查制度是对项目管理制度的有效补充与完善。

青岛二中干部工作督查条例

一、督查组织

成员及职责

督查工作领导小组由学校党委书记、工会主席和办公室副主任三人组成。

督查工作领导小组的职责有：组织督促、检查各个部门及中层干部的工作情况；通报有关工作的进展和落实情况；根据学校的意见处理有关问题；对有关工作提出评议意见等。

二、督查内容

1. 检查和反映干部对学校重大决策、重要会议决议决定和重要工作部署的开展落实情况。

2. 督促、检查学校决定的重要事项和领导的重要批示、指示以及交办事项的落实情况。

3. 督促、检查来访或举报等有关事件的了解、办理、解决情况。

4. 对工作中发现的带有倾向性、苗头性的问题和领导关注、群众关心的热点、难点问题，开展调查研究，提出建议。

5. 领导交办的其他督促、检查事项。

三、工作程序

1. 登记立项

凡需督查的事项，由督查领导小组负责登记并按内容和时限要求填写《青岛二中干部工作督查表》，通知有关处室。

2. 检查催办

按《青岛二中干部工作督查表》的内容和时限要求，督促有关处室或个人认真进行工作，并及时反馈工作情况。未按期办结的事项，要说明原因并及时报告进展情况；对重要和紧急督查事项，应当随时掌握办理进度并及时催办。被督查处室或个人应及时提供工作进展时间表。

3. 审核办理报告

对有关处室或个人上报的办理情况书面报告，按是否符合办理要求、事实是否清楚、结论是否准确、处理是否得当进行审核。对不符合要求的，要退回重办、重报；对因时间原因来不及重办、重报的，要以书面形式认真分析和反思。

4. 办结反馈

凡是符合办理要求的督查事项，报告审核通过后由督查小组汇总或由相关领导填写《检测评价》。

5. 立卷归档

督查事项办结后，督查小组填表并将有关材料收集齐全，签字后整理归档。

四、督查工作方式

1. 催办查办。对需要落实和办理的事项，可采取发督查通知单、电话催促等形式，有关人员要按时上报贯彻落实情况。

2. 重点督查。对重大督查事项，要指派专人，重点落实。

3. 实地督查。对质量要求高、内容较为复杂、时间要求紧的事项，督查小组应派人会同有关领导进行实地督查落实。

4. 跟踪督查。对有连续性特点的重大工作事项，应对各个工作环节实施阶段性督查，并对全过程进行跟踪督查。

青岛二中自实行干部工作督查制度以来，共督查事件150多项，内容包括：制度与培养方案的制订，如制定《青岛二中德育专家评选办法》、《项目管理制度》、《传统文化教育方案》、《青年教师培养方案》等；相关活动的安排，如安排教职工大会会议，确定“周末大舞台”

活动方案，制定教职工读书节活动计划，召开特级教师座谈会等；具体日常管理活动，如组织进行学校安全自查、安装调试生态园风力发电机、制定《教学楼内橱柜管理办法》、设立班级文化牌等。在这些工作中，干部督查极大地提高了学校各项管理的执行力度，有效解决了原先执行难、执行慢、不执行等问题。这种制度得到青岛市其他单位的认可，纷纷派人来学习青岛二中的干部工作督查制度。制度上一个小小的创新，给管理工作带来了意想不到的成效。

在制定青岛二中发现并发展学生独特智能的制度上，督查工作领导小组同样功不可没。学校办公会上提出由教务处根据学校工作报告要求，建立“发现并发展学生独特智能”的制度，要求一个月完成初步方案，负责人为教务处主任李晓轮。为了督促该项目保质保量完成，督查小组将其列入督查计划，制作督查工作用表，并通知责任人。李晓轮主任在一个月内根据要求进行方案调研，形成方案讨论稿后交由学校部分教师讨论，在此基础上进一步交由学校办公会初步讨论。在该方案制定过程中，督查小组按照工作职责，每周询问工作进展情况。在项目实施半个月后，对项目进行中期检查，检查中发现项目比预定进度慢。这主要是由于拟订方案初稿时，在方案起草和措辞上遇到了难题。对此，督查小组及时联系语文教师帮助李晓轮主任进行方案起草，最终圆满完成了任务。而且由于方案制定科学合理，试用效果较好，在监测评价中被评为 A 等。

（二）“自主·开放”模式

欲使管理高效地进行，管理者必须倾听被管理者的声音，并得到他们的积极参与，这样管理的实效性才能得到保证。学校管理工作的最终目标是促进学生的综合素质的提高和教职工职业幸福感的增强，而当事人永远是自身利益最真切的代表者，所以学校管理工作必须倾听教师与学生的声音。为了能给他们创设一条传递声音的通道，青岛二中通过组织创新，创建了教师民主评议团和学生议事会，充分发扬了民主的力量。

自主有两个方面的内涵：从管理者的角度而言，就是相信被管理者有自我管理的能力，赋予被管理者足够的自我决策、自行实施的空间；从被管理者的角度而言，就是相信自己具备管理自己事务的意识与能力，能够自我约束，自我负责。青岛二中领导不断进行着组织创新，不断地赋予职工与学生自主管理自己事务的权力，学生有学生自律委员会、学生议事会，教师有教师民主评议团。“开放”就是让更多的人承担管理者的角色，形成教师、学生、家长共同参与学校管理的局面。青岛二中组建了家长委员会，学校就教育教学管理以及学生利益等方面的问题，广泛听取家长的意见，将意见及时纳入学校的管理策略中，并将落实情况及时反馈给家长。

下面的几个典型案例，也许能让我们对青岛二中的“自主·开放”模式有更加直观的认识。

1. 教职工代表大会

2005 年，山东省开始实施“阳光工资”津贴，上级将补贴按职称、人数等发放到学校，具体分配方案由学校自行制订。学校领导根据文件精神，经过各方面综合考虑，提出了第一套分配方案，交给教职工代表大会讨论。经过教师们激烈的讨论，大会开始对方案进行表决，令人意想不到的一幕出现了：赞成票未过半数！

学校领导迅速行动起来，深入教研组、办公室，与教职员工促膝谈心，认真倾听大家的意见，积极传达上级精神。经过多次修改，第二套方案再次呈交教职工代表大会讨论。令人意外的是：赞成票仍未过半数！原因是这个方案使理、化、生等学科的教师们补贴相对较少。了解情况后，学校再次召开各种会议，全面斟酌，仔细研究，最终，第三套方案得到了教职工代表大会的一致通过。

这一事件一时成为岛城教师们广为议论的话题。

2. 教师民主评议团

青岛二中教职工民主评议团章程

一、宗旨

突出教职工主人翁地位，强化自主意识和责任感，引导教职工积极参与学校管理，及时掌握教职工当中存在的问题以及对学校管理工作的意见和建议，促使学校管理工作更加切合教职工实际，更广泛地代表教职工利益，更加健康、良性地发展。

二、性质

教职工民主评议团是代表学校和广大教职工利益、积极参与学校管理、沟通学校与教职工之间信息的自主管理的群众性组织。

三、组织形式

1. 凡青岛二中在职教职工均有权利参与学校管理工作。

2. 每组室推荐一名教职工组成民主评议团。评议团设团长、副团长各一名。

3. 团长、副团长人选定期选举更换。

四、具体要求

1. 教职工民主评议团成员必须有强烈的责任心和勤奋的工作态度，要站在学校管理的高度，通过多种途径和方式（如调查、访问、设意见箱等），积极发现教职工当中存在的问题、意见和建议并及时向学校反映。同时，通过有效途径和方式向处室及时传达学校的反馈意见。

2. 评议团实行例会制度，每学期至少集会两次，特殊情况随时集会，由团长负责召集。

3. 评议会采用座谈等形式进行，由团长主持，副团长作评议记录并认真填写《青岛二中教职工民主评议团评议记录》。

4. 评议会结束后，由团长、副团长负责书面向学校反馈意见。

5. 评议会邀请学校领导参加，以便及时掌握信息并解决问题。

6. 评议团接受全校教职工的监督，定期向广大师生公开活动情况。

在青岛二中，涉及学校战略发展的方案也都要听取教职工的意见。2007年年底，为了广泛吸取民意，为学校下一步发展出谋划策，学校特别召开了“青岛二中战略发展研讨会”，与会的成员有特邀专家领导，有中层以上干部，还有十几位来自教育一线的教师代表。也许老师们的战略发展眼光不够宏观，但他们的每一条意见都得到了校长的高度重视，并纳入学校发展规划当中。

3. 学生议事会

从小的意见到大的建议，学校一切工作的出发点都是学生的利益，学生议事会一切工作的着眼点都是学生的发展。在一次会议上，学生代表们提出：冬天早晨6：20起床时宿舍里暖气不热，容易着凉。虽然是小意见，可深切关系到同学们的利益，学校领导给予高度重视，决定宿舍里从凌晨4点钟起开始增加供热。有一次，一位代表做了一份《关于加强校园文化建设》的提案，认为应在校园里营造浓厚的文化氛围，如配合研究性学习的开展定期举办科普讲座等。这恰好与学校加强人文建设的工作思路相吻合。学校经研究决定成立“青岛二中科学教育学院”，并邀请中国科学院、工程院的院士给同学们作科普讲座。为配合《公民道德建设实施纲要》的贯彻实施，学生议事会还根据青岛二中的特色和具体情况，主持选定了“青岛二中文明礼貌用语”并进行推广……学生议事会用实际工作换来了学生们的信任和支持，代表们也以能担任这样的职责而感到骄傲。

下面援引的青岛二中学生议事会在一次评议大会后所作的书面总结，展示了青岛二中学生自主管理的风采，反映了青岛二中“自主·开放”管理模式的成功实践。

青岛二中学生议事会评议大会总结

本届学生议事会于2008年10月16日（周四）在行政楼404召开

第一次评议大会，召集各班班长和团支书对三项议题进行商讨，代表班级同学发表观点。主要涉及的评议内容有：

1. 对环境保护委员会正在进行的“环保节约月”中开展的活动进行评议，指出不足，提出改进的意见；

2. 讨论学校中午（12：40—13：20）静校是否应由教师看管；

3. 讨论学校“周末大舞台”是否应改为周日下午进行。

学生代表们针对这三个议题进行了激烈讨论，并且在大会之前向各班学生充分征求了意见，所以整场大会气氛很热烈，各班代表在大会中都有机会表达意见，充分体现了民意，体现了自主。

以下是学生们对此三项议题提出的意见和建议。

1. 环境保护委员会“环保节约月”活动

优点：体现了“环保”和“绿色校园”理念，想法是好的，值得提倡。

缺点主要有以下四个方面。

（1）卫生间内垃圾桶未分类。

建议：设置分类垃圾桶，并可在每班教室后面设置一个回收箱，回收水瓶和废纸，而卖废品的钱可以作为班费使用。

（2）检查按时关闭走廊灯和卫生间灯效果不大，检查时是关的，检查完再开，没有达到节约的目的。

建议：安置感应灯，可以做到人走灯灭。

（3）宿舍内电浪费严重。因为是统一拉闸，所以同学们离开宿舍时并不会自觉关灯，从而造成电的大量浪费。

建议：与舍管老师协商，缩短5：00—6：15的供电时间。

（4）扣分方面个别不得当，例如：阴天时需开灯照明，因而扣分；连堂上课时在课间开灯或使用投影仪，因而扣分。

建议：希望扣分制度能够人性化一些，考虑周全。

总结：“环保节约月”中开展的活动总体来说是不错的，同学们对此普遍表示赞同，但个别细节尚需完善。环境保护委员会主席来雨馨表示会虚心接受这些建议，使环保意识深入人心。

2. 学校中午（12：40—13：20）静校是否应由教师看管

经过投票表决，约80%的学生代表认为没有必要由老师看管午休，理由主要是老师上一天的班已经很辛苦了，中午午休再由老师看管无疑会加重老师的负担，这样有可能影响老师正常的教学质量。

对于如何使同学们自觉遵守午休纪律，大家提出以下建议：

（1）由每日值日班长负责看管本班纪律，对到班学习的同学每日清点人数，保证纪律。

（2）可派一名老师中午巡视走廊，保证纪律。

（3）可适当开放体育馆，使喜欢体育运动的同学中午在体育馆运动。

总结：大部分同学相信，青岛二中学生有足够的自觉性来保证午休纪律，学生自律委员会主席衣冠英也表示将会在午休时间加大监察和管理力度。

3. 学校“周末大舞台”是否应改为周日下午进行

此议题引起同学们长时间的热烈讨论。大家的观点主要分为以下几种。

（1）90%以上的同学希望能将“周末大舞台”改在周五下午进行，为了不耽误放学时间，希望将第一节课的上课时间提前至13：00。

理由：①周六举行会使同学们在周五晚自习时情绪浮躁，影响学习质量，而周五举行会使同学们更积极地参加活动，并且不会出现提前回家的现象。②针对学校放学后大量私家车堵塞交通的问题，有同学建议将放学时间分段分点进行，避免车辆同时蜂拥而来。

（2）剩下的同学认为时间应不变，还是周六举行。

理由：①周五进行，排练节目的时间少，准备不充分。②有可能造成周五一天的浮躁情绪，得不偿失。

（3）大部分同学不希望周日进行活动。

理由：①会造成周日上晚自习情绪浮躁，从而影响下一周的开始。②走读的同学不方便。③周日下午部分同学有补习班。

4. 同学反映的其他问题

（1）中午国际部学生喧哗影响男生休息。

（2）希望晚自习抽出15分钟布置事情。

（3）高二大部分班级投影仪坏掉希望尽快修理。

这种“自主·开放”的管理模式，使学校的各方面工作开展顺利，师生教学生活舒适融洽，使学校真正成为学生作为“发展之生命主体”健康成长的精神乐园。

三、绿色管理下的师资管理

（一）引进竞争机制

现行条件下，公办学校教师工资标准由国家规定，工资的高低主要由教龄和职称决定。教龄是自然的产物，职称是根据国家政策统一评定，周期较长，高级教师更是一评定终身。所以资历高、职称高的教师工资高而且固定，使一部分人安于现状，进取心不足；而青年教师由于职称评定周期较长，其努力的结果不能及时得到承认，工作积极性受到一定挫伤。这种状况，使得整个教师队伍缺乏危机意识和进取的活力。特别是2000年以来，青岛二中教师队伍逐渐以青年教师为主，这个问题就显得尤为严重。只有改革现有制度，才能充分调动教师的积极性。竞争才能产生活力，产生效益。2000年7月首次进行的教师答辩上岗工作，真正将“能者上、庸者下”的公平竞争机制引入学校。在此次竞聘中共有9名教师降档使用或下岗，由此拉开了教师专业化发展的序幕。在2000—2005年的人事改革经验基础上，青岛二中在2006年推出了更为完善的人事制度改革方案。

本着公开、公平、竞争、择优的原则，学校对原有的竞争制度进行了较大调整。在上级核定的编制内，学校根据工作实际需要确定岗位，在条件公开、机会均等、双向选择、合理组合的原则下，竞争上岗，实现教师队伍的更优化配置。

聘任的基本方式为选聘、试聘、特聘、竞聘、高职低聘和低职高聘，此外，还有落聘的情况。

1. 选聘

由聘任委员会根据教师本人的工作态度、工作能力和工作业绩，以及学校教育教学工作的实际需要，从教师中直接选聘部分教师上岗，选聘教师的比例不超过全体教师的1/3。特级教师、青岛二中名牌教师直接选聘，其他选聘教师必须具备下列条件。

（1）有良好的思想政治素质，师德修养高，有良好的合作精神、集体观念和大局意识。

（2）教学水平高，专业功底扎实，教学经验丰富，能胜任高一至高三各年级的教学工作，教学成绩优秀，近三年的学生满意率平均值在90%以上。

（3）育人意识强，热爱学生，有很强的责任心和很高的班级管理水平，班主任工作出色。

（4）有现代教育教学思想和观念，勇于实践，在教育教学工作中积极探索教育规律和科学方法，并有一定的效果。有很强的教育科研意识，积极参与教育科研，承担一定的科研任务。

选聘的教师同时还要具备下列条件之一：

① 在青岛二中担任班主任工作六年以上；

② 本学年度所带班级被评为市先进班集体或先进团支部；

③ 个人获得局级以上单项奖或综合荣誉称号；

④ 参加教学改革或教科研项目，并且是课题主要负责人或课题研究骨干教师；

⑤ 近两年年度考核至少一年为优秀。

2. 试聘

对于刚参加工作的大学毕业生或刚调入青岛二中工作的教师（调入

不满一年者)，符合教师的基本素质要求、具备教师资格的，采取试聘的办法。上述人员不参加竞争上岗，可以由聘任委员会决定试聘用，试聘期为一年。试聘结束后，参加下一轮的聘任。

3. 特聘

根据上级文件精神，结合我校实际情况，凡在青岛二中教龄满20年，或男年满57周岁，女年满52周岁，任职期间各年度考核均为合格，本人自愿不再晋升高一级专业技术职务的，可不再参加竞争聘任，由学校根据实际情况安排适当工作，其工资及补贴均按岗位执行。

4. 竞聘

除上述三种情况，在岗教师均应按照聘任的基本程序和要求，参加由聘任委员会组织的竞争上岗工作，通过答辩和评议，由聘任委员会根据德、能、勤、绩等方面的表现决定聘任等级。

5. 低职高聘

范围：本校在编在岗教师中中级职称及以下人员。

条件：低职高聘者需满足拟聘专业技术职务的条件，且学生满意率三年来均高于90%。低职高聘人数不超过欲高聘职务上级下达聘任数额的5%。

6. 高职低聘

有下列情况之一者高职低聘：

（1）近三年来学生满意率较低的。

（2）一次重大责任事故的主要责任人。

（3）经聘任委员会综合评定，工作态度、水平、能力较差，但经过培养可以胜任教育教学工作的。

7. 落聘

有下列情况之一者落聘：

（1）在青岛二中从事教学工作时间较长，近三年来学生满意率较低的。

（2）两次重大责任事故的主要责任人。

（3）同事之间不团结，缺乏协作精神，严重影响正常工作的；采用不正当手段诋毁学校和个人，给学校和个人造成不良影响的。

（4）因教育教学或师德原因学生反映较大或多次被家长、公开电话举报经调查情况属实的。

（5）教育教学成绩经常明显低于同年级同学科其他教师的。

（6）无视学校管理制度，经常不参加学校集体活动的。

（7）聘任委员会综合评定认为不适宜继续担任教师岗位的。

高职低聘和落聘教师有异议者接到聘任通知后三日之内以书面形式向聘任委员会提出复议，聘任委员会在接到复议后三日内予以答复。

凡落聘的教师，学校提供一次再上岗的机会，教师可以参加非教师岗位的竞争，但非教师岗位比原教师岗位低聘一级专业技术职务；仍未聘用者为校内待岗人员。对待岗人员采取歇岗待调的办法处理。歇岗待调时间一般为半年，前三个月每月发给职务工资和非工作性补贴，后三个月每月发给一定数量的生活费（按不低于生活保障标准发给）。对歇岗待调期满仍不能调出者，学校将其人事关系转入教育人才市场。在教育人才市场待岗时间一般为一至二年，期满仍不能调出者，按辞职处理。

整个聘任制度层次分明，结构合理。选聘既体现了对骨干教师工作的认可，也减轻了竞聘工作量；特聘体现了学校对为学校奉献多年的老教师的特殊关怀；试聘是引进新教师的一种制度；低职高聘是对青年教师的激励。高职低聘和落聘体现了这项制度的惩罚性，这种惩罚是有梯度的。高职低聘起到了一种警示作用；落聘也不是简单扫地出门，而是给教师半年歇岗待调时间，发放一定的生活补贴，体现了学校的人文关怀。

这种竞争机制使能者上，庸者下，优胜劣汰，从而不断优化教师队伍，为教师的发展创造了公平竞争的环境，使教师产生危机意识，使青年教师的努力得到承认。整个教师队伍精神面貌焕然一新，焕发出蓬勃的活力。当然，在改革的过程中，必然会触动一些教师的利益，但在学生发展与教师个人利益的天平上，青岛二中必然选择学生长远发展的一端，这使青岛二中的学校人事制度改革进程走在同行的前列。

（二）制定激励机制

以人为本的管理理念关注组织任务的高效完成，更关注被管理者个人需求的满足，只有这样才能给组织以活力。学校管理作为组织管理的一种，不仅关注学校教育教学任务的完成，更关注教师个人的发展。根据需求层次理论，受到尊重的需要是人类基本需要之一。因此，教师的工作需要得到认可，得到肯定。只有这样才能体现以人为本的管理理念，也才能促使教师产生更高的工作热情。

学校根据职称、年龄等，分层次为教师们的发展制定了不同的激励方案。

1. 校级专家评选

几年来，学校创造条件让一切有能力有水平的教师攀登高峰，产生了一批国家级、省级、市级优秀教师、特级教师、教学能手等，但这些奖项数量较少，远远达不到激励全体教师的作用。学校于 2001 年、2003 年和 2005 年组织了校级“名牌教师”的评选。当选的名牌教师在教育教学岗位上产生了积极的引领示范作用。为更大程度地展示教师个人风采，突出特殊贡献，激励不同层面、不同岗位的教师争先创优，学校于 2007 年对这种评选制度加以改革，在原先的名牌教师评选的基础上，增设“教学专家”、“德育专家”、“科研专家”、“竞赛专家”、“技术能手”及“创新人物”六项评选内容。对获得者的管理工作由各主管部门负责，每届任期 2 年，各类专家和技术能手享受学校一次性奖励 1000 元及学术休假一次；创新人物享受学校一次性奖励 500 元。以 2006 年为例，共评出名牌教师 20 名，教学专家 5 名，德育专家 2 名，科研专家 3 名，竞赛专家 5 名。

2. 学术休假制度

为了使名牌教师、各类专家的评选落到实处，给教师的不断发展开拓更为广阔的空间，青岛二中创造性地设立了学术休假制度。

青岛二中学术休假制度的若干规定（试行）

为实现人才强校战略，促进学校师资队伍快速稳定发展，鼓励教师加强校内外交往，开阔学术视野，促进学术创新和科研发展，提高教师的学术水平，推动学校整体全面发展，结合我校实际情况，建立教师学术休假制度。

一、教师学术休假制度是指为在现职岗位上工作的教师提供一段休假时间以开展学术、技术研究和交流工作的一项制度，包括参加校内外学术交流、合作科研、访问、进修等。

二、凡被聘为中学一级专业技术职务及以上者，担任当年高三教学任务，在本校工作满 5 年，并且任现职满 3 年以上，可以申请学术休假。每次学术休假时间为 7—15 天。对学术骨干和长期从事竞赛、教学科研工作以及兼任较多管理工作且成绩显著者，可以优先安排。原则上每年享受学术休假的教师人数不超过 6 人。在教育教学管理岗位上的干部，可根据实际需要由党总支研究确定学术休假人选，原则上每年不超过 2 人。

三、教师在学术休假期间，其工资和各类津贴等保持不变，同时学校给予学术休假津贴，每人资助额最高 5 千元人民币（超过部分由个人负担）。

四、学术休假一般安排在暑假期间。教师承担的校内其他工作由教务处和学生处负责协调解决。

五、教师休假结束后，本人须向教务处汇报学术休假期间的业绩情况，并向学校提交工作总结报告。学校成立专家组对报告进行评估。

六、学术休假的申报程序：

1. 本人申请，填写申请表，同时递交科研项目证明和学术休假计划。

2. 教务处提出意见。

3. 学校审批。

本规定从颁布之日起生效。

学术休假既是一种对教师工作的奖励措施，也是一种促进教师拓宽视野，与其他学校相互对比，不断学习、反思，提高自己的教育教学水平的有效方式。下面这篇学术休假报告，也许反映了绝大部分教师的收获与体悟。

寻找内心的感动——苏杭学术考察的一点体会

青岛二中语文组　丁娟

“寻找内心的感动”是苏教版语文课本的一个专题，在办学历史悠久的苏州中学听完一堂展示课，与他们的几位语文老师进行面对面地交流时，那位上课的老师提到这个专题并解释了她的那堂特殊的心理体验式的语文课。这不是一堂常态课，我们也不可能经常抛弃语文的功能而去时时体验心理课，不过作为语文课的新鲜尝试是不错的。但她觉得不管我们用何种形式去驾驭，“寻找内心的感动”应该是一个贯穿语文教学始终的具有长久生命力的东西，这对培养学生的人文情怀是必不可少的。而且，她发现，“感动”这个词也应该在老师内心寻找，就像歌词里所说的“也许你已经太久忘了感动”，当我们在处理文本时，因为熟悉或者倦怠或者别的什么原因而不自觉地照本宣科时，是不是也应该反省：当教师心中缺少感动时又如何引领学生寻找内心的感动呢?

苏州中学的老师谈到了他们为此所作的一些有益的尝试。比如因为得天独厚的地理位置，苏州中学与供奉、祭祀孔子的文庙邻近，所以他们的语文教研组长戴老师就曾经在讲授《论语》时把学堂搬到了文庙，可以想见，在孔子的塑像前听这位圣人的千年训诲是多么庄严且神圣，我想学生肯定会对这样的氛围久久难忘，课下里对孔子、对《论语》的研究热情会高很多。苏州中学校园的布局还保持着江南园林的典雅，院中有湖有桥，亭台土山相得益彰，环境古朴优雅，时而听到鸟鸣啾啾。白发苍苍的前任校长、现任图书馆馆长领我们参观校园时告诉我们，两个小湖之间的土山上的小屋，有时会被音乐老师用来上课。对此我很是惊叹，同时又颇艳羡苏州中学的学生，当年在中学上音乐课的我不会想象到鸟语花香古木环抱之中的乐音袅袅是怎样的意境。我想到的词依然是“感动”，对儒家文化的景仰、对音乐世界的迷恋或许就是从这样的情境中开始的吧？有些直接的情境我们不可复制，但再造的情境依然可以给学生带来感动，动之以情，唤醒他们的美的意识和人性的光芒才是我们一直要求索的。

苏州中学的语文阅览课也给我留下较深印象。因为数年前我们学校也曾经开设过，那时学习的还是高密一中的经验，做法都大同小异，但是现在我们的阅览课已经无疾而终了。苏州中学和我们不同的做法是他们的小型阅览室的书是语文老师选择的，而且每一种书都要提供至少五十本，这样就保证了读书的目的性，也保证了课本的有效延伸。这比起之前我们没有明确要求的阅读确实要更合理一些。当然，书目的选择是要下一番工夫的，同时也需要图书馆的大力协助，因为我们学校的图书馆任何一种书都不可能有五十本，但如果精选下来的书能一届届地利用下去，价值肯定要比尘封在书架上高得多。戴老师举例说曾买过余光中的亲情散文，还有王蒙选编的《影响了我的五十六篇美文》、贾平凹选编的《影响了我的三十二篇美文》和舒婷选编的《影响了我的两百首诗词》这一套百花文艺出版社推出的“优雅的汉语”系列丛书。我不禁想到虽然两地学生所用的课本不同，但文本的阅读和体验却应该是近似的。鲁教版语文课本中也可以见到余光中的《听听那冷雨》，也可以读到那些历史稍嫌久远却依旧动人的汉语，就像丛书主编在总序最后说的：“粗鄙的心灵是配不上优雅的汉语的，但优雅的汉语却能拯救那些日益粗鄙的心。”在如今很多学生不知名著与经典为何物的时代，沉潜下来读读优雅的汉语，可以帮助我们老师也帮助学生让心灵更加丰盈秀美。

这次学术考察虽然匆匆却仍然给了我很多启示，苏州中学和杭州二中在教改方面的很多做法与我们学校是相当一致的，限制学生在校时间对我们这一类学校基本没有带来负面影响。杭州中学教导主任提到，他们有一年一度的教学研讨月，每次都有一个主题，如“师生沟通”，让文理老师分别听展示课，给同一大类不同学科的人以借鉴。这一点和我校做法有同有异，不同之处我认为可以借鉴，比如我们开设的“每月一讲”是不分文理的，但事实多次证明，文科老师听数理化的公开课经常是一头雾水，由此看来分文理开设展示课是要更合理一些的。

（三）打造成长平台

竞争机制使教师有了危机感而努力奋进，激励制度使教师有了更高追求而主动成长。教师专业成长的内在要求被激发起来之后应该怎么做？“风之积也不厚，则其负大翼也无力。故九万里则风斯在下矣，而后乃今培风。”对此，学校早已高瞻远瞩，未雨绸缪。

从争论审视到达成共识，从思想引导到机制保障，从宏观规划到具体实施，从竞争激励到搭建平台，从最初的旨在培养青年教师和加速青年教师成长的“沃土工程”、“双优工程”、“未来教育家学校”到如今的全面推进全体教师专业发展规划的“凤凰计划”，青岛二中勇于探索，精心搭建起一个又一个坚实而广阔的教师自主发展的高平台。2004年，学校成立“人力资源开发办公室”，以便具体负责促进人才开发，推动教师专业化发展，每年制定促进教师专业发展的规划并督促落实，使教师的专业发展一步步走向高境界。“窥一斑而知全豹”，从下面的《青岛二中2006—2007学年度人力资源工作计划（节选）》和《青岛二中教师专业化发展“凤凰计划”》中，我们可以清楚地看到青岛二中在教师专业发展上的努力探索。

青岛二中2006—2007学年度人力资源工作计划（节选）

一、工作目标

以建设“精、特、优”为特征的都市型精品教育的战略思想为指导，扎实推进新课改，努力建设一支献身教育事业、道德品质高尚、教育观念先进、治学精神严谨、基础知识宽厚、专业知识精深、教学水平一流、育人艺术精湛、不断追求创新的教师队伍。

二、培养方式

“自我培养”和“外部引进”相结合，通过举办各类培训班、以练代培、学历提高、外出培训等有力措施，为教师的专业化发展提供坚实的平台。

三、具体措施

1. 理论学习与进修

(1) 组织教师系统学习领会多元智能理论和新课程理论。借10月的“读书节”活动之机，举办教师论坛，促成互相交流，以推动广大教师教育理论的更新和教育思想的提升。

(2) 组织教师撰写教学随笔。鼓励教师对身边典型的问题及时进行观察、思考，形成教学案例和教育叙事，同时充分利用教育部资源平台，深入开展“基于博客的教育叙事研究”和“星级博客评选”活动。

(3) 进一步推进并落实“学术休假制度”。为在教育教学工作方面有明确的研究方向和目标的教师提供深入研究的条件，将他们分批派往教育发达的地区，通过短期访问、学习等途径，促使其更好地完成研究课题，撰写调研报告，并及时将学习成果应用到学校的教学与管理中，从而达到提高教育素质的目的。

(4) 搜集相关的录像资料，定期播放教育前沿信息，供老师们学习、借鉴，拓宽视野。

2. 专业技能培训

(1) 分门别类地开展各种培训工作。定期组织全体教师培训、教研组长培训、班主任培训等，通过专家讲座、经验交流等方式，加强对不同层次、不同工作性质和不同年龄段教师的培训，对教师进行学校文化传统、高尚师德和教育素质培训。

（2）开设“专家论坛”，提升教师的理论素养。相关专家或校内骨干教师定期为全体教师作关于师德、教育教学理论、心理健康等方面的报告。

（3）办好“未来教育家学校”，加强青年教师的培养。以理论学习和案例交流等形式，提高青年教师的理论水平、教学能力和育人能力。

（4）实施“名师带动”工程。充分发挥名牌教师和各类专家的作用，合理安排名师的课堂教学时间表，让更多的教师有机会听名牌教师的课，带动青年教师成长。

（5）培训新进教师。参观校史，了解学校的发展历程；学习《责任事故及认定办法》、《教职工请假制度》、《教师课堂规范》、《学生课堂规范》等基本规范和规章制度；介绍学校组织机构及其工作情况，介绍学校办学理念及二中精神，让每一名青年教师了解青岛二中的基本规范。

3. 以建设高效益课堂为核心，开展各类教学比武活动，推动课堂教学改革

（1）举行以“特色课堂”为主题的教学比武活动。分年龄段组织教师参加比武，推动对课堂教学环节的研究，鼓励教师形成自己的教学风格。

（2）在上学期开展汇报课和比武课的基础上，继续分教龄开展“沃土工程”青年教师教学基本功比武活动，包括书法、普通话、多媒体制作、主题班会设计等方面，引导广大青年教师扎实练习基本功，为自身教育教学水平的提高奠定坚实的基础；继续实施“沃土工程”，举行拜师仪式和优秀师徒表彰会。借助学校“改造课堂行动”，发挥优秀青年教师带头作用，组织青年教师开展听课、评课、说课活动；开展青年教师教育教学、读书学习和生活现状调查，有针对性地帮助青年教师解决工作和生活中的实际问题。

4. 构筑促进教师专业化自主发展的平台，努力打造德才兼备的精英教师团队。

(1) 改进教师评价机制，构建由学校、学生、家长、同事以及教师本人共同参与的多元评价体系，突出过程性评价、发展性评价与贡献量评价，引导教师自主发展。规范教师专业化发展的自主设计、自定措施、自我实施、自主控制、自主反馈和评价等内容，力求每位教师在不同的阶段专业化水平都有可测量的发展。推行教师教育教学工作的发展性评价办法，更科学地指导教师的专业发展。

(2) 继续开展“师德教育月”活动，主题是“让师爱生辉”。结合学校“爱心结对帮扶”、“全员导师制”等活动的开展，结合部门和个人自身工作实际，开展“在创新中奉献”校内教职工先进事迹报告会，促使广大教师进一步理解师德的深刻内涵，在实际工作中体现高尚师爱。同时，组织全体教职工观看师德建设及警示教育光盘，接受先进人物先进事迹教育；落实开展《青岛二中教师教育信条》、《师德标兵十条标准》、《教职工师德建设十项规定》、《师德方面应引起警惕的十种信号》的宣传学习活动，使师德建设有章可依，加强制度建设。继续深化组室文化建设活动，为教研组文化建设和校园文化建设作出应有贡献；通过观看录像、作专题报告等形式，开展教职工礼仪教育；组织新参加工作的教师参加教育局组织的教师节宣誓活动，听优秀教师先进事迹报告会。

青岛二中教师专业化发展“凤凰计划”

教师是学校赖以生存发展的最宝贵的资源，也是办学最具竞争力和活力的资源。教师的人文素养、专业技能、精神状态直接关系到学校的发展，关系到人才的培养。面对21世纪这个充满竞争、充满变革的时代，教师职业也面临着前所未有的压力和挑战。为充分调动广大教师的积极性，不断提升教师的理论素养和专业水平，以适应教育现代化和国际化的要求，学校以科学发展观为指导，制定《青岛二中教师专业化发展“凤凰计划”》，建立起一种新的人才培养机制，以“凤凰涅槃”般的历练，使每位教师都能在竞争中升华，从而打造一支高品位、高素养、高技能的教师队伍，形成青岛二中的师资品牌。

一、建立科学、完善的评价机制

（一）明确评价目标

评价的根本目的是人的发展。利用教育评价的导向、激励、改进功能，促进每个教师不断总结、调整、改进自己的工作，调动广大教师的工作积极性和创造性，同时也促进学校不断加强对教师队伍的管理和建设，最终达到全面提高学校的教育教学质量的目的。

（二）确立评价原则

以科学发展观为指导，确立新的教师评价标准。坚持以人为本，把“关心人”和“发展人”置于学校管理工作的核心，努力促进教师的全面、协调、可持续发展，不断提升教师的专业化水平。坚持过程性原则、差异性原则、发展性原则，体现公平与公正，促进成长与发展。

（三）确立评价内容

1. 教师的师德水平。教师的天职是教书育人，因此从事教师职业首先要热爱教育事业，热爱教育对象——学生，工作要兢兢业业，认真负责，既教书又育人。

2. 教师的专业素养。面对21世纪全球化、知识化、网络化等全新的时代特点，教师不仅要能传授专业知识，还必须有广博的文化知识，以及适应时代发展需要的创新意识和创新能力。

3. 教师的工作能力及工作量。教师需承担一定工作量，并能胜任多种角色，如：担任班主任，承担科研课题，开设校本课程，指导学生的研究性学习等。

4. 教师的工作业绩，教师教育教学工作的质量和效益。在诸项评价内容中，对每一项都进行细化和量化，以考察教师的业绩和水平。

由教师专业化发展学术委员会制定《青岛二中教师综合评价方案》，并依据综合评价结果研究分层次培养的方案，形成人才培养的梯队。

（四）实施分层评价。依据教师教龄、职称与教育教学能力等，实行分层次评价。并依据评价的实际情况进行分层次培训。（综合评价表附后）

二、实施分层次培养，形成人才培养梯队

培训既是一种奖励，也是提高教师专业水平的基本途径。针对不同层次（职称标准）的教师确定不同的评价要求，每一个层次综合评价特别突出的教师将被确定为这个层次的骨干教师，并获得优先培训的机会。对于虽然属于其他层次，但综合评价达到其上一个层次骨干教师水平的，可获得与上一个层次骨干教师相同的培训机会。

特级教师、名牌教师及综合评价得分高的普通教师可确认为骨干教师，在培养过程中实施政策倾斜，优先培养。

（一）特级教师及名牌教师：实行年度述职制度，督促特级教师向更高的学术领域进发，争取在3—5 年内，总结提炼出在市级、省级乃至全国产生影响的教学风格和教学法，真正成为专家型教师，并努力成为市、局级专业技术人才；督促名牌教师积极进取，争取3—5 年内冲击特级教师或省教学能手称号。

（二）中年骨干教师：根据《青岛二中教师综合评价方案》的评价结果确定中年骨干教师名单，对其实施优先培养的激励机制，争取3—5 年内冲击市特级教师、市级教学能手及市优秀教师等称号。

（三）青年骨干教师：根据《青岛二中教师综合评价方案》的评价结果确定青年骨干教师名单，对其实行各种技能比武与重点培养相结合的政策，争取3—5 年内冲击市级荣誉称号或优质课、青年教师专业技术拔尖人才称号。

（四）三年教龄以下的青年教师：依据“沃土工程”（详见下文）计划专门培养，争取三年内能胜任青岛二中的教育教学工作。

（五）其他教师：每年制定切实可行的专业化发展计划，并根据教师专业化发展学术指导委员会的建议不断调整改进，争取一年突破一个难点，年年都有新发展，使其能够胜任青岛二中的教育教学工作，并努力成为骨干教师。

三、多渠道培训，提升教师的专业素养

（一）高端培训

1. 特级教师、名牌教师依据综合评价情况，可享受到新加坡、美国等发达国家的高中考察访问、进修、培训等机会，根据需要可短期进修，也可适当放宽时限。

2. 建立高端培训与普通培训相结合的制度。中青年骨干教师成绩突出的也可适当考虑出国进修，更多地提供国内考察机会，如到华东师范大学、北京师范大学等高校接受高层次培训等，也可根据需要享受学术休假或到国内著名中学访学。

（二）校本培训

由教师专业化发展学术指导委员会每年制订详细的培训计划，并组织实施。

1. 课堂教学技能培训

每学期都要根据学校工作计划开展不同形式的课堂观察与研究活动，切实落实“低起点、高观点、高目标”的教学方针，加强课堂文化建设，推动课堂教学改革，寻求适应课改要求的课堂教学模式。

（1）开展“观摩课”活动。特级教师、名牌教师每年举行一次为期一周的课堂教学观摩活动，重点研究如何形成独特的教学风格和教学特色，形成青岛二中的教学品牌。学校聘请教师专业化发展学术指导委员会的顾问——“青岛教育发展研究会”的领导以及教研室的教研员亲临指导，全体教师随机听课观摩，共同探讨课堂教学改革，让特级教师和名牌教师真正成为课堂教学改革的排头兵。

（2）开展“星光课堂”研究活动。除特级教师和名牌教师以外的其他中青年教师，每学期都要参与“星光课堂”研究活动，重点研究课堂教学的细节，如教学设计、教师行为、资源利用、师生互动等，提高课堂教学的质量和效益，提高中青年教师的教学技艺和水平，提升其专业素养。届时由教师专业化发展学术委员会的成员及本组内的特级教师和骨干教师同时深入课堂进行观察研究，在第一时间解决教师教学过程中存在的问题。

（3）开展课堂教学比武活动。五年以下教龄的青年教师，每年都要参与一次教学比武活动。一年教龄的教师要上汇报课，2—3 年教龄的教师以及 4—5 年教龄的教师分组上比武课，重点培养青年教师的基础技能，夯实教学基本功。

（4）建立教育教学开放日。每学期设立对外开放日，向兄弟学校以及家长开放课堂。在开放日或外地市友好学校来访时，设计专门的开放课堂反馈记录单，让各位同仁及家长留下宝贵的建议，共同参与学校的课堂评价，让老师们多一个审视自己的视角，多一个参考标准。

2. 学校课程培训

（1）对三年来的校本课程工作进行总结，目的是提炼经验，寻找不足，让老师们明确校本课程建设的任务和方向。

（2）聘请高校的专家为老师们开设校本课程专题讲座，进一步提高教师对校本课程的认识和理解。

（3）开展校本课程观摩活动，目的是为教师建立起校本课程交流的平台，相互借鉴，取长补短，共同激发智慧，提高水平。

（4）引导、鼓励教师开发出更有特色的课程，为培养青岛二中学生的基本素质和特色素质提供支撑。

3. 班主任工作培训

（1）以培养“专家型”班主任为目标，促进德育队伍整体素质的提高，建设一支既会管理、又懂教育艺术的德育队伍。要突出“学习”与“研究”两个重点，以年级组为单位，开展班主任的学习和外出研修工作，并尽量安排青年教师担当副班主任，加强班主任队伍的后续培养。

（2）积极开展富有实效的自主研究、合作研究，以研究带动班级工作创新，以创新促进德育工作质量提高。设立班主任工作创新奖，激励创新与发展。

（3）继续加强和落实全员导师制，营造全员育人的良好氛围，加强教师教书育人的意识，提高其水准。以学生素质提升为导向，规范导师制工作内容，班主任和任课教师要通过家长会或个别交流的方式及时通报情况，并要对学生的素质培养提出切实可行的方案。

4. 理论素养培训

以读书为核心，每学期开展“三个一”活动——读一本好书，写一篇读书心得，举办一次教师论坛。营造读书学习的文化氛围，使读书成为教师的一种习惯，一种必需，一种追求，在不断的读书学习中提高教师的科学素养和人文素养。

5. 心理健康教育培训

每学期举办一次教师心理健康知识讲座，让老师们不断掌握新的心理健康知识，既能呵护学生又能维护自身的心理健康。

每年让教师参与一次心理健康教育活动，享受一次心理保健。

（三）实施培训课程，进行学分管理

将所有培训内容课程化，每位教师都要根据学校安排参加培训，获得相应学分，学分不够的要采取措施补修学分，直至达到规定的学分为止。

人是主体。我们将以“凤凰计划”为抓手，多渠道、多领域地开展教师培训，打造一支高品位、高素养、高技能的教师队伍，打造出更多更好的教育教学品牌，为国家培养出更多、更优秀的人才。

青岛二中教师综合评价方案量表

	教学评价项目	评价标准	评价结果
1	师德	A：良好　　B：合格	
2	德育工作	A：优秀班主任、优秀导师 B：班主任或其他德育工作	
3	课堂教学工作	A：学生评教满意率85%以上 B：学生评教满意率70%—85%	
4	教学成绩	A：标准分≥1 B：标准分介于－1—1	
5	校本课程开发	A：有教案，学生评价满意率85%以上 B：开设课程，评价满意率低于85%	

续表

	教学评价项目	评价标准	评价结果
6	教学科研工作	A：科研课题立项负责人或骨干成员，取得阶段性成果或获得省级及以上科研成果 B：参与科研课题或获得省级以下科研成果	
7	研究性学习指导工作	A：指导学生获得优秀研究性学习报告的荣誉 B：指导学生完成研究性学习	
8	特别工作奖项	A：在各类竞赛、教学比武中成绩优良，给学校带来很高的声誉 B：积极参与各类竞赛，教学比武工作取得较好的成绩	

评价说明：

1. 有违反师德行为者实施一票否决；
2. 在第2—8项中，按照7A、6A1B、5A2B、4A3B以此类推进行评价；
3. 对于评比项目之外的其他情况，能体现教师工作业绩和工作能力的，学校将综合考虑；
4. 由青岛二中教师专业化发展学术指导委员会认定最终结果。

青岛二中

二〇〇八年三月

为了青岛二中教师的专业化发展，学校竭尽全力推出了许多重大举措。

1. 高端阅读

时代飞速前进，学科知识不断拓展，教育教学的理念也随之不断地革新，顺应时代潮流的新课程改革，不断强调学科知识的拓展性与综合性。固守于传统知识体系的教师肯定无法适应课堂教学的需要，放弃思想探索的教育者也必然会被受教育者抛弃。因此，教师必须不断更新自己的学科知识与思想观念。读书是实现这一目标最为便捷的方式。为了营造一种全员读书、不断学习的氛围，青岛二中开展了“研读经典，叙说故事”的系列读书活动，免费为每位教师配备《我的三轮教育教学实验》、《和教师的谈话》、《多元智能理论》、《一生的学习》、《培养智慧的孩子》、《幸福的方法》等书籍，引导广大教师进行高层次阅读，让大脑更聪慧，让视野更开阔。为此，学校专门举办读书节活动，开设教师论坛，为教师们搭建一个学习交流、资源共享的平台。高层次的思想引领，将教师们的境界提升到一个新的水平，培育学生的智慧，培养学生对他人的尊重，培养正确的师生关系，帮助学生发现自己的天赋和职责等全新的教育理念，逐渐被教师们认同并付诸实践。一位教师在总结中写道："对于教师来说，很多教育方法与经验都要自己去摸索，实在太浪费时间了，也不一定能取得最佳效果，书籍正弥补了我们工作中的这一缺憾。如果能静下心来去读那些教育类书籍，不禁会有种深深的共鸣：他们的感怀也正是我的困惑，而他们成功的方法给予了我很多理念上的更新和实际工作中的指导。所以说，书籍是一种最好的经验传播，让我们更迅速地触摸到教育的本质。"

2. 高端培训

青岛二中除了针对青年教师开展观摩课、教师论坛、校内讲座等各种形式的培训之外，还特别重视包括特级教师、高级教师在内的骨干教师的成长，鼓励特级教师向更高的学术领域进发，促进他们在教育教学工作中不断突破创新，使他们真正起到特级教师、骨干教师的带动作用，并对他们寄予厚望——争取总结提炼出在市级、省级乃至全国产生影响的教学风格和教学法，真正成为专家型教师。

（1）出国考察

为搭建更高平台，组织高端培训，青岛二中着眼于世界，将学校的学习范围扩展至更广阔的国际领域，吸纳更多元化的教育理念和教学方法：为了学习国外教育教学的先进经验，了解国外学校的班级管理、课程设置和教学理念，使教师在中外对比的视野中对习以为常的教学方法和教学观念进行反思，朝着更为科学先进的教育理念前进，2008 年 11 月，青岛二中组织 8 名特级教师赴美，参观圣约瑟夫中学、纽曼中学和圣安德鲁斯中学。他们深入美国高中课堂，亲身体验了美国高中的班级组织形式、课程内容、教学方式和学生生活的各个方面。这种全新的体验引发了他们深刻的反思。归国之后，他们和其他教师分享此次考察的经历和感悟，对其他教师也是一种启迪。这种学习也使他们得以更好地反观青岛二中的教育改革。

赴美学习、考察的收获和体会

青岛二中英语组　刘元静

2008 年 11 月 16—26 日，我校组织了首批教师赴美国学习、考察，我有幸成为其中一员。通过参观美国三所中学，与学校负责人、师生交流，以及观摩课堂教学，我们开阔了眼界，增长了见识。

我们一行 8 位教师在团长于老师的带领下抵达美国。先后到克利夫兰的 St. Joseph Academy、波士顿的 Newman School、华盛顿的 St. Andrew's School 三所学校观摩课堂教学，向美国同行学习，并就中学教育教学交流体会。同时我们也参观了哈佛、麻省理工、普林斯顿、耶鲁等世界名校，近距离感受这些世界名校的风采。

通过在三所学校考察、交流、学习，我对中美两国中学教育理念、教师的教学思路与教学方法的异同作了一些比较。

一、先进的教学理念及育人目标

通过与美国学校领导、教师的交流和课堂教学观摩，我们强烈地感受到我校在教育教学理念上的超前意识。例如，我们参观的第一所学校的教育宗旨“培养具有全球视野、为社会作贡献的未来女性领袖”与我校所倡导的培养“具有领袖气质和国际视野的未来精英”不谋而合。该校校长介绍，为应对 21 世纪对人才的要求，他们现在改进课堂教学，由单纯的注重知识记忆和知识输出（能解答问题并能考高分），转向在实施知识灌输的同时，注重加强对学生创新思维、合作意识、学习能力的培养。听到这些，我们感到“英雄所见略同”！我们到该校考察学习时受到了当地政府主要官员及主管教育官员的接见，接受了当地报纸及电视台的采访。当被问到中美两国基础教育的异同时，我也介绍了我国的教改情况以及我校与 St. Joseph Academy 在教育及教学理念上的共同之处，还有我们取得的一些成绩，比如，我们不仅向国内名牌大学输送了大批优秀学生，而且越来越多的学生在高二或高三阶段通过 IELTS①、ACT 或 SAT② 考试考入英、美、澳等国的名牌大学，并获得全额奖学金，通过教改培养更多的优秀人才是两国教育工作者共同追求的目标。

二、教师在教学中的自主性

在美国，教师在遵循教学大纲教学的同时，可以根据教情选择多种教学资料，加以整合。虽然这为教师备课增加了难度，对教师提出了更高的要求，但同时也给教师提供了发挥自主性进行创造性教学的好机会，更能体现教学的个性和活力。另外，他们也要提前安排教学内容和教学进度，例如，在开学前要按照教学大纲制订详细的学期教学计划，教学计划包括每周教学的要点、拟采用的教学方法、教学中所需材料的出处等，通过校方审核后方可实施。语言教师在放假前要给学生布置阅读多本书籍的作业，内容涉及所学语言国家的历史、文化背景等方面，包括小说等各种体裁。

我们听了这样一节 AP（大学预修课程）英语课：假期学生阅读完一本有关美国南北战争的小说，在此基础上写出读后感并在班级陈述、交流，教师在白板上列出学生在交流读后感时所用的一些词语，诸如黑奴、内战、林肯、2008 年美国选举、奥巴马等，之后师生就这些信息各抒己见。有学生发言说这充分说明美国是个自由、民主、平等的国家，通过个人努力、奋斗，就可以立足在更高的位置上，如新上任总统奥巴马。整个课堂气氛非常活跃，课堂成了学生张扬个性、展现自我的空间，他们在语言、情感、思想的相互交流和碰撞中共同提高了对人生对社会的认识。

三、教师在教学中的创造性

美国教师在教学中选择教学资料的范围很广泛，如报刊、网上信息、广播电视、漫画，甚至广告都可以被教师创造性地运用到教学中。

① IELTS，全称为“International English Language Testing System”，意即国际英语语言测试系统，中文音译为“雅思”。

② SAT，全称为“Scholastic Assessment Test”，意即美国学术能力评估测试。

这些教学内容让学生感到熟悉，易于接受，效果非常好。在一节历史课上，教学内容也是关于南北战争。教学过程中教师在白板上打出了一幅政治漫画，画中两个主人公分别代表南方和北方，双方纠缠打在一起，教师启发学生就这幅漫画发表自己的感想，最后要求学生根据所学的历史知识画出自己的政治漫画，整个班上的学生都争相到前面来展示自己的杰作并在班上阐述其寓意。新颖的教学方式令课堂气氛极其热烈，教学效果很好。

四、注重培养学生能力

美国教师在教学中注重培养学生灵活运用语言的能力，有目的地给那些母语不是英语的学生创造实际运用所学语言的机会，让他们去发现问题、解决问题，鼓励学生互相学习，相互交流，共同进步。例如，在Newman School观摩的一节英语课（学生是留学生），教师也是先检查布置的家庭作业，从学生的阐述中我们知道，教师要求学生选择当今社会存在的各种热点问题并分析问题成因，提出解决办法。有个学生讲述了美国少年肥胖问题，有一个来自泰国的学生讲述了在泰国HIV（艾滋病毒）携带者的处境，阐述者还就所谈问题发表自己的观点，并谈到了政府应承担的责任及应采取的措施。学生不仅要写书面文章，还要口头陈述，实现了提高学生实际运用语言的能力的教学目的。接下来老师讲解SAT考试常用词语，进行阅读训练，与我们英语课堂的教学环节大同小异。另外值得一提的是，学校充分利用波士顿城市的公共资源，如图书馆、博物馆等，定期带学生外出参观，结束轻松愉快的旅行之后，每人还要上交书面作业，这样的教学活动不仅扩大了学生生活视野，丰富了学生的阅历，而且有助于提高语言表述、文字表达的能力。

在学校领导的关怀和周密安排下，我们顺利完成了考察、学习，收获之大，难以表述。总体来讲，我们虽然在教学理念、意识和方法等方面处于国内领先位置，也可以与世界先进国家的学校相提并论，但若要大面积提高教学效益，还有很长的路要走。

英语教学要与国际接轨，我们还要作出极大努力。今后我会与全组老师共同努力，在课堂教学、教育研究中更自觉地更新教育理念，更进一步探讨英语教学改革，把先进的教育理论和方法与学校日常教学相结合，使我校的英语教学有更大的提高。

（2）赴华东师范大学培训

为了学习现代教育理念，提高教师教学理论修养。青岛二中在2006—2008年分别选派了30多位中青年骨干教师赴华东师范大学接受专业培训，参训教师占学校教师总数的65%，被大学教授们赞为“教育的大手笔”。短短的培训激活了教师们创新的激情，他们纷纷到书店购买书籍充实自己，勾画新的工作思路来超越自己。

教师在行动中成长

青岛二中地理组　徐艳军

新一轮课程改革为教学改革提供了崭新的“平台”。而一切先进的教学改革都是从新的教育观念中生发出来的，因此确定新的教育观念，是教学改革的首要任务。我们学校为了使教师不仅具有先进的教学理念，更能有切实的教学实施策略，组织教师赴上海参加华东师范大学专家主讲的骨干培训班，使我们受益匪浅。

一、培训，促进教师转变观念

社会上经常用“蜡炬成灰泪始干”来形容中学教师，也就是在我们传统的教育观念里，教师是帮助学生成长的工具，他的使命就是燃烧自己去照亮别人，所以一直以来人们都有一种认识：学校教师无论是从技术还是从科学的创造上来说，都不是一个专家，而只是一个知识的传递者，这是任何人都能做到的事。这就是中学教师的价值？我想在这样的一个过程中，没有人会感受到职业的快乐和幸福。即便只是作为知识的传授者，我在平常的教学过程中，也会遇到一些疑难问题，对这些问题，不同专家会有不同的见解。比如，太平洋南部存在一个小板块，有人认为它属于太平洋板块，有人认为它属于南极洲板块，可是作为中学教师，我不掌握任何研究的证据，无法判别并形成自己的认识，在科学研究上我们没有发言权。很少有人敢对医生、律师的工作指手画脚，可是对我们教师呢，明白人很多。那么中学教师的职业满足感在哪里呢？在上海华东师范大学培训期间，专家给了我对教师这一职业全新的认识：现在虽然有非常多的教育研究专家在进行教学研究，但大多研究结果远离实际教学情境，因此不能为教师所接受，对教学改革影响不大。而教师终日生活在教室里，最了解教学的困难和需求，了解学生的学习情形；从这些第一手资料中，教师可以生产自己的知识，改进教学，建构适合情境的教学理论。英国课程论专家斯坦豪斯的观点是，没有教师的发展就没有课程的发展。听到这句话，我忽然有种振奋的感觉。

二、培训，激励教师反思

专家在培训时告诫我们，如果在今天及未来，教师仍把教学定位于“信息课程”的传递，那么不久的将来，学生就可能不需要我们教师了。新的教育观指出：教师必须从一个单纯的知识传递者走向研究者。联合国教科文组织的一个会议文件提出：“应当把教师工作看做一门专业，它需要教师的专门知识和特别才能，并需要经过长期持续的努力与研究才能得以维持。”只有教师的发展才能带动学生的发展，只有教师的成长才能带动学生的成长。让教师与学生一起成长，享受教育的幸福，这也是教育的重要目的。

医生的真功夫在病床上，教师的真功夫在课堂上。自20世纪60年代“卫星冲击”以来，各国中小学教育走过了教学方法改革、课程教材改革的道路，一波三折之后，终于发觉：提高教师的“真功夫”才是解决课程教学问题的最终保障。教育科学长足发展，现代社会对人的发展的认识不断深化，需要教师用系统的现代教育科学来支撑，用娴熟的专业知识与技能来驾驭，用崇高的专业精神和较高的发展能力来维持。

三、高端培训，激发教师行动

前段时间我看了自己以前的一堂录像课，与我现在的课堂相比较差异很大。现在我的地理知识可能更系统、更扎实，我很清楚学科重点在哪里，考试可能怎么出题，学生应该怎样应对，但是我感觉自己变得越来越僵化，怀疑自己是不是也出现了王洁博士在报告中所说的“满堂问”的问题。在教学中，学生的智慧经常给我很多震动，在那一刻我很愉快。我想这就是我做教师的满足，也是我教学智慧的源泉。因此教师专业发展的“源头活水”在于教师自身的教学实践，在于教师能感悟教改实践中提出的问题并对问题作出价值判断。教师只有在以问题为中心的实践反思和教学探究中，在改革教学和改变自己的互动中，才能实现自身专业的可持续发展。

在专家报告中我也找到了进一步提升课堂教学效率的答案——行动研究。

1. 从问题开始，让问题引导学习

（1）从已有的经验中寻找生长点

（2）从教育教学实践的突出问题中寻找突破点

（3）从教育教学实践发展的趋势中寻找挂钩点

（4）从教育教学的先进理论中寻找支撑点

2. 同伴互助，让差异推动进取

我们知道，一起工作的伙伴常常有着共同的关注点，有着同样的问题或者对同一件事情的热情。同伴的支持、质疑，可以让我们变得更智慧，更有力量。

3. 需要一点技术的介入

（1）走进“课堂”作研究——以“课堂”观察为出发点

● 自我观察

（i）教师在行动结束之后，对自身所展开的行动过程进行回忆与描述；

（ii）通过摄像技术，记录下自身行动的全过程及相关的情境（只适合短时距的行动或固定空间下展开的行动）。

● 观察他人

（i）实录式

（ii）叙事式

（2）走出“课堂”讲故事——叙事反馈，共同面对教学

有一句话，我很喜欢，也愿意像这句话说的那样去做：如果我不分享我的思考，谁会对它提出疑问呢？谁会向我提供意见呢？谁会帮助我找到新的道路呢？

（3）学历进修

教师的成长不仅需要各种培训、考察以及继续阅读，还需要一定时间的系统学习与反思。学历进修给教师重新回到校园学习的机会。这样，带着教学实践中的问题，他们可以学习得更有动力、更具针对性。青岛二中对考取教育硕士的教师提供资金支持，坚定地支持他们继续攻读。从2006年开始，学校共有140余人次的教师参与学历进修。下面是一位教师学历进修之后的感悟。

完善自我，照亮学生

青岛二中政治组　臧宏毅

2007年9月，我有幸考取了山东师范大学的教育硕士，开始了为期一年的脱产学习。暂时告别了青岛二中的美丽校园，脱离了原来紧张繁忙的工作环境，以一个学生的身份重新回到校园，这对于人到中年的我来说非常难得。我从心里非常珍惜这次学习的机会，也发自内心地感谢青岛二中的领导能够给我们脱产学习的机会。毕竟教师工作可以说是“一个萝卜一个坑”，在师资并不富余的情况下能够每年送几位教师出去脱产学习，这不能不归功于学校大气的领导策略。

从1997年山东省招收教育硕士开始，青岛二中已经有几十位教师取得了教育硕士学位，有的教研组几乎每年都有人考取教育硕士，许多教研组绝大部分甚至全部教师都获得了硕士学位。这种状况在中学并不普遍，原因主要有两个。其一，很多学校并不支持教师脱产进修，因为脱产学习的方式会打乱学校的教学工作安排，学校还要负担教师的学费

和工资，而学校不同意报考则无法报名参加考试。其二，很多教师不愿参加考试，因为这对评职称、评优等都没有什么用，还要少算一年教龄，经济上也有不小的负担。而青岛二中却与众不同，学校领导不但支持报考，还认真执行上级文件规定，保证教师学习期间的所有待遇，免除了教师的后顾之忧，这一点我在上学之后才发现是没有几个学校能真正做到的。青岛二中的教师们学习的热情也很高，大家都想争取学习进修的机会，所以为了不耽误教育教学工作的正常秩序，教师们自觉协调好工作和学习，学校领导又在上级文件的招生范围内提高了报考门槛，严格规定了报考的条件。这更调动了广大教师努力学习勤奋工作的热情。

在教育硕士进修学习的过程中，我不但在课堂上学到了教育理论知识，而且在课余时间阅读了大量的书籍资料，更加难得的是我有了一个对以往的教育教学工作总结反思的机会。虽然在以往的工作中我也常常总结反思，也注意进行理论学习，但这种学习往往是不太深入的，不太系统的，而且往往带有实用主义的色彩，比较急功近利，也比较被动。脱离工作岗位之后的学习反而是特别积极主动如饥似渴的。虽然有些课程以前也学过，但现在，在有了大量的教育教学工作实践之后再来学习这些理论知识，要比当年的理解深入得多，思考和感触也更多。许多原来想不通的、不理解的东西大多想通了，理解了，并且对今后的工作有了许许多多的计划和打算。

其实学习的过程就是一个自我发现自我塑造的过程。学校领导之所以创造各种培训进修的机会，是因为重视教师的专业化发展。今天教师专业化发展早已成为国际教师教育改革的趋势，受到许多国家的重视，也是当下教育改革实践提出的一个具有重大理论意义的课题。正是在教师专业化发展的进程中，教师在教育实践中的主体地位和主体作用得到确认，教师的工作作为重要的专业和职业得到确认，教师发展的意义和可能得到确认。在人类社会面临深刻变化的时代，教师正被重新发现。而作为教师的我们必须与时俱进地发现自我、重塑自我。人的发展是从幼稚走向成熟，不断完善的过程。教师的发展也是作为社会职业人从接受师范教育的学生，到初任教师，到有经验的教师，到实践教育家的持续过程。教师发展的中心是教师的专业成长。这种专业成长是一个终身学习的过程，是一个不断解决问题的过程，是一个教师的职业理想、职业道德、职业情感、社会责任感不断成熟、不断提升、不断创新的过程。有人说过，这个世界上有两个职业是杀人可以不见血的，一个是医生，另一个就是教师。这其实是在提醒我们，作为教师我们工作的特殊性和重要性。作为教师我们不但要会教书，更要重视育人。面对年复一年重复性的工作，我们难免会产生一种惯性和惰性，但要时时提醒自己：同样的事情我做过一千遍，面对的却是一千个不同的生命。时刻保持真挚的职业情感，真正做到以人为本，以学生为本，以关爱人的情感和方式工作，而不是只用做事的态度来工作，这是我的第一个思考。这一点说起来容易做起来很难，也是多年工作之后最容易忽略的、倦怠的。我们常常看到，很多教师工作了许多年，课讲得很好，知识非常熟练，指导考试很有办法，但学生毕业后很快就忘掉了他和他教给的知识。为什么呢？我想这代表了一种类型的教师：只把眼睛盯在教材、作业和分数上，成为了经典的教书匠，忽视了自我的文化修养，缺乏人格魅力，对学生无法产生强有力的影响，把学生当成萝卜青菜来教。这样的教师是悲哀的。

教师是一个创造性很强的职业，要想教出富有创新能力的学生，教师缺乏想象力和创造力是不行的。所以在教学设计上要重点体现对学生思维能力的训练和思维品质的培养，这是我的第二个思考。新课程改革实验以来到底什么样的课才是一堂好课，可以说是我们每天都在思考的问题。我们自己设计，通过听课学习他人的设计，进行教研活动讨论各种课的教学设计，在教学设计中绞尽脑汁地采取多种方法运用多种理论来支撑我们的设计，为了充分调动学生的积极参与，甚至分别硬性规定了教师、学生在一节课中的活动时间作为指标。我们实践、反思，再实践、再反思。我发现，以往很多时候的课堂教学往往过于注重形式，而忘记了形式是为内容服务的。我觉得今后努力的方向应该是在课堂教学中用文化、用思想、用情感来感染、教育和打动学生，避免为了迎合某种标准而设计那种学生收获不多的“假”、“大”、“空”课堂。这就要求我们不断学习，提升自己的人文修养、文化品位，保持健康真切的情感。在对教材对考试对知识都非常熟悉游刃有余之后，应该有更高的追求，保持旺盛的求知欲望，尤其作为人文学科的教师要多想想让学生在考试之外学到些什么，对他的人生观、世界观、价值观有什么样的影响。这将对学生的一生有重大的意义。

我的第三个思考就是做班主任工作要增强科研意识，关注学生的心理问题，研究学生的生活方式和文化氛围，不能凭借惯性和经验。现在的学生认为三年就产生“代沟”。这个说法可能有点夸张，但我们看到的现象是我们送走高三再接高一的不适应，因为三年后的学生已经是那么不同。现代社会变化之快足以令人眼花缭乱，科技飞速发展，学生的生活方式和文化氛围变化之快令人难以适应，作为与学生有着较大年龄差距的教师，要想有的放矢地做好工作必须有科学的态度，所以对学生读的书、喜欢的歌曲乃至崇拜的明星都应该研究，因为这些都折射出一些对学生有重大影响的文化现象，而学生的心理问题也与他所处的文化氛围和生活方式有着极其重要的关系。班主任工作要做积极的有心人，走进学生内心世界才能积极地影响学生，达到教育的目的和效果，不能只是做一个处理日常事务，进行常规管理的“维持会长”。

总的说来，虽然只进行了短短半年的学习，我却思考了许许多多的问题。这些思考使我更加坚定教师的职业理想，更加丰富自己的职业情感，让我时时感受到强烈的责任感，期待着学习结束后回到工作岗位大干一场，把这些思考在实践中逐步完善，使我的教师事业更上一层楼。

（四）提倡自主发展

学校要为教师构建自主发展的立交桥。赛马不相马，是主张在过程中追求发展。在青岛二中的用人理念里，人人都是人才，要给每一位教师提供自主发展的广阔舞台。这为青岛二中教师提供了公平竞争的机会和环境。学校以“沃土工程”为抓手，加大培养青年教师的力度。每学年都举行拜师仪式，签订师徒合同，使青年教师能够在导师的指引下沿着正确的方向健康快速发展。在此基础上，我校还引入“赛马”机制，营造“赛马不相马”的用人氛围，组织教师进行业务比武，并将其与贯彻“低起点、高观点、高目标”的课堂教学目标、加大课堂教学改革力度相结合。学校实施“课堂改造行动”方案，通过“亮出你的精彩”教学比武活动、“聚焦课堂”评课送课活动和“课堂教学达标”活动等，在全校形成了重视课堂教学效益、研究课堂教学方法和评价课堂教学质量的良好氛围，极大地促进了教师专业化发展，提高了学校教学质量，并通过竞争实现了教师队伍的优胜劣汰。

握住自己的方向盘，驶上这座自主发展的立交桥，就驶入了个人专业成长的快车道。

青岛二中优秀青年教师、优秀共产党员、青岛市青年教师优秀专业人才法少鹏曾说：“我的课堂敢于开放，能够开放，在业务上基本能够站稳脚跟，得到学生认可，得益于导师们的教导，也得益于学校的‘沃土工程’。在学校举行的聘任大会上，经过竞聘演说，我与另外三位老师被低职高聘，这对我们年轻教师来说，是莫大的鼓舞。只要你踏踏实实，勤奋工作，虚心学习，吃苦在前，勇于创新，不管你资历深浅都可以得到学校的认可，得到其他老师的尊重。低职高聘，是一种荣誉，一种信任，更是一份责任，一份动力，它鼓舞我们不断学习，不断攀登高峰。”

金牌教练、特级教师郭京君在2007年教师节上的发言中说道：“成绩的取得，首先应归功于学校，是青岛二中给我和我的学生创建了这样一个施展才华的大舞台，青岛二中的先进办学与管理理念，和谐而民主的干群关系，健康而宽松的育人环境，使我们每个老师、每个学生能够各尽其才，心情愉快、不知疲倦地忘我工作着，学习着……”

郭老师在接受《中国教育报》记者采访时，对于学校为教师专业成长创造的理想环境赞不绝口，感激之情溢于言表。他说，工作之后，自己换过两个单位，总有一种飘忽不定的感觉。可是来到青岛二中，很快就有了一种大树扎根的踏实感。因为在这里，只要努力工作，真正出了成果，就会得到领导与老师们的认可。他说自己2000年的时候还是一个普通教师，做梦都没想到过当特级教师，认为那是一个特别遥远而又无法触及的顶峰。可是，校领导却鼓励他努力争取，让他多看书，看好书，认真研究教育教学，撰写论文，参加高层次的评比活动。结果他的教学水平突飞猛进，工作业绩硕果累累。短短几年时间，他所教的学生中有十多人获全国生物竞赛大奖，十多人获省级、国家级科技创新大赛大奖。他辅导的学生冉辰作为国家队队员，于 2007 年 7 月在加拿大夺得国际生物奥林匹克竞赛金牌，实现了青岛市国际生物奥林匹克竞赛金牌零的突破。他辅导的学生黄蓉作为国家队队员，于 2009 年 7 月在日本夺得国际生物奥林匹克竞赛金牌，为学校、为青岛、为山东再添辉煌。

第七章 规划教育蓝图，追求学校高品质发展

回首来路，青岛二中的发展得益于深厚的学校文化。正是这种文化，使得学校在新课程改革的探索过程中能够把握时代的脉动，表现出非凡的勇气，理性地设计学校的发展方略，果敢地迈出第一步，并坚定不移地走下去。新时代已经开启，“领先一步，追求卓越”依然是二中人不变的追求。展望未来，更为艰巨的挑战、更为美好的共同愿景、更为宏伟的发展战略，激励着学校在时代的大潮中奋力搏击、激流勇进。

一、准确定位，绘制远航绿色海图

面对一个崭新的时代，每个二中人都曾对学校的未来构想过一幅至美的图画。立足当前，放眼未来，我们也冷静地认识到：学校发展的战略构想是基于现实和理想的规划与设计。无论什么时候，教育都是基于人的培养的一项伟大工程。因此，学校的发展战略必须从时代发展、社会进步的要求出发，依据学生和学校发展的实际，努力为人才的成长与发展创造良好的教育环境和条件。我们将基于如下几个方面来设计、实现学校发展的战略构想。

（一）世界教育发展的大趋势

对于学校发展追求，必须在国际视野当中建立坐标，这样才能使我们对于教育的认识与理解具有超前的眼光和更高境界。

早在1996年6月，第25届世界主要先进国家首脑会议（G8）以决议的形式通过了“科隆宣言”。该宣言指出：“我们确认，我们现在所处的社会和经济的发展将越来越需要知识，因此构筑一个人人都具备必要的知识、技能和资格的‘终身学习社会’将十分重要，也即教育和终身学习将成为传统的工业化社会向知识型社会转化过程中具有柔软性和适应性特征的一种通行证，而把这种通行证赋予每个人则十分必要。”

与此相呼应，近年来，世界各国都在进行基础教育改革，并且都是从“终身发展”这一立场出发，为基础教育未来的发展绘制蓝图。

美国中学的教育目标是：发展批判性思维能力与广泛的智慧；有效的交际能力，充分运用语言达到人与人之间的有效和谐的交往、交流；科学知识与科学态度培育；文学艺术以及人文的知识与文化的习惯；身心健康；国家公民和职业技术。

在芬兰，1994 年 1 月 5 日全国教育委员会颁布了《芬兰高中教育课程框架大纲》，其第二部分明确规定了高中教育的目标："培养综合素质高、个性健康全面发展、有创造力和合作精神、能够独立探求知识、热爱和平的社会成员。"

法国高中教育的目标是使每个青年实现其个人定向，为学生的独立工作、推理和判断、交际与集体合作等能力及责任感打下基础。

英国高中教育的目标是：帮助学生树立探究精神，发展合理的怀疑和争辩能力以及专心学业的能力；培养身体技能；帮助学生在迅速变化的世界中掌握与成人生活和就业相关的知识和技能；帮助学生有效地使用语言和数学；使学生逐步形成对宗教和道德价值观的尊重态度以及对其他种族、宗教与生活方式的宽容精神；帮助学生了解他们生活的世界以及个人、群体和国家间相互依存的关系；帮助学生充分意识到人类的成就和愿望。

可以看出，发达国家高中阶段的教育特别重视对学生学习能力与创新思维能力的培养，重视对学生的国际文化理解力的培养，重视学生国际视野的培养。这体现了当今时代对人才素质培养的共识。

（二）建设创新型国家的必然要求

在世界多极化的格局下，进一步增强国家的综合国力、提高国际竞争力，最为根本的是培养一大批具有创新能力的拔尖人才。党的十七大报告中明确提出建设创新型国家的战略目标，基础教育应当为此作出自己的贡献。

我们正处在因科学技术、社会生产力和市场经济体制确立而产生深刻的社会转型的时代，基础教育面临时代的极大挑战。为了实现人才的培养，教育部颁布《普通高中课程改革方案（实验）》，强调"普通高中教育为学生的终身发展奠定基础”。《国家中长期教育改革和发展规划纲要（2010—2020年）》中也指出：“提供更加丰富的优质教育”，使“教育质量整体提升，教育现代化水平明显提高”，“各类人才服务国家、服务人民和参与国际竞争能力显著增强”。“高中阶段教育是学生个性形成、自主发展的关键时期，对提高国民素质和培养创新人才具有特殊意义。注重培养学生自主学习、自强自立和适应社会的能力，克服应试教育倾向。”素质教育的理念已经成为党和国家重要的教育价值追求。

实施高中新课程改革，是国家在新的历史时期推进素质教育、培养创新人才的重要战略举措。长期以来，以应试为主要目标的高中阶段教育，重知识轻能力、重智育轻德育、重眼前轻长远，牺牲学生的身心健康、学习与发展兴趣、创新思维能力，严重地扭曲了对于人的教育与培养的价值观。素质教育是应试教育的否定，它坚持以人的发展为本，重视学生的能力与综合素质培养，为学生的终身发展奠定基础。因此，更好地实施与推进素质教育是基础教育的重要责任，也是从根本上培养学生创新精神与实践能力的必然选择。

（三）学校的定位与使命

半个多世纪以来，中国取得了举世瞩目的成就。尤其是改革开放以来，我国已进入现代化、信息化、国际化的快速发展阶段，国家发展的步伐日益加快，国家的面貌也日新月异。要实现“十二五”规划提出的加快社会主义新农村建设，以及加快建设资源节约型、环境友好型社会，提高生态文明、推动文化繁荣和提升国家文化软实力等目标，就要面对人口、资源、环境等的压力日益增大的挑战，加快经济发展方式转变，建设创新型国家。这一切，都迫切需要大批各类的高素质人才。

青岛市自改革开放以来，取得了令人瞩目的成绩，国际化进程有条不紊地进行。在《青岛市城市总体规划（2006—2020）》里绘制了这样的蓝图：“未来10年，青岛以‘中国东部沿海重要的中心城市、国家历史文化名城、国际港口城市、滨海旅游度假城市’为目标。成为中国东部沿海的区域经济中心、现代化服务中心、文化中心，国家海洋科研及海洋产业开发中心，国家重要的现代化制造业及高新技术产业基地，东北亚国际航运中心，国家重要的区域性航空港，国际滨海旅游度假胜地等特色城市。主要经济指标和城市综合实力进入全国主要城市前列，成为全国最有活力、最有吸引力、最有竞争力的城市之一。”

国家要发展，青岛要进步，必然要求有高素质人才来担当这个伟大的使命，青岛地区是齐鲁文明的发祥地之一，也是山东的教育重镇，重学风气浓厚。如今，在学校周边有中国海洋大学、青岛大学、青岛科技大学等一批高等院校，浓厚的学术氛围和开放的思想也在浸润着青岛二中，积极地影响着学校的发展。作为移民城市，青岛呈现出一种开放、融合、敢于进取、敢于创新的特点，这种特点也深深地影响着青岛二中的办学风格。作为青岛市基础教育的领头羊，青岛二中将探索新的办学模式，努力实现学校教育的国际化、现代化、信息化，当仁不让地承担起为国家、为社会培养高素质人才的使命。

有着八十多年历史的青岛二中，在其发展的历史与现实中，始终以国家的利益和民族的发展为最高行动准则，努力用一流的教育服务于社会进步与发展。在任何一个时期，青岛二中都能紧跟时代的步伐，勇于做教育的弄潮儿，敢于引领教育发展的新潮流。青岛二中所培养的大批优秀人才，在各个不同的领域以自己良好的素质，为社会的发展作出了卓越的贡献，许多校友赢得了社会的高度评价和尊重。青岛二中的教育成就使其成为岛城人民心中一座教育的丰碑，这为其今后的发展奠定了历史文化基础。

在新的历史时期，青岛二中继承了学校的优良办学传统和文化，充分利用学校东迁崂山区、教育教学设施大大改善的契机，大力推进为学生终身发展负责的素质教育，为学生的发展创造了很好的环境与条件。

东迁十年间，学校以创新作为灵魂和动力，顺应人才培养的时代要求，积极进行教育的变革与创新，不断开创着学校发展的新局面。借助高中新课程改革的契机，学校积极谋划、科学决策、大胆推进，变挑战为机遇，变机遇为发展的动力，使课程改革成为学校再次发展的新起点。在近几年的工作中，学校适应时代发展潮流，以“造就终身发展之生命主体”作为学校的育人目标，积极探索教育规律并付诸实践，在国内基础教育界取得了领先地位，并占有一席之地。学校积极推进新课改，致力于培养可持续发展的具有较高综合素质水平的优秀学生，得到学生及家长的一致认可；学校的办学理念及经验也得到教育同行、教育主管部门和社会的广泛认同；学校在国内基础教育界的地位逐步提高，同时在国际教育界的影响也逐渐显现，国际知名教育机构纷纷邀请我校领导参加教育论坛，交流教育思想，分享教育经验。学校成为青岛教育的品牌和一张靓丽的名片，在全省、全国都有相当好的影响，这为学校的发展奠定了现实基础。

学校在推行素质教育的过程中，围绕着“造就终身发展之生命主体”的核心目标，一方面形成了自己的教育模式与特色，在教师队伍培养、课程开发建设、学生自主发展方面都取得了很大的成绩，尤其在学生能力培养方面有着独到的经验，这些都为下一步学校更快更好地发展奠定了坚实的基础。另一方面，学校要继续发展，学校的优良传统就要得到进一步总结和继承，先进的教育理念就要更深刻地内化为教师的自觉行为，教师的专业化发展就要进一步加强，学校学术氛围的营造就要进一步提升，在学校优良传统的传承中开拓、创新、发展。《国家中长期教育改革和发展规划纲要（2010—2020年）》在“战略目标”当中设定：“健全充满活力的教育体制。进一步解放思想，更新观念，深化改革，提高教育开放水平，全面形成与社会主义市场经济体制和全面建设小康社会目标相适应的充满活力、富有效率、更加开放、有利于科学发展的教育体制机制，办出具有中国特色、世界水平的现代教育。”这也为学校继续探索素质教育指明了方向。

面对新的机遇和挑战，青岛二中将继续“坚持深化素质教育不动摇，坚持提高教学效益不动摇，坚持发展办学特色不动摇，坚持打造教育国际品牌不动摇”，坚定不移地贯彻执行国家的教育方针，更新教育观念，确立科学的教育观、人才观、质量观；以培养学生的创新精神和实践能力为目标，扎实推进素质教育，培养更多的具有国际视野和领袖气质的优秀人才；以内涵发展为主线，实施品牌战略，着力打造和拓展办学特色，巩固办学成果；以追求高效益为目标，全面提升管理水平；以提高教育质量为核心，进一步促进学校内涵发展与可持续发展的和谐统一；在多变的时代面前，把握教育发展的大趋势，与时俱进，创设可持续发展的“绿色教育”，把学校打造成“终身发展之生命主体”的缔造者；走精品化、国际化道路，把学校办成国内著名、国际知名的一流中学。

基于此，学校今后的发展使命是：第一，精心规划学生的素质发展，实现课堂、课程与实践的有机结合，使学校成为卓越人才素质成长与发展的高地；第二，积极为教师的发展创造公平、宽松、自由的环境，为教师的独特教学风格的形成和个体智慧优势的充分发展提供最大的支持，促进教师专业化的可持续和谐发展，提升教师职业的道德感、成就感和幸福感。第三，深化学校发展的“精品化、国际化”战略，坚守教育的理想与社会责任，深入探索新课程实施的方式方法，深入探索素质教育实施的途径和方法，深入探索创新人才培养模式，打造“高层次、可持续、求突破”的教育发展模式，为引领基础教育的发展作出自己的贡献。

二、注重文化管理，追求学校发展的高品质

青岛二中的发展历史，就是继承优良办学传统、勇于开拓创新、丰厚文化底蕴、彰显办学特色的历程。处在国际教育发展以及创新型国家发展的历史背景下，在时代变幻的大潮中，学校要想继续发展，做基础教育界的领跑者，就必然要作好学校的长远发展规划，创新学校管理，增强学校的核心竞争力。

（一）重建学校管理的内涵

1. 破除传统思维，在重新认知人性的基础上赋予管理新的意义

实施高效益的管理，是实现学校可持续发展、促进学生素质全面提高的重要保障。管理的目的是实现人的发展目标，教育管理是通过各种

手段和方式来满足人的发展的要求和实现人的发展的最优化。对人的认识，是决定管理成效甚至是管理成败的重要基点。“横看成岭侧成峰”，角度不同，对事物的认识会大不一样，在学校管理中，如果管理者对于师生的认识改变了，那么一切都会呈现出不同的面貌。

西方管理心理学中，有对于人性假设的研究，他们认为人性假设在很大程度上决定了管理的价值取向。西方组织管理学家雪恩将人性假设分为四类：（一）“经济人”的假设；（二）“社会人”的假设；（三）“自动人”的假设；（四）“复杂人”的假设。在每一种人性假设的观点基础上，形成了不同的管理理论，由此也导致了管理心理学的革命性变革。

麦格雷戈归纳了对人性的不同看法。他认为，传统管理理论是以对人性的错误看法为基础的，这种理论认为人天性厌恶工作，逃避责任，不诚实和愚蠢等，为了提高劳动生产效率，就必须采取强制、监督、惩罚的方法。他对这种观点提出了批评，进而认为，要保证管理的成功，就要认识到：人并不是被动的，人的行为受动机支配，只要创造一定的条件，他们会视工作为一种得到满足的因素，就能主动把工作干好。因此，对工作过程中存在的问题，应从管理上找原因，排除职工积极性发挥的障碍。

雪恩和麦格雷戈的理论对现代学校管理有着巨大的启示：传统的管理观念应该转变，新的管理理念必须确立——管理，就是要认识和尊重人性的价值。

坚持管理创新，坚持以人为本，充分实现学生、教职工、社会参与学校管理；坚持把关心人和发展人置于学校管理工作的核心，以学生发展为本，以教师发展为本，努力促进师生的全面、协调、可持续发展；坚持把学生成长和发展的要素渗透到学校管理工作的方方面面，是青岛二中在管理目标上的一贯追求。成就感与荣誉感是对每一位教职员工工作的肯定，这无疑会激发教职员工的工作动力。个人价值的实现，在于完美地、富有创造性地完成本职工作。我们将通过实施教育组织再造，推行扁平化管理，给每一位教职员工提供自主发展的广阔舞台，提供公平竞争的机会和环境，实现个人价值，提高工作质量和效益以及管理执行力。人人都是人才，在和谐的环境中，在一种自然有序的状态中，发挥教职员工的主动性和创造性，实现人人发展。通过学校管理的创新，为学校的可持续发展营造一个绿色的生态环境。

2. 一切有效的教育都是基于对人的真正认知，教育者要重新进行教育假设

教育假设，即学校以及教育者关于学生和教育的价值观。学校教育的策略和教育者的行为很大程度上都是基于教育假设这一前提，教育假设决定管理者行动的方向和方式，有什么样的教育假设就会有什么样的教育目标、教育内容和教育方式，也因此会给教育对象产生不同的教育影响。虽然学校教育模式的差异是多种因素影响和相互作用的结果，但其重要的前提就是教育的假设。

教育假设基于教育规律与科学、基于教育者的理性而产生，就能够真正形成适合学生的教育。现代教育的内容早已超越了课本知识，教育也不再仅是教授给学生什么样的内容，其价值体现在能否创造更加适合每一个学生充分而又富有个性地发展的条件上。

在教育实践中，我们看到，学生蕴藏的潜能是无限的。学校要做的就是为学生创造更加丰富的自主发展的环境，让他们在这个广阔的天地里自由翱翔！

（二）管理的现实目标：提升人的需要

教育的责任是实现生命的解放，并使其获得自由发展。需要是生命自身的重要属性，也是人发展的原动力。马斯洛的需要层次论，一直在影响着今天对于人的理解和管理。学生的潜能也是以学生的需要的方式体现出来的，其发展也是一个不断从低层次向高层次提升的过程，而任何一个高层次需要的发展必定是基于低层次需要得到满足的结果。教育要着眼于提升学生的需要，创造条件了解、满足和提升人的高端需要。

学校应当不断创设让学生实现需要的良好环境和条件，才能激发学生不断产生更高层次的需要，实现学生的自我发展，达到学生发展的高境界。青岛二中将在教育实践中，按照素质教育的要求，努力为学生创造宽松的环境，引导学生不断实现发展的自我超越，使学生的发展实现最优化和最大化。

（三）管理的远景追求：发掘每个学生的潜能

潜能是每一个生命的特质，人之所以为人，在于他是一个独一无二的个体。激发潜能是基于对生命的尊重和敬畏，教育者要确立尊重生命价值的理念。生命个体具有自身的潜能，生命也有自我选择与实现的内在动力。潜能的激发，使个体的个性更加鲜明，以此成就自我，也使世界灿烂纷呈。

开发学生的潜能、满足学生的需要是教育的责任，也是教育的基本方向。哈佛大学心理学教授霍华德·加德纳经过研究提出了多元智能理论，他指出在人类身上有八种智能，这八种智能在每一个人身上都存在，但每一个人身上总有一种最突出的智能表现。对于学生自身的潜能认识，应当依据“多元智能理论”所提出的观点，深刻思考学生的全面发展与个性发展，让每一个学生在生命成长的每一个阶段都有认识自身潜能的机会。学校要努力为生命的自由流淌与个性的充分张扬创造最优化的条件，当教育为学生提供宽松的环境和发展空间的时候，学生因此所培养起来的素质对其发展也奠定了重要的基础，学生就会找到自己发展的方向，实现更高水平的发展。

（四）进行系统教育，造就完整的人

系统教育观是以人的终身发展为目标的。要实现这个目标，就要站在系统的高度，设计教育内容和活动，为学生发展提供系统支持，开展系统培养，以促进学生全面发展、个性发展和主动发展。

系统教育观是以人的系统性存在为基础的。每个生命个体都是社会系统的一部分，因而他们自身必须具有与社会相适应的条件与能力，以实现与环境的有效沟通、信息与能量的交换。生命个体自身又是一个丰

富的生命存在，其自身要素的各个方面既相互渗透融合，又各自独立，既相互制约，又相辅相成。可以说，学生的知识结构、显性知识与隐性知识等构成的知识系统，执行与社交、情感反应、记忆、语言、数学、空间想象等构成的智慧系统，品德、能力等构成的素质系统紧密相连，构成了一个系统整体。

青岛二中“终身发展”的教育理念和思想，体现了学校着眼学生未来和长远的发展，努力在高中阶段为学生奠定坚实的人生基础。系统教育观，不仅要为学生的全面发展打好基础，而且要为学生的个性发展提供宽广的舞台，更要引导学生的主动发展。学校的教育教学活动都要关注学生终身发展的素质，每一位教职工都要树立学生终身发展意识，以服务于学生的终身发展为己任，以促进学生终身发展为最高行动准则。

系统教育观着眼于提高教育的效能和价值。学校要在系统的高度整合各种教育资源，实现教育效益的最大化。教育的内容和方式都要站在系统的高度去进行有效设计，重视各种教育内容自身所蕴涵的价值，提升教育资源的效能。学校应当重新为自己的职能定位，健全教育功能；每位教师也都应当充分挖掘教育教学活动的价值，从“培养完整的人”的角度，为学生创造更多的价值，真正实现以学生系统发展促进终身发展。

学校教育体现的是对于学生生命体的价值提升，这种提升不是单一要素的功利性强化，而是生命体自身的整体和谐发展。由此，青岛二中将会推进“三化”校园建设，建立较健全的教育系统，以达到印度哲学家克里希那穆提所说的“教育的最大任务在于培养一个完整的人，能将生活加以整体地处理”的美好境界。

建设生活化校园，让生活引发学生的激情。“生活即教育”，学校教育在生活中才能实现学生发展的自我超越。将教育融入生活，让校园充满生活气息，是教育环境的内在需要。教育是为明天，为学生未来高品质生活奠定基础，教育更要立足今天，基于现实生活，让学生保持对校园生活的激情和兴趣，保持学习和素质发展的可持续性。青岛二中在今后的发展中，将致力于生活化校园建设，创造引发学生热爱学校、保持对生活和知识学习浓厚兴趣的情感氛围，让学生通过教育获得知识和思维能力，更要让学生在生活中学会生活、学会学习、学会发展、学会创新。

建设个性化校园，让个性铸造学生的未来。凸显学生的个性发展，就是让学生在全面发展的基础上其特质得到最大程度的发挥，这是学生可持续发展的根本所在。建设个性化校园，就是要使校园成为学生展现自身独特素质和魅力，促进个性最大化发展与可持续发展的舞台。在未来的发展中，学校会搭建各种平台，让每一个学生能够拥有个性发展的机会，强化其基于特长的自主发展。教育的目的不是要让每个孩子成为完人，而是要让孩子的独特智能得以发展，学校也将完善对学生优势智能发展的支持系统，为学生优势智能的发展提供系统支持，同时指导学生开展人生规划，发展自身的智能优势。

建设智慧化校园，让智慧成就学生的梦想。建设智慧化校园的最终目的，就是要通过为学生创设实践的机会，丰富学生的隐性知识，完善学生的知识结构，提升学生的创新精神、实践能力和思维能力。为学生创造更多实践机会，让学生不断面对未知问题的挑战，是发展学生智慧极为重要的途径。学校会进一步为学生创造充分参与、挑战自我、锻炼能力的机会。

（五）创造适宜的教育环境，以文化引领发展

八十多年来，青岛二中在其发展过程中，形成了厚重的历史文化积淀，“领先一步，追求卓越”的品质引领青岛二中不断创新，以“山海精神，仁智品格”为内涵的“山海文化”已成为二中人不断进取的不竭动力。山海文化，绝不仅是一种外在的风格特征，它有其深厚而坚实的人文特质。以传统文化为源，以学生发展为需，以“仁智”核心为实，山海文化彰显新时代校园文化的独有特色，从而在沉稳、博大的基础上，增添了厚重、雅致、仁爱和睿智的内涵。以“山海”文化来统帅学校精神，以“仁智”品格来塑造师生心灵，以“仁爱天下、智行

千里”作为师生的行为准则——用山海涵养性格，滋养心灵。以“仁”为根，育人之树方能根深叶茂；以“智”为翼，莘莘学子方能展翅高翔。山海创境，“仁”“智”铸心，方能“造就终身发展之生命主体”。

以特色创品牌，大力营造特色发展、品牌建设的文化氛围，将特色建设、品牌建设和文化建设有机结合起来，不断丰富管理文化内涵，增强全体师生的学校核心文化认同感，使培育特色成为学校管理人员和全体教职工发展学校事业的精神追求和实际行动。

将“民主、平等、创新、卓越”等学校文化元素融入学校管理中，并逐步成为全体师生的共同信念和意识。深入推进教师专业化和学生自主发展模式，探索新途径和新方法，使全体师生的自主发展建立在自我意识的觉醒和贡献学校的基础上，从而形成推动学校发展的强大的内在力量。

三、加强教师队伍建设，砺才砺德，为人师表

在未来学校的前进征途中，为满足学校发展的需要，学校将致力于教师专业化发展工程的建设，鼓励教师不断进修学习，提高专业知识与教育教学艺术水平。加强师德建设，通过深化教育、内心自省，增强广大教师的事业心、责任感、荣誉感、使命感，增强集体凝聚力和团结合作精神。充分调动广大教师奉献教育、发展学校的积极性，构建一支既能适应时代发展，又能满足青岛二中学生要求的业务精湛、师德高尚、素质全面的师资队伍。

（一）从自觉到自主，唤醒教师发展的自觉意识和潜能

从自主到自觉，是教师职业境界的一个升华。对学校而言，教师的发展与成就是支撑学校发展与成就的基石。自觉发展，其实质是教师自行激发潜能，实现个人职业价值的最大化，并在这个过程中成就学生、成就学校。

1. 创造公平的发展环境和实践平台，为不同层次的教师搭建锻炼成长的舞台

“赛马”机制，一是要有一个“规定项目”的公平环境，使教师们在同样的目标指引下向前冲刺，二是要建立“自选项目”的平台，让教师们各尽所能，各展其才。在这个机制中，既要给教师提供宽松的成长环境，又要给教师压担子，既要提升教师的敬业精神，又要克服成长过程中的急于求成心理和职业倦怠心理，深化新课改，以新课改理念推进课堂教学改革，给课堂注入文化内涵。同时，还要建设高效益课堂，加强对教学细节的研究，提高学生学习效率，加快促进教师的专业发展。

2. 加强制度机制建设，规范引领行为

理念形成制度和机制，而制度和机制则规范行为和引领方向。规范不是目的，重要的是要引导广大教师不断提高自身的专业素养，提升服务学校和发展学生的能力。

通过“双优”工程的机制，为优秀教师的可持续发展、青年骨干教师的成长和学校教师队伍的梯队建设创造良好的机会。

加强对青年教师的培训工作，通过“沃土工程”、“凤凰计划”、“未来教育家学校”等平台，把青年教师各项基本功比武活动制度化，优化教师的知识、能力结构，促进青年教师业务水平的提高。

推进并落实骨干教师“学术休假制度”和各类专家评选办法，开阔教师学术视野，总结并推广学术经验，促进学术创新和科研发展，提高教师的学术水平，推动学校教育教学的全面发展。

学校将创新相关机制，引导教师的专业发展，增强教师专业发展的自觉性，鼓励教师的个性发展和优势智慧在学校发展中的运用，使更多的教师都能够获得成功的体验。

3. 提升教师专业发展力，助推教师事业成功

对于教师而言，良好的专业素养固然重要，但通过自身的非专业素

养所体现出的教育能力，会强化、提升教育的影响和效果。面对基础教育的不断改革发展，教师不能故步自封，而必须进行相应的发展和提高。为了更好地提升教师的发展力和教育的影响力，加强对教师的非专业的培养显得更加重要。在开展教师教学增值评价、研究学生发展的同时，认真实施分层评价与分层培训，开展高端培训与高层阅读，关注教师在心理、品德、课堂表现力、爱好特长、学识素养（非专业知识）、文化修养等方面的发展情况。打开教师专业化发展的视野，提升教师发展的境界。这对教师的更高层次的发展必将产生积极的影响，促使优秀骨干教师的不断涌现。

（二）加强教育科研工作，以科研推动学校整体水平的提高

引导教师树立终身学习意识，不断把学习的压力转化为自我发展的内在动力，不断提升自主研究问题的能力，积极参与学校的教科研工作，形成主动研究的意识、素养和全员参与的风气；增强教师在教育实践中研究问题的自觉性，使其善于将教育教学实践中的问题转化为自主研究的课题，加强行动研究，关注细节，提高思维素质和解决问题的能力。

（三）完善教师评价体系，引导教师发挥潜能，不断创新、超越

在教师的专业成长过程中，如何保持教师的职业激情，实现教师更高水平的持续发展？青岛二中在探索教师专业发展的过程中，会不断进行教师专业发展的制度创新，创造教师可持续发展的生态环境，促使教师从“高原”走向“高峰”。

1. 变革评价办法，以评价引导教师的价值提升

教师专业发展既是个人价值实现的内在需要，更是为学生创造更多价值的必然要求。每一位教师不仅要有高质量和高效益相统一的教学，

还应当在学生的人生规划、知识结构完善、个性发展等方面提供精神动力和智力支持。对教师由单一的分数指标评价转变为以贡献评价为主的多元评价，既是学生发展的要求，又是教师提升自身的教育素养和优势智慧，真正成长为一名优秀教师的指向标。

2. 加强精神引领与提升

教师的专业境界与职业精神是维持激情创造的灵魂，学校教育以人为本，在成就教师事业的同时，学校应当把丰富教师的生命内涵、提升教师的精神境界作为自己的责任与使命，通过精神引领让每一位教师形成良好的职业素养，使他们在崇高的精神境界中不断实现自我超越。“学校第一、学生第一、工作第一、他人第一”的教师“四个第一”的教育信条，是处理和衡量个人与学校、学生、工作及同事关系的原则和标准；“大树底下好乘凉”的精神会激励教师保有宽容和善良之心，包容与传承学校精神；“山海文化”会使全体教师受到熏陶，以仁爱之心服务学生、社会和人类；孔子的“毋意，毋必，毋固，毋我”，老子的“无为无不为”等修行之道，能促使教师修身养性；用稻盛和夫的“以心为本”修炼“利他”之心，能提升教师的工作境界。学校将不断用创新的意识和学校发展追求，来激励教师积极进取，以激情成就事业。

四、继续推进课程建设，为学生铸造坚实的发展平台

新课程改革的实施是一个构建全新的教育文化体系的过程。在“造就终身发展之生命主体”、“开放的大课程观”的课程理念指导下，学校将进一步推进课程改革，整合各种资源，完善课程体系，构建体现基础性、整体性、选择性的课程结构，建立具有青岛二中特色的、适应学生个性特长发展的校本课程，以发挥教育影响并充分发展学生的多元智能。

（一）提升现有的校本课程，规范活动类课程的管理；建立有效的课程制度和课程支持机制

学校课程委员会要严格按照课程标准的要求，根据“控制数量、提高质量”的原则，严格审查课程计划、课程内容、课程实施等，并结合学生的选修和评价情况，对现有课程进行评估，以决定现有课程的取舍，使校本课程建设更具科学性、规范性、示范性、可操作性。

加强对学生社团、学生参与重大活动及其他一些体验性、公益性、服务性等非学科类校本课程的规范管理，确保此类学生课程的质量和效果。

学校将制定和完善课程研究与开发的制度、课程质量的评估制度，以进一步规范校本课程开发。

建立奖励机制，对参与校本课程开发的教师在考核、评优、进修等方面给予优先考虑，引导广大教师积极参与校本课程开发，逐步实现每位教师至少开设一门校本课程的目标。

（二）整合资源，健全体系，建设比较完善的、具有青岛二中特色的、适应学生个性特长发展的校本课程

建设完善的校本课程体系，使课程不但成为培养学生决策能力、组织能力、协调能力的有效途径，还能让所有学生都能根据自己的兴趣和特长找到自己的舞台，自行规划人生的发展方向。

依托本地高等院校、科研院所、学生家长等有利资源，积极开展“专家进校园”、“院所进校园”等活动，不断丰富课程资源。

聘请大学教师为学生开设多种小语种课程，开阔学生的国际视野。

创设条件为学生开设时政论坛、国际风云论坛、名家讲坛等参与性、公益性、荣誉性的课程，加强对学生人文素养、领袖素质、国际视野等的培养，体现学校高素质人才的价值追求。

科学规划校园文化建设，彰显校园文化的内涵，使这一隐性课程更加系统和完整，让学生在潜移默化中得到熏陶。

五、坚持学生自主发展，将自主进行到底

学生自主发展是一个崭新的课题，在近几年的教育实践中，青岛二中对实现学生自主发展的规律进行了初步探索并取得了初步成功，获得了很多宝贵的经验，这为继续探求学生自主发展的规律、更好地引导学生自主发展打下了坚实的基础。

自主发展的前提是尊重学生个体的差异，尊重差异必然要求培养模式的多样化。学生的学习、生活不应仅仅局限在学校和家庭中，更应面向广阔的自然、多彩的社会；其学习活动也不应仅仅局限于接受、记忆、练习，更应去探索实践；课程不应仅仅局限于书本，而应是有利于学生发展的一切活动与环境。因此，学校将创设更加丰富的教育生活情境，为学生提供多层次、多种类的发展选择。

帮助这些有着丰富差异的学生发现并发展自己的天赋与才能，进而为不同的选择奠定基础，使每个学生都能合理规划自己的未来，找到适合自己发展的空间，就必须构建一个能让其自主发展的平台体系。建立帮助学生自主发展的平台体系就要优化校内资源，拓展校外资源，把两者联结成一张可以让学生自由寻找自己发展基点的网。

优化校内资源，不仅要高效利用校内现有的生态园、地理园等课程资源，还要建设利用攀岩训练场等潜在资源；充分拓展利用校外资源，规划协调其他社会教育资源，充分发挥校外社会实践基地、社区等教育资源的作用；进一步加强与同类学校之间的合作，加强与大专院校、科研院所等部门的交流沟通，实现教育资源的有效整合与共享，最大程度地实现其教育效能，满足学生多样化的选择，切实形成保障学生素质提升的平台体系。

六、开放办学，建设现代化、信息化、国际化学校

学校教育的现代化、信息化、国际化是对基础教育改革的积极回

应，也是学校发展目标的重要组成部分。我们必须在现代国际视野之下，将本校教育放进国际教育的框架内进行分析比较，探究教育规律，对国外教育观念、教育政策等进行跨文化研究，反思借鉴其经验，把握教育的定位，在现代化和信息化教育的参照之中，在与国际教育的交流与互动之中，不断修正教育观念和教育方式，更理性地推进基础教育的改革。

（一）与时代同步，打造现代化的教育

现代化的教育是青岛二中办学孜孜以求的目标之一。我们认为，现代化的教育不仅仅是拥有和利用现代的教学设施，更重要的是要有现代的教育理念和教育模式。

不难看出，近现代世界经济的每一次飞跃，其背后都有教育的变革性发展，时代的发展又必然深刻地影响着教育。要跟上世界教育发展的潮流，培养更多的创新型素质人才，首要的是有现代的教育理念。青岛二中的教育理念也要紧跟时代而不断调整，既有继承，又有创新。

青岛二中将发展现有的教育模式，使之能更好地适应社会的发展需要、符合学生个性发展的特点，能为学生终身发展打下良好的基础，并且具有普适性。

现代教育技术也是现代教育不可缺失的一环。学校将在原有基础上开发、升级现有教育技术设备，引进先进教学设备与技术；开发利用多媒体技术，使教学、管理进一步实现数字化；根据学生的具体需要，开辟个性实验室和工作室。

（二）放眼观天下，打造信息化的教育

海量信息是信息时代最大的特征，方便、快速而且卓有成效地筛选、使用信息资源，对学生、教师、学校的发展有着不可低估的意义。

青岛二中将在下一个发展阶段中建设先进的数字化校园系统，使信息化管理延伸到学校工作的每一个环节，逐步建立教师发展支持平台，满足教师的教学、科研和自身专业成长的需求；建立学生发展支持平

台，满足学生学习、课程、探究和个性发展的需求；建立家校共建管理平台，实现校与校、家与校、社会与学校共同参与学校教育工作，形成开放的、互动的大校园。通过数字化校园系统的建设，推动学校进行制度创新、管理创新，最终实现教育信息化、决策科学化和管理规范化。

（三）与世界对话，打造国际化的教育

当前，现代教育呈现一种开放的趋势，学校、教师、学生等要素更具开放性，各级教育水平不断提高，学校与学生之间的互相遴选已成常态，学生、教师的输出与输入也逐步普遍。隐藏在其背后的是全球一体化背景下教育市场的开放。

青岛二中“开放”办学的理念将在“十二五”期间延续并深化。“本土情怀，国际抱负”将是国际化办学的基本出发点。

学校将利用国家、社会、学校、校友等各方面的资源，发展国际合作的新形式，并大力开拓国际合作的深度、广度。

近年来，青岛二中与美、加、英、法、德、日、韩等国家的学校建立了友好合作关系，互访交流已固定化。“孔子课堂”等合作形式进展良好，今后将进一步深化。

教师交流也将常态化。教师会有更多机会赴境外接受高端培训，学校将选派有潜力的教师到国外水平较高的学校进修交流，全面提升教师的教育科研能力和教育水平，逐步提高教师的国际化水平。学校还将引进国外高水平的教师来校执教，不同文化背景的教师交流必会给学校教育带来旺盛的生机。

校际之间的高层互访交流将更频繁，也必会带来更深入的理解与更广泛的资讯。

学生访学、学生交换活动的开展，将使学校更加充满活力。

在此基础上，学校将在国际间合作的深度和广度上有更大的作为：

- 与世界知名学校建立科研合作关系，共同探索全球化背景下的学校教育；
- 积极参加国际基础教育领域的学术会议，并主办类似研讨会，成

为唱戏的主角，吸纳借鉴成熟经验，介绍推广学校的先进经验，在基础教育界拥有一定的话语权，扩大影响力；

• 与国际知名学校联合办学，实现优势互补，提升办学实力，赢得大范围的良好声誉；

• 进行国际化课程建设，引进先进的课程，推出学校独具特色的课程，建设一批有世界水平的课程。

我们有这样一个美好的愿景：在学生拥有人生理想的基础上，学校按照教育规律的要求，创造适宜学生发展的环境和条件，为学生未来的可持续发展奠定坚实的素质基础，以此成就一代英才，成就学校！

第八章 胸怀良知与责任，追寻终身发展的教育理想

“校长是一个学校的灵魂，要想评论一个学校，先要评论它的校长。”这是著名教育家陶行知先生对校长作用的中肯评价。的确，“有什么样的校长，就有什么样的学校”正是人们对校长与学校关系的普遍认识。从这个意义上讲，校长在学校发展中的作用不可低估，校长如何认识和发挥其在学校发展中的作用至关重要。

借此研究课题，我对自己这些年走过的道路进行了认真的梳理，并把自己曾经的困惑、决定、做法与愿景等一一展示给同仁，期望共同进步。

一、一个校长的心路历程，一所学校的艰难抉择

现在回头看看，我对2004年那个夏天我和全校教职工作出的那样一个抉择，确实感到挺有勇气的。可是仔细想想，就会明白那样一个抉择也是必然而又自然的，因为那是我们作为教育者长期理性思考的必然结果，也是我们身为教育者强烈责任感的必然结果。

我所做的，不过就是运用我作为校长的领导力，带领大家一起正确而及时地作出这个抉择并坚定不移地予以实施。

（一）探索：世纪之初的思考与实践

1. 教育管理思想的萌芽与积淀

1987年，大学毕业的我怀揣着激情与梦想来到青岛二中工作。校园外那扑面而来的浪花和低沉雄浑的涛声深深地吸引了我。我感到大海与我是如此地契合，仿佛它一直在等待我的到来，而我也一直在期待着今日的相会。我找到了自己生命得以诠释的空间。

1999年夏天，青岛二中东迁至高科园，我受命留在初中部，并在改制后的青岛育才中学和初中部主持工作，这给了我一个深刻思考和砺炼的机会。那半年，是我思考很深、真正有机会尝试自己多年教育理想的一段时光。早在1986年，还在高校求学的我有幸听了上海建平中学

校长冯恩洪所作的素质教育报告，他的报告令我耳目一新、备受触动：原来中国的教育还可以这样做！当时我就想，如果让我管理一所学校，我也要用这样一种先进的教育理念去引领她的发展。这也许应当算是自己最早的教育理想萌芽吧。我努力让自己的思考以及由此所引导的学校办学设计在这样一所只有初中学生的校园里得以初步实施。那时，在这所小小的校园，丰富多彩的生活让每一个孩子充满了对学校的热爱、对学习生活的兴趣。每一天，我都会感受到教师工作的快乐和个人工作的幸福。那时的我，充满了对教育美好未来的憧憬和从事教育的自豪！

21 世纪究竟需要什么样的教育？新世纪的青岛二中向何处发展？我始终认为，对一个学校来说，最为重要的是战略规划，即办学的思想引领。只有方向正确，努力才能成为到达理想彼岸的风帆。青岛二中有着深厚的历史文化积淀，这是这所学校前进的不竭的动力源泉。但是，历史文化的厚重也可能意味着任何变革所遭遇的阻力会更大。那时的我，充满拼搏和探索意识，从没想过要做一个墨守成规、不犯错误的守成者。学校新时期的办学理念是什么？办学目标和育人目标是什么？教师和学生的舞台在哪里？教育资源如何优化？高效益的课堂如何打造？面对开放的世界，教育的国际化之路在何方？……太多的问题充斥着我的头脑，太多的困惑等着我作出抉择。

2. 教育管理工作的实践与办学理念的形成

2000 年 7 月，未满 38 岁的我以副校长的身份开始主持青岛二中行政工作，这所有着 75 年光荣历史的岛城名校的领导担子就这样落在我尚显年轻单薄的肩上。我深知，青岛二中作为一个品牌名校，在岛城百姓和教育行业中有着怎样的分量。那个时候，全世界人民都在期盼新千年的到来，憧憬着新千年的美景。而社会对于人才的迫切呼唤，也在催促着每一名教育者深度思考教育在新千年所要担当的责任。

现在回想起来，当时的我面临着诸多的难题。1999 年，青岛二中从繁华的老市区东迁至高科园新区，学校的硬件设施确实上了一个新的台阶。但是，因为远离市区，加之实行寄宿制，招生面临很大的挑战，同时由于缺少寄宿管理经验，东迁之初的办学秩序使学校的社会声誉受到了一定的影响。更为严峻的是，一批经验丰富、享誉岛城的骨干教师相继退休。招生压力、管理挑战、优秀教师匮乏、社会舆论不利等困难使我应接不暇，而这些难题需要我尽快一一化解，否则学校的发展就会受阻。怎么化解?

那个时候的我在别人眼中也许是“初生牛犊不畏虎”。其实，我心里清楚，能够让我担当这份责任的不仅仅是勇气，更多的是自己心中那个深埋已久的教育理想。今天，终于有机会让这多年以前的思想火花燃烧起来，我又怎能因为暂时的困难而退缩？我相信，机会总是垂青那些有准备的人。

基于青岛二中的历史和办学实际，基于对中国《21 世纪教育振兴行动纲要》等纲领性教育文件的理解，基于对世界教育发展最新趋势的前瞻，我决定在三维空间中给青岛二中的发展定位，在这个立体的坐标系中寻找学校正确发展之路。

2000 年 9 月，作为我的第一份“施政方案”，《青岛二中 2000—2001 学年度第一学期工作计划》出台。在这份方案里，学校的工作重点被确定为：

规范办学行为，加大改革力度，加强学校管理，提高办学质量，为二中在新的起点上的发展奠定坚实的基础。

短短的几句话，饱含着我对青岛二中发展所急需破解难题的思考。而我的思考是以这样的背景为铺垫的：青岛二中已经走过 75 年的历程，二中人用自己的辛勤耕耘和开拓进取创造了辉煌。站在世纪的交汇点，我们已经处在教育迅速发展和急剧变革的时代大潮中。面对科教兴国的良好环境，面对优越的办学条件，面对岛城最优秀的学生群体，如何进一步推进素质教育，如何提高办学质量和办学水平，如何在继承传统的基础上开拓创新，是对二中人智慧、素质和实践能力的严峻考验。“发展是硬道理”，二中需要发展，二中能够发展，二中必须发展。

2000 年，青岛二中一系列办校目标方案出台。例如：办学目标——“实施素质教育，形成办学特色，创建世纪名校”；育人目标——“造就终身发展之生命主体”；办学指导方针——“以真诚凝聚人心，以制度规范行为，以机制激发活力，以思想引导方向，以素质赢得素质”；办学模式——“成功园丁模式、创新教育模式、学生自主发展模式”；育人特色——“人格健全、素质全面、终身发展”。那时，我最大的想法是在这个新世纪初始的关键点上，让青岛二中有一个更加清晰和系统的学校发展思路；让青岛二中教育的每一步行动都有一个明确的方向。自建校以来，青岛二中始终高扬教育改革的旗帜，为国家和社会培养了大批优秀人才，如今她经风历雨洗尽铅华，以一种睿智、成熟的姿态站在岛城中学教育的最高端，这就是人们心中的青岛二中形象。此次东迁，学校占地面积已经 10 倍于原先那个小小的校园，办学条件发生了质的变化，教育形势和任务也在悄悄地变化着。“创建世纪名校”，正是我在“初级阶段”面对困惑基于思考对学校发展方向所作的战略性决策。也正是这个抉择，让一系列新的思想和理念逐渐成形，让一系列教育行动逐渐付诸实践，让青岛二中十年辛劳一路走到了今天，让学校焕发出新的光彩。

“发展要有新思路，改革要有新突破，开放要有新局面，各项工作要有新举措。”这是 2002 年学校工作计划中的一句话。正是基于这样一些成熟的思考和艰难的抉择，在新世纪之初，青岛二中的变革全面铺开。素质教育模式创新、教师专业化发展、课堂教学改革、课程建设、校园文化建设、教育国际化，各项工作全面开启了新的篇章。

青岛二中像一艘航船，正鼓起风帆，驶向属于自己的崭新的明天。

（二）调整：素质教育的坐标点不断矫正

1. 素质教育发展遭遇波折

2003 年，在素质教育之路上探索了三个年头的青岛二中开始呈现出新的生机。教师专业化发展的平台已逐步搭建起来，自主培养加招聘引进，教师的开放性发展和自由成长开始在造就一支高水平的师资队伍；学生自主发展的舞台也搭建起来，学生真正成了自己的主人；课堂建设被提到一个更重要的位置，一场变革呼之欲出；课程体系初步构造，新课程改革的道路已经铺就。学校发生的变化让曾经的希望逐步地变成了现实。

这个时候，社会上还有很多疑问。每年的招生咨询会上，很多家长都要对青岛二中的教育方式提出质疑：学校管理太宽松，学生活动太多，考不上大学怎么办？在学校教育模式的变革过程中，总是有一种声音萦绕在我耳畔：这还是青岛二中吗？被引领着走了三个春秋的老师当中也有很多疑惑，他们在实践的过程中还有很多茫然，学校的办学理念还没有内化为他们的切实行动。面对着应试教育愈演愈烈的环境，在全面追求升学率的轨道上任何教育变革都会被视为“大逆不道”的反叛行为。所以，这个时候的探索之路依旧很坎坷，依旧很难走。变则通，通则久，此时我不仅利用每次全体教职工大会的机会，阐释自己的办学思考，也想到了调整，想到要根据教育形势发展对学校办学理念作出调整，要根据学校发展需要对学校发展战略作出调整，更要在调整中坚定全体教职工对素质教育的信心，要通过调整给社会一个满意的答复。探索需要探索者具备足够的承担风险的勇气，探索更需要时间。

2004 年，一个普通的年份，但它却在我的生命中被成倍放大且定格。当年高考结束之后，南京《扬子晚报》以“高考之痛刺痛南京”为题，刊登了《南京市因为素质教育而造成高考水平下降》的批评性文章，引起了素质教育与应试教育的大讨论。当时，《青岛晚报》也仿照这篇文章，刊文认为青岛市市区全部高中高考升学的人数不如郊区的一所中学。一时间，社会批评的矛头直指青岛二中。那些批评甚至是谩骂的声音，铺天盖地向我袭来，甚至有传言说青岛二中的校长已换成了郊区某所中学的校长。恰在此时，慈爱的老父亲突然去世。面对强大舆论的巨大压力和挚爱亲人的突然故去的双重打击，那个夏天，我的内心经受着前所未有的煎熬。

在这种无以言说的痛苦中，我一遍又一遍地拷问自己：无数有良知的教育者奉之为圭臬的素质教育，难道就要这样因为外界一时的压力而“夭折”吗？我们追求的方向与所做的一切真的有问题吗？我们的出路到底在哪里？在那个炎热的夏季，我的心时而如烈焰一样沸腾，时而又如寒冰一样冰冷。

在教育战线奋斗了近20年，实施素质教育，为每一个鲜活的生命创造适宜他们健康成长与发展的环境，并不是我的一时冲动之举，而是我经过多年深入思考、与众多同行执著探索而形成的坚定不移的信念，是基于一个教育者的良心和责任感而形成的事业追求。这样的理想，岂能轻言放弃？如果因为一时的压力、因为个人所谓的前途，我放弃了这一信念，谁来为那一批又一批的孩子负责？谁来为中国的未来负责?!思考、反省的过程是艰难而痛苦的。

我感到了从未有过的沉重与孤独。恰在最困难的时候，岛城以及全国各地的一些教育有识之士向我伸出了支持与鼓励的双手，使我深感吾道不孤。青岛教育委员会原主任、青岛教育发展委员会主任陈显青先生当时对我说了一句意味深长的话："先亮，不管别人怎么说，一定要按照教育规律办事。"这句话如电光石火一下子使我如饮醍醐。是啊，要"按教育规律办学，办符合学生成长和发展规律的教育"，这是我从事教育工作的不二抉择。在此基础上，"坚持深化素质教育不动摇，坚持提高教学效益不动摇，坚持突显办学特色不动摇，坚持打造教育国际知名品牌不动摇"这"四个坚持"成为我给全校师生的一个坚定信念，也是我给岛城百姓的一个庄严承诺，更是我给怀疑者的一个响亮回答。

涅槃之后的我变得坚强无比，我执著于自己的信念：我的选择、我的追求没有错！也许坚持素质教育会令我中途倒下，但哪怕只是为素质教育铺平了一块砖那么长的路途，我也无怨无悔！我相信，总有一天，我的学生们会以他们的成就为他们校长当日的坚持做一最好的例证；总有一天，人们会最终理解、支持我的追求！

在2004年夏天学校教学工作会议上，学校里也出现了一些怀疑我们办学方向和否定素质教育追求的声音，甚至有人在发言中还隐含了要让青岛二中素质教育调转方向的意思。此时的青岛二中，正处在一个决定命运的十字路口，也许我们离成功仅有一步之遥，但也可能还有一段漫长的路途要走。怎么办？上午的教学工作会议结束之后，我立刻召集各教研组长和中层干部研究下学年学校工作计划。经过激烈的讨论，二中教师最终统一了认识：一定要做到“四个坚持”不动摇。青岛二中素质教育的方向是没有错的，我们所要做的不是改弦更张，而是以“严格、细致、扎实”的管理方针更好地落实素质教育各项政策措施。我认为，这次会议对于青岛二中的重要性，不亚于当年遵义会议在中国革命史上的重要作用，它值得载入青岛二中的历史。这次会议坚持、确定了青岛二中素质教育的办学方向，增强了全校教职工实施素质教育的信心和决心。

2. 素质教育走上康庄大道

从 2004 年至今，时间已过去了七年。这七年里，青岛二中经历了一场痛苦而执著的“蝶变”。而今，她终于破茧而出，向人们展示着她的绚烂和辉煌。也许人们会说：青岛二中终于成功了，而我宁愿认为，是青岛二中对于素质教育的探索终于得到了人们的认可和支持。这七年，对我个人而言，则更像是一个探路者在教育的旷野上执著地前行，怀揣着一个教育的梦想和一颗火热的心，虽九死而不悔。让我感到欣慰的是，今天的二中校园，终身发展的理念已在这里深深浸润，素质教育的实践已在这里生根发芽，一批又一批的孩子在这里愉快地成就着他们的人生梦想。还有什么比这些更能让一个教育者感到欣慰的呢?!

经历了一段以“创新”为理由的心路历程和探索感悟，新学期的开学典礼上，学校的办学理念被定位为“领先一步，追求卓越”，办学目标从“实施素质教育，形成办学特色，创建世纪名校”调整为“深化素质教育，优化教育资源，突显办学特色，创建国际名校”，办学特色从“人格健全、素质全面、终身发展”调整为“自主·开放”。“领先一步，追求卓越”不是口号和标榜，而是目标和理想，是青岛二中这所名校的定位和责任。办学目标从“实施”到“深化”，从“形成”到“突显”，从“世纪名校”到“国际名校”，定位更加具体准确，目标更加清晰明朗，办学特色的重新定位则体现了学校对促进师生发展的深邃理解。我想，作为校长只有以更高远的目标和更开阔的视野引领学校，教育才能走向未来。

创业难，因为创业需要魄力，需要付出辛勤的汗水；守业更难，因为逆水行舟，不进则退。创业可以经历失败，守业则没有失败的理由。这次的调整，是守业基础上的创业，逆水之舟已没有停泊的理由。

头脑决定行动，调整后的理念和决策在各个领域付诸实践。人力资源开发办公室成立，教师队伍打造被提到一个新的高度；课程改革提前进入，准备工作全面铺开；学生社团发展如雨后春笋，生机勃勃；教育国际化之路全面铺开，学校在国际著名大学中的认可度得以提升……

在青岛二中素质教育的发展道理上，要特别提到针对课堂教学进行的改革和调整。现在想来，那是一段灵魂剧变的岁月，那个开端，必将成为青岛二中发展历史上厚重的一笔。2004 年，“课堂改造行动”吹响了改革的号角，上海教学专家和青岛二中教师同台献艺，聚焦课堂，平静的课堂上蕴藏着巨大的波澜，老师们心中也失去了往日的平静。接下来的日子里，达标课堂、精彩课堂、特色课堂、星光课堂……“低起点、高观点、高目标”、还知识以情感，还课堂以灵性，一幕幕好戏在上演。我经常给老师讲这样一个例子：欧洲的阿尔卑斯山 4000 多米的高峰有 40 多座，而每一座几乎都被登山者征服过。中国和巴基斯坦边界的乔戈里峰海拔 6000 多米，却很少有人能征服。其实这二者之间的差距不仅仅是高度，更体现了对登山者体力、心理、技巧、知识等更高的要求。优秀学生的培养，也正像攀登乔戈里峰一样，需要教师不仅仅在知识上，更要在理念和教学方法上有与众不同之处。在课堂这个舞台上，老师们被定义为登山者，老师们的任务是：攀登高峰！

一所学校能够支撑其永续发展的是精神与文化，在 2005 年建校 80 周年庆祝大会上，我对青岛二中的精神与文化作了这样的提炼：在华夏文明的熏陶下，在二中人艰苦卓绝的奋斗中，青岛二中成长为一所享誉全国的齐鲁名校，成为素质教育的神圣殿堂，这里充满了生机，这里孕育着蓬勃。勤奋、严谨、团结、朴实的优良校风在这里薪火相传，生生不息。

今天的青岛二中已经成为学生全面发展、个性发展和主动发展的乐园！历史总是在时间的推移中变化着，而不变的是学校长期发展积淀而成的精神，那就是：追求卓越、荣校报国的精神；开拓创新、勇于变革的精神；团结协作、拼搏奉献的精神；科学民主、敢为人先的精神。这是二中事业兴旺发达不竭的力量源泉！

二中是海，博大、宽容、激情澎湃；二中是山，雄伟、壮阔、气势磅礴。在山海间，二中承继着历史的光华，续写着未来的篇章！

这也是所有二中人心中一个共同的声音。

调整是为了更大的提高。一切似乎都在证明一个定律：素质教育与学生升学不矛盾，素质教育能够让学生升入更为理想的大学。那一年的校庆，由师生自编自演的节目，以极高的艺术水准展现了“山海文化”和母校情怀，深深打动了在场的每一个人，也让更多的校友和嘉宾重新认识了青岛二中。当时的浙江大学招办主任程艺女士参加了校庆，她说：“一次校庆可以让我感受青岛二中的文化和学生的良好素质，青岛二中的每个学生我都很喜欢！”2006 年，浙江大学在青岛二中提前录取 46 名学生。这所中国著名大学的举措，引发了中国高校对青岛二中高素质学生的青睐。青岛二中学子在大学的可持续发展能力证明了青岛二中素质教育的初步成功！2006 年 10 月 13 日，“青岛二中暨孙先亮校长教育创新实践研讨会”召开，青岛二中素质教育的探索与实践，得到了与会专家和同行的高度评价，也给二中人增添了信心。青岛二中已经整合起各项资源，充满了发展的动力。

还有什么比艰辛付出后的收获更让人感动？在收获的喜悦里，强烈的危机感、使命感让我必须把眼光投向远方。

（三）提高：开启一个崭新的时代

在我看来，教育是关系学生一生的事情，更是关系国家民族未来发展的事业，因而教育者的能力与水平在很大程度上制约着孩子生命成长的质量和水平。一个不为良知所动的人，也许就是一个毫无情感可言且不能够担当教育责任的人。我时常叩问自己：你是一个有良知的教育者吗？你负起自己应有的教育责任了吗？我时常想起 2000 年 7 月 18 日，当宣布任命决定时我讲的那段话：“让我承担这份责任，是给了我回报学校的机会。我在青岛二中成长和发展，我的情深深融入这片美丽的校园，我深深地爱着这所学校，我愿意为之奉献自己全部的汗水和智慧！”这是一份爱的承诺，更是我爱的奉献！

2006 年 1 月 15 日，在山东省首届教育创新人物（十佳）颁奖典礼上，我在获奖感言中这样说：

给学生一个发展和幸福的未来

2005 年 3 月 13 日，《青岛早报》以《中学生拉赞助？是真的！》报道了青岛二中的学生为争夺学校春季田径运动会的主办权，而向商家、企业谋求资金支持的经历。学生哭过、笑过，其中的酸甜苦辣，让他们体验了人间百味，经受了社会熔炉的锻造。

我有一个信念：教育，要给学生一个发展和幸福的未来。而这一过程正如美丽蝴蝶的演化，是学生在“自主・开放”环境中，通过实践的磨炼实现的。

在我的眼里，每一个学生都是一座“富矿”，在他们身上蕴涵着丰富的矿藏资源。教育工作者，只有深入其灵魂，才能发掘学生身上的优质资源。我爱学生们，希望他们都能变成一只只美丽的蝴蝶，因此，青岛二中总是把课堂、管理、环境变成学生自主成长和发展的空间，让他们在实践砥砺中丰富人生阅历，在体验感悟中升华生命素质。

不同的分子结构造就了不同的物质。每一个学生都有自身独特的资源，而生命的价值取决于教育以什么方式帮助学生构建这些资源。青岛二中选择的是引导学生自主发展的教育模式，给予学生的是全面发展、个性发展和主动发展的舞台。

“衣带渐宽终不悔，为伊消得人憔悴。”我深知教育功利性追求会消磨追求教育真谛的棱角，但我们却不能踟蹰不前，因为孩子们要从这里走向五彩斑斓的世界。我将为之不懈地努力！

字里行间，良知里倾注着情感，责任里渗透着压力。这时的我要用良知承载起责任，引领青岛二中攀登新的高峰。这个时候，我仍然有困惑，我的困惑是如何提高，我把命题定位为：突破与提高。我必须时刻为一个崭新时代的到来作好一切准备。

时光就像流水，它可以无孔不入地侵蚀你的灵魂，它可以磨平你所有的棱角，同时，它还可以告诉你一个真理：水能载舟，亦能覆舟。在时光长河里，在大千世界上，一所学校就像是一艘航船，长时期的凝神聚力会让掌舵的人棱角磨平、墨守成规，甚至意志消沉。一个能够开启时代的人，能够始终保持自己锋利的棱角，任时光飞逝，任长河浩荡，不拘泥于传统，不蹉跎于岁月，总能够在前行的道路上留下自己清晰的脚印。

“生命不应在被动中延续，而要在主动中创造。”这是我常常勉励学生的话语，我也以之时时鞭策自己：教育者的生命创造更重要。为了更好地集聚智慧、凝聚力量，2008 年初，我主持召开了“青岛二中学校发展战略研讨会”。会上，教育专家、企业精英、家长代表和教职工代表的观点都从不同角度启发着我对学校发展战略进行深层的思考，促使着我不断超越、实现创新。

2008—2009 学年度工作报告中，学校新学年的发展任务被确定为：推进教育“精品化、国际化”战略，把教师幸福工作、学生快乐学习、学校科学发展作为学校工作的出发点和归宿，把学生的精英式培养、学校的可持续发展作为学校一切工作的中心任务，以崇高的理想引导人，以科学的管理激励人，以和谐的环境成就人，以追求“高层次、可持续、求突破”的成熟教学模式为目标，逐步实现学校“教育国际知名品牌”的理想。

与 2000 年的“规范办学行为，加大改革力度，加强学校管理，提高办学质量”相比，8 个年头后的这份“方案”目标更加深刻，其中充满着集体的智慧，渗透着发展的文化。青岛二中的发展定位越来越准确，发展目标越来越高远。

这时，我已经把学校发展定位为：高层次，可持续，求突破。我开始追求和打造一种更加成熟的教育模式。历经多年的探索和实践，作为校长的思维和境界必须在历史与现实、继承与创新、理念与实践中，不断寻求更高的定位和目标。

（四）开放：打开一个全新的国际视野

世纪交替之际，中国加入世界贸易组织（WTO）。同其他行业一样，教育也面临着许多机遇与挑战。对此我迫切地感到一种机会来临的兴奋感和急需补充大量知识的紧迫感。WTO 是什么？WTO 对教育意味着什么？我如饥似渴地学习着、思考着，心中渐趋明朗，一个崭新的概念出现在我脑海中：开放的二中，国际化的教育。那个时候，这个想法应该算是很大胆的，因为在那个“高考”几乎是孩子们唯一出路的环境下，素质教育尚步履维艰，教育国际化对于公立学校来说更无从谈起。怎么办？是安坐原地、无视孩子们眼前被关闭的大门，还是勇敢地站出来，为孩子们开启一片更辽阔的天地？我再一次毫不犹豫地选择了后者，只为了身为教育者的那份责任！

经过深入研究与探讨，青岛二中决定实施教育国际化战略，“让学校办学和学生发展能够符合国际人才的培养需要，着力于培养学生的国际交往能力和对国际文化的理解能力”。2001 年 3 月，青岛二中与英国北方大学联合会签署协议，引入国际基础课程（IFY），开设留英预科班，吹响了青岛二中教育国际化的第一声号角。当年，预科班招生 57 人；次年，57 名学生全部进入英国包括布里斯托大学、谢菲尔德大学在内的 12 所高校读书，是年预科班再次招生，人数突破 100 人；这之后，预科班始终保持着成绩合格率 100%、签证成功率 100%、大学录取率 100% 三个百分百。

今天，国际课程、国际交换生、留学生班、友好学校交流与合作几大板块，构建起学校国际化战略的坚实框架，支撑起青岛二中创新发展的外延，与内涵发展的“精品化”相辅相成，让青岛二中教育焕发出勃勃生机。对学生个人而言，国际化战略更是为他们的人生开启了新的大门。2005 年，高二学生林鄰被美国斯坦福大学全额奖学金录取，成为当年世界顶尖高校在中国唯一录取的一名高二学生。时至今天，这个数字已经突破 200 人，青岛二中在国际著名大学中的认可度一路飙升。风雨之后终见彩虹，理想终成现实，看到青岛二中培养的孩子们既能够适应国内名校的教育环境，又符合世界名校的录取条件，我倍感自豪。曾经的艰难抉择，曾经的崎岖道路，至此皆已泯然。

东迁办学十年，十年弹指一挥间。青岛二中这所岛城名校在人们期待的目光中实现了突破，实现了提高。青岛二中已经成为国内著名的中学，并正在逐步扩大其国际影响。青岛二中的教学质量和素质教育水平相映生辉，更多的二中学子进入国内外著名高校求学。那些曾经的怀疑与指责已经成为过去，人们也开始用更加理性与科学的心态期待着她开启一个新的时代，创造新的辉煌。

"有些关心我的朋友劝我稳妥些。我有时候也想到在平静中去推动学校的发展。但是，自从大学毕业后一直在青岛二中工作，我的生命已经完全融入她的灵魂，我深爱着这所学校，这种爱只能让我以这样一种方式来促使她超越自我，加速前进。"在与《山东教育》杂志原总编辑陶继新老师对话时，我这样表达了自己的心情。

我把自己推到了前台，教育者的良知让我担当起更为沉重的责任。

二、一个校长的自身成长，一所学校的十年变迁

"一个好校长就是一所好学校。"这句话虽有失偏颇，但也从一个侧面反映出一个称职的校长所能对学校发挥的强大的引领作用和关键作用。这就产生了一个很有意思的问题：一个校长靠什么引领一所好学校？这也是我就任之初经常思考的一个问题。我的答案是：领导力。一名优秀的校长一定要具备引领学校发展的领导力，包括引领学校发展的魄力、智慧、创新精神和谋略等。说得再形象一点：一个优秀的校长应该是"战略家 + 思想家 + 科学家 + 首席执行官"的综合体。

（一）魄力：打造一支高素质的教师队伍

2000 年 7 月，也就是在我上任之初，我在全校开展了一场规模空前的全员竞争上岗。最终，6 位教师下岗，4 位教师待岗培训，这是青岛二中历史上第一次真正意义上的人事制度变革，同时也拉开了青岛二中学校变革和教师创新的序幕。

说实话，这次变革我冒了很大风险、承受了很大压力。但是，身为校长，就必须要为学校的发展和孩子们的未来负责，我不能也不敢为了一己之得失而苟安。站在新千年之初，我深知青岛二中必须有勇气实现自我否定，才能站到一个更高的起点上领略教育的无边风景。一味地沉湎于过去的荣耀注定会丧失承启未来的动力。所以我别无选择，唯有变革，才能为教育理想的实现奠定一个坚实的基础。而一个学校的变革，自然要首先从打造出一支适应时代要求、充满创新精神的教师队伍着手，因为教师是学校教育思想理念的传导者和实施者。正是基于这种思考，第一次大规模的人事制度改革终于出台。这颇具风险的第一步，打破了学校原有的平衡和利益格局，虽然让习惯于原有轨道和运行方式的广大教职工有些不适应，但这种立足于公平、着眼于工作能力的制度在给大家带来压力的同时，更激发出了教师的工作热情。随后学校又陆续出台了《教师教育教学责任事故认定及处理办法》、“沃土工程”计划、《青岛二中名牌教师评选办法》、《青岛二中各类专家评选办法》等一系列规章制度，建立起一套较完善的评价机制，用这套机制引导教师从规范教育行为开始，一步步提高自身的专业素养，直至获得成功的体验，从而确保教师队伍的高素质。

从事教育多年，我知道要想培养出一大批而不是三两个优秀教师，仅靠制度是不够的，那仅是外力，更重要的是要给教师提供一个锻炼、提高和展示的实践平台，让他们能将自己的教育理论在实践中不断升华，并让优秀教师用他们成功的影响力来带动整个教师队伍的成长。而中国知识分子的可贵、可爱之处也在于此，只要有一个可以实践自己梦想的舞台，他们愿意倾尽所有的热情，对物质的要求则可以降而又降。

所以学校不遗余力搭建实践平台，为不同层次的教师提供锻炼成长的舞台。学校推出了“青岛二中课堂教学改造行动方案”，聘请教育发展研究会的专家和大学的教授，到学校进行评课和指导活动。通过聚焦课堂、精彩课堂、达标课堂、研究课堂、特色课堂等课堂教学的研究与交流平台，为教师的专业发展提供了宽广的舞台。教师的角色从被评价者转变为研究者，教育的行动研究成为教师自主发展的一个基本途径。

作为一名校长，在教育理论资源方面往往比一般教师拥有更多的优势。一方面是不需要花费大量的时间去备课、教课，可以把精力放在研究一些理论层面的问题上；另一方面因工作之便能接触到更多、更新的教育理念和教育实例；还有一个小优势就是借职务之“便”有条件去尝试一些新的教育思路。我觉得一名合格的校长，就应该而且能够将这种教育上的“先知”优势传导给教师，并带动全校教师形成一股合力，通过学校建立的共同愿景和超前理念的引导，让教师把专业发展不断升华为自我感受职业幸福和实现个体充分发展的需要，最终使教师进入自主发展的轨道。

在这种思想的指导下，青岛二中实施了一系列举措，比如实施高端培训，打开教师专业发展的视野；推崇高层阅读，提升教师发展的境界；开展教学研究，促进教师自主研究意识的提高；教师专业化自主发展，实现自我发展的内在需求等。

随着教师队伍素质的不断提高，教师提高自身专业素养已切切实实变为了一种自主行为。作为校长，对此我深感欣慰，同时也感受到更深的责任感和更大的压力。面对这样一支优秀的教师队伍，如何长久保持教师的职业激情，实现教师更高水平的持续发展，成为我在教师队伍建设方面需要思考的又一个课题，逼使我不断地观察、学习、思考……最终我交出的答案是：及早进行教师专业发展的制度创新，促使教师从“高原”走向“高峰”。随之而来的是学校实行的一系列新举措。

1. 制订“凤凰计划”，实现分层评价与分类培训

学校每年对教师进行全面全方位的评价，并分别进行不同层次的培训。评价的终极目的在于促进教师的专业素质提高，而不是仅仅为了分出个三六九等。因此，学校不惜财力为老师们提供各种培训。例如：选派特级教师层次的骨干教师赴美国等教育发达国家，进行短期的专业培训和学术交流；选派其他中青年骨干教师赴华东师范大学、北京师范大学及南京师范大学等国内师范高校，接受现代教育思想和理念的培训；对于其他青年教师，则通过校内培训及到国内著名中学进行学习与交流，增强其对教育的感性认识。

2. 变革评价办法，让评价引导教师的价值提升

教师专业发展既是个人价值实现的内在需要，更是为学生创造更多价值的必然要求。作为今天的青岛二中教师，我要求他们不仅要拥有高质量和高效益相统一的教学，还应当能够在学生的人生规划、知识结构完善、个性发展等方面提供精神动力和智力支持。为此学校重新制定了教师的评价办法，由单一的分数指标评价转变为贡献评价，使教师只有不断努力学习、提升自身的教育素养和优势智慧，才能真正成为一名合格的青岛二中教师。

3. 实施“双优”工程，激发教师的创业激情

青岛二中面对优秀教师人数逐步增加的情况以及加快教师梯队建设的实际需要，制定了“双优”工程。学校在遴选出导师和优秀青年教师后，采取双向自愿选择的原则，确定工程人选。在三年的培养期内，导师和青年教师要分别完成规定的六项任务。“双优”工程，让优秀骨干教师获得了一种更高层次的尊重及自我实现的机会，从而激发了优秀骨干教师的进取精神、责任感和荣誉感，为优秀骨干教师突破“高原”走向“高峰”搭建了平台，也为优秀青年教师的发展创造了良好的机会。

4. 开展教师发展力培养，助推教师事业成功

教师是学校最大的财富和资源。学校在开展教师教学增值评价、研

究学生发展的同时，也没有忘记关注教师在心理、品德、课堂表现力、爱好特长、学识素养（非专业知识）、文化修养等方面的发展。一个教师的专业素养固然重要，但其通过自己的非专业素养所体现出的教育能力，会强化、提升教育的影响和效果，历史上如陈寅恪、季羡林、刘文典等大师所体现出的教学风格就是如此。为了更好地提升教师的发展力和教育的影响力，我们加强了对教师的非专业素养的培养。这既开阔了教师视野，提升了教师境界，也拓展了教师发展领域，对于教师更高层次的发展产生了积极的影响，也受到教师们的极大欢迎。

在校内苦下内功打造教师队伍的同时，我也没有忘记把目光投向社会。一个国家闭关锁国，要落后挨打；一所学校，从事的是塑造灵魂的事业，更需要不断接受新的思想、新的教学文化的撞击，才能保持它的文化常新、勇于创新。2001 年 3 月 16 日，青岛二中在《中国教育报》上刊登了面向全国招聘优秀教师的启事，学校历史上第一次大规模地引入教师的行动就这样开始了。当时，报名应聘的全国各地各级优秀教师有 500 多人，学校从专业能力与水平、教育理念以及职业素养等方面严格考核，最终录用 7 名。事实证明，这些外聘教师所带来的多样教学文化对于青岛二中的主流教学文化是一种极大的丰富和发展。而这些老师个人也在青岛二中这个优秀的集体中有了更好的成长。

时光流转，今天的青岛二中，特级教师、各级优秀教师、学科带头人、专业技术拔尖人才、各级教学能手强手如林，教师队伍结构合理，素质高超，稳稳地承托着学校发展进步的理想。回想这一段历史，我切实感到：作为一名校长首先必须要有前瞻的目光，同时还要有不畏阻力、不受干扰、断然采取行动的魄力。

（二）智慧：营建一个全新高效的课堂

身为教育者，从参加工作的第一天起我就从未停止对教育的思索。担任校长后，更是有意识地带动教职工一起思考：教育的目的是什么？什么样的教育是理想的教育？当下教育的弊端是什么？青岛二中应该给孩子们一份什么样的教育？……在这种思索中，每个人都会对自己的责任和当下的所作所为、应作应为有更明晰的认识。在此基础上，学校提出了“造就终身发展之生命主体”的育人目标以及“深化素质教育、优化教育资源、突显办学特色、创建国际名校”的办学目标，开始了以素质教育的追求实现学生的终身发展的探索之路。

在学校，课堂是最主要的阵地，素质教育也当自课堂始。

我始终相信，最好的课堂一定是科学原则基础上的灵活多变的课堂，也一定是不断创新的课堂和富有智慧的课堂。因而，建构课堂教学的原则，让这些原则渗透在课堂教学中，这样的教学就一定是基于学生的课堂、为学生创造价值的课堂、为了学生发展的课堂，也一定是能够让教师获得高层次专业发展和幸福感的课堂。基于这种认识，我带领全校师生同心协力，致力于打造一个全新的课堂。

1. 在教学地位的重建中打破课堂模式

我觉得首要之务便是让全体教师对课堂教学重新进行科学定位，对课堂教学所承担的责任、功能等进行一次全新的思考，打破以往传统教学的模式化课堂定位。

（1）课堂教学是素质教育的基础。课堂教学是素质教育的基础，其意义有三：一是课堂教学的高质量与高效益可以为学生创造更多的时间和空间，只有课堂质量和效益提高了，学生才可以有更多的时间和机会去做自己喜欢做的事情；二是高质量的课堂可以从根本上增强学生的学习兴趣，真正激发学生的想象力和创造力；三是优质的课堂可以培养学生的思维能力，提高学生发现问题、提出问题、分析问题和解决问题的能力。因此，课堂教学是构筑学生健康成长和发展大厦的基础。

（2）课堂教学是创造生命活力的关键。生命意识的自我觉醒和生命活力的激发会对学生未来的发展产生深远影响。任何教育和社会环境下人的发展，都一定是个体自我发展意识和环境客体协调结合的结果。教师对学生的潜移默化和耳濡目染的影响，以及从知识中挖掘出的生命价值的思想和观念，无不深深熏陶和感染着学生，影响和改变着学生的人生态度、世界观和价值观。

（3）课堂教学是师生的发展共同体。这不仅是指学生从教师那里获得知识、能力和人生的智慧，更是指教师从学生那里得到信息、真诚、兴趣和潜能等方面的启迪。在这个过程中，灵魂与灵魂的交流、智慧与智慧的碰撞都在丰富着生命的意义，创造着生命发展的能量。在“活”的课堂中，教与学才能成为一个充满激情、灵动智慧、情感交融的“活”的师生发展共同体。

2. 在教学原则的重建中确立课堂方向

着力于教学原则的创新，重建课堂方向，建立新的适应学生多元价值发展要求的课堂，是一项需要我们积极探索的重要工作。

（1）课堂教学的核心目标：以知识为载体，以思维能力培养为核心。课堂教学的目标决定了教学的方向。思维品质和能力从根本上决定了学生一生成就的高低和发展的层次水平。良好的思维素质不仅是善于接受新的知识，而且是善于在实践中发现、提出和解决问题，许多成功者的事例都充分证明了这一点。思维能力的培养能够让课堂更好地服务于学生的终身发展，教学中只有把思维能力的培养置于课堂教学的培养方向之列，才能让课堂的活力充分激发起来，才能让沉闷的课堂激情飞扬，才能让师生在互动过程中不断创造新知。

（2）教学方针：低起点、高观点、高目标。实施素质教育，就必须追求发展学生思维能力的课堂教学，把服务于学生作为自己的最高准则。学校从组织教师学习孙维刚的《我的三轮教改实验》中受到启发，经过讨论和实践形成“低起点、高观点、高目标”的教学方针。“低起点”就是从基础切入、面向全体，为学生思维的培养创造一个好的平台。“高观点”就是用系统的、整体的观点和方法，为学生全面准确地理解和掌握知识，并在此基础上融会贯通、举一反三，形成正确地认识问题、解决问题的能力创造条件。“高目标”就是以知识学习的高质量、能力培养的高质量和生命提升的高质量为目标，为每个学生终生发展奠定坚实的发展基础。

（3）教学方法：从演绎教学走向以归纳教学为主导、演绎教学为补充。归纳教学在教师设置的教学情境下，让学生自己去总结提炼本质与规律，通过自主探究生成知识，实现从具体到抽象、从现象到本质、从感性到理性的认识上升过程。归纳教学将学生的猜想、主动思考、自主探究作为重要的过程环节，使教学充满学生的灵性与智慧，课堂的激情充分迸发出来。方法服从于目标，以学生思维能力培养为目标的教学，必将实现方法的变革。

（4）课堂的文化价值：还知识以情感，还课堂以灵性，挖掘课堂教学的文化价值。“人是目的”，课堂中关注人的存在、人的价值、人的发展是课堂教学教育本质的回归。还知识以人性的价值，就是为知识正本清源，就是在让学生更好把握知识的同时，更加关注知识产生的情感与价值观内涵，让知识充满人性的光芒。还课堂以灵性，就是通过还原知识的情感价值，赋予课堂更多的提升学生生命价值的内涵。正是基于这样的认识，青岛二中的课堂教学从注重单一的知识传授走向注重为学生创造价值，注重挖掘学科知识中的人文价值，如体现科学家的探索精神与品质、关注学生生命价值的需要等。这不仅是课堂教学效益的真正体现，也是课堂教学最高境界的体现。

3. 在教学效益的提高中创造素质环境

素质教育的实施需要大量的实践性和社会性课程，但这些课程肯定会占用学生大量的学习时间和在校时间，因而在很多学校，这些课程基本被排斥在课程设计之外。所以要想让素质教育得以实施，必须提高课堂教学的效益，加强实践性与社会性课程建设。为此，我们从以下两个方面入手，在学校为学生创造了良好的素质教育环境。

（1）改革课堂教学的评价原则，提高课堂教学效益。一是建立高质量与高效益相统一的课堂评价原则。高质量的教学要求教师在提高课堂教学的效益上下工夫。学生的学习时间是一种有限的资源，教师必须合理配置和优化这一资源，以保证其发挥最大效能。学校严格控制必修课程的课时，保证学生发展兴趣的选修课时；严格控制学生的作业量和考试频次；用时间“倒逼”的办法，促使教师教学创新。二是要把学生提出更多问题作为教学的追求。课堂教学中，学生提出更多的问题正是学生对于学习的知识进行深刻思考的表现。那些也许看似可笑的问题中，包含的是学生的智慧和灵感。让学生能够并且敢于提出问题，需要在课堂教学中创造良好的环境。教师应当以与学生平等的身份同学生讨论问题，应当给学生提出问题的机会。这样的课堂才能真正让学生思维的主动性调动起来，参与课堂教学的积极性激发起来。课堂教学培养学生的思维能力和提高效益的目标才能得以实现。

（2）加强实践性和社会性课程建设，增强学生脑力。现代脑科学的研究已经证明：实践性、技能性、操作性课程对于改善和提升人的脑力具有重要的作用。大脑由不同的区域构成，不同区域间是相互联系和作用的；大脑遵循“用进废退”的规律；人的大脑中轴突和树突的增加会让人的脑力得到提升，而每一次的外界刺激都可以产生新的树突。这些观点都表明，让学生的大脑获得更多的外界刺激能够提高学生的脑力。

在学校课程设计中，青岛二中重视创造机会让学生接受外界刺激，以增进学生的大脑活力，让学生在挑战中开启大脑、在动手中激发大脑，为学生脑力的提升和思维品质的发展创造条件。

青岛二中这些年的实践充分证明，学生的素质培养不仅没有降低其学习成绩，反而让学生的学习能力更强，学习效益更好。因为，第一，素质教育的实施可以让学生个性特质获得发展，从而有力地支持学生学习兴趣的持续生成；第二，素质教育为学生的全面发展奠定基础，促进学生身心和谐发展，为学生高效地学习创造良好的心理条件；第三，素质教育其实也是一个学生不断接受新知识以及获得更多新体验的过程，是一种获得直接经验和间接经验的过程；第四，学生获得体验、提高能力和素质的过程，是学生面对新的挑战不断进行深刻思考、寻求更好解决方案的过程，能够促进学生思维能力的提升、创新能力的增强。而思维能力正是学生学习知识解决问题的重要品质，因而当其迁移、转化、渗透到学习过程中时，就会大大改善学生的学习素质。

4. 在教学的行动研究中展现课堂活力

基于学校教学地位、原则、效益的重建，自 2004 年以来，学校开始进行课堂教学的行动研究，使课堂教学活力充分体现出来，不仅培养了学生的自主学习能力和兴趣，也为学生素质教育创造了有效的时间和空间。

（1）学校开展了多种课堂教学的研究，每一种课堂都体现了学校对课堂教学的问题解决和价值引领。聚焦课堂：通过专家引领让教师领略教育专家的风采和课堂教学的水平。精彩课堂：展示教师对课堂教学的独特思考与研究。达标课堂：基于共同标准的跟进式指导，共性中夯实基础。研究课堂：基于学科标准的课堂质量控制，参与中提升。特色课堂：个性张扬中展示风格，凝练中超越。星光课堂：观察中研究，细节中提高效益。创意课堂：实践中创新，创新中发展。

多层次多维度的课堂教学研究，不仅在实践中提高了教学效益，而且形成了青岛二中独特的课堂研究文化，这些文化主要体现在以下几个方面：从关注教到关注学，从教学转向学教；从共性走向个性，追求教师教学的独特风格，引导教师形成自己的教学特色；从宏观设计走向微观研究，既注重教师教学的整体设计，又注重细节上有效落实；从关注结果走向关注过程，注重在跟进式的过程中增强教师的自我发展意识，提升教师课堂教学素养和专业能力；从评价教学走向研究教学，教师不是被动地接受评价结果，而是主动地与评价者共同研究教学，在观点碰撞中提升理念和教学能力。

（2）开展跨国教学研究和学科交叉教学研究。为了提升课堂教学的质量，推动学生创新能力培养，青岛二中利用“每月一讲”的平台，与来自美国的教育同行开展数学教学研究，共同探讨学科教学的方式方法。同时，开展校内的学科交叉研究。不同教学价值观的交流与碰撞，不仅推动了课堂教学创新，也开阔了教师的视野，提升了教学境界。

课堂教学的行动研究为教师的专业发展创设了实践平台，大大促进了教师的专业发展和课堂的改变，突出地表现在以下几个方面。

课堂角色发生了转变：从课堂的主角转变为导演，教师的责任是引导和启发，是激励和调动，是服务与帮助；从课堂教学的实施者转变为教学质量的自我控制者与研究者。

教育理念发生了转变：从教学的单一价值转向多元价值，为学生创造更多价值成为教师的精神追求；因而教学呈现出了更多的精彩。

创新意识发生了转变：以培养学生的思维能力为核心，以提升学生的生命质量为根本，教师课堂教学重视学生的质疑与探究能力的培养，在课堂中创新，用课堂的智慧创造灵动的课堂。

效益观念发生了转变：教师不仅关注效率，即正确地做事，更关注课堂效果和效益，即做正确的事，用师生最少的投入获得教学最大的收获。

至此，课堂改造工程已初见成效。回想这一过程也是一件非常有趣味的事：最初是我带着甚至是拽着大家走，有埋怨，甚至有反对；可走着走着，就变成大家齐心协力、群智群策谋划怎样走得更好，走得更快，这时你就可以强烈地感受到课堂上师生们表现出来的那股强大的活力，你可以惊异地看到课堂竟能变得如此生动有趣；再到后来反而是我感到了压力，感到作为一名校长自己必须抓紧时间再多学一点，多看一点，能为师生们再多做点什么……这是实实在在的压力，但更是真真切切的幸福，一种因我的成长而带来学校成长的巨大幸福。

（三）创新：创设一套丰富生动的课程

如果说课堂是师生并肩战斗、进行素质教育的阵地，那么课程则是素质培养的载体，是学生生命成长的动力。而课程设置的变革，更多需要的是创新。

早在十年前，我从世界经济全球化的角度思考学校教育、思考人的培养时，就提出了“造就终身发展之生命主体”的育人目标，确立了为学生终身发展而教育的理念。学校以学生综合素质的全面提升为价值取向，提出培养学生“人文素养、科学素养、身心健康素养、人际交往能力、自我认知和生存能力”五项基础素质和“独特的智能品质、卓越的领袖气质、执著的创新精神、自主的研究能力、开阔的国际视野”五项特色素质。这一目标既体现了学校素质培养的共性，也体现了个性；既体现了学生素质的基本要求，也明确了学生素质的高层次追求，为学生的素质发展明确了方向。

在我校2002—2003学年度工作计划中有这样一段内容：

目前，新一轮基础教育课程改革已经启动，高中课改实验工作将于2004年开始实施。这次课程改革给学校和教师带来了新的挑战，同时也为学校的发展和教师的提高提供了不可多得的机遇。本学期，学校将以贯彻实施《基础教育课程改革纲要》精神、继续推进课堂教学改革为重点，以促进教学方式、学习方式的转变为核心，以强化管理为基础，加大对教师的培训力度，努力提高教师整体素质。学校将成立课堂教学改革指导小组，制定切实可行的实施方案，通过培训等方式，促使广大教师准确把握新一轮课改的思路。

接下来，学校着手组织教师学习《国务院关于基础教育改革与发展的决定》、《基础教育改革课程纲要》等有关文件，聘请专家到校进行有关教育改革和新课程实施的讲座，组织教师到初中学校听课以了解初中课改实施情况，以教研组为单位学习和研究普通高中新课程标准与新编实验教材，以掌握新课程标准的要求和编写思路，组织开展“新课程下的教师角色自我定位”大讨论。

而这时是2002年，比2004年高中新课程改革提前了两年，也就是说我带领老师们提前两年进入新课程改革。

变革总是需要经历一个痛苦的历程，古今中外概莫能外。课程改革之初，来自老师们的阻力就非常大，他们已经习惯了多年来常用的课程模式、内容和设置方式，新的课程教材变化很大，在他们看来，内容结构在一定程度上存在着不合理之处，是“越改越差”，甚至断言“这必将是一次失败的改革”。在校外，我们也听到了同样的声音。学校派出教师赴南方学校考察新课改，结果听到的却是当地校长对新课改的坚决否定和排斥。

在应试教育愈演愈烈的大背景下，我深知进行这样的改革与探索存在着相当大的阻力。但对中国教育的理性思考告诉我：这是造福孩子们的一件好事，是青岛二中教育一个难得的发展良机。尽管路很难走，来自内外的阻力很大，但身为教育者的良知和责任逼使我要带领大家坚定不移地走上这条课改之路！

为使校本课程成为学生素质发展的支撑，学校确立了以素质为导向的大课程观，突出课程的实践性、自主性、综合性和开放性，优化与整合学校资源、社会资源、教师资源和学生资源，形成了学术类课程、活动类课程与潜隐性课程。

一路走来，今天，青岛二中在课程改革方面取得了优异的成绩，老师们的观念彻底转变了，课改给课堂带来了前所未有的变化，演绎出无限风光，成为锻造学生素质的重要阵地。走在青岛二中的校园里，当下课铃声响起时，从一间间教室里走出来的教师们脸上带着工作的满足、付出的欣慰，而在孩子们的一张张笑脸上则流淌着收获的喜悦、参与的兴奋……此情此景，曾经的艰难、曾经的付出，实在算不上什么。

（四）谋略：造就一个高层次的管理模式

综观世界各国的发展，当经济改革进行到一定程度时，社会的发展必然呼唤政治改革。学校的发展亦是如此。伴随着课堂与课程的不断改革和创新，学生的管理、学校的管理也必须改革，否则便会成为学生发展、学校发展的巨大阻力。而管理方法与管理模式的变革，需要的是谋略。这就要求我对学校的文化有一个全面的理解。

作为一所有着八十多年历史的学校，青岛二中的根脉里始终流淌着历史积淀下来的优秀文化传统，这就是“山海文化”，就是“山海精神，仁智品格”。在新的时代，学校致力于将“山海文化”与现代教育相结合，形成“自主、开放、创新、卓越”的新的文化元素，努力为学生的终身发展创造优良的环境。

- 自主：主体价值的回归。学生、教师和学校是不同范畴意义上的主体，主体价值的充分体现不仅是教育自身发展的需要，也是主体自身发展的需要。青岛二中在教育的实践中把尊重人、发挥人的作用和发展人作为自己的追求，为主体价值的最大限度发挥创造充分的条件。学校提出了学生发展自主，教师发展自主，学校办学自主。首先，在尊重学生的人格和尊严的前提下，突出学生，发挥学生的主观能动性，让学生在自主中规划定位自己的人生，体现自身的价值，实现自身的最大发展。其次，积极推进教师的专业化自主发展，把学校发展要求内化为教师的自觉行动，为教师专业素养的提升和人生目标的实现提供最优化的资源支持。再次，学校办学按照党的教育方针和教育规律，重视自身能动性的发挥，积极谋划学校的发展战略，抓住新课程改革的机遇，有效整合各种资源，在素质教育探索中提升学校的教育品质，促进学校的发展。

• 开放：实现自我更新与超越。开放不仅是一种心态，更是一种胸怀和境界，是一种变革的行为方式。青岛二中的开放文化就是课堂教学的开放性、教育的开放性和管理的开放性。在课堂教学中，开放就是建立起师生共同交流的平台，让学生充分参与到课堂的教学活动中来，在质疑与探究中实现教学资源的共享和教学的合作。课堂教学的开放最大限度地调动了学生，这正是青岛二中教学高质量的保障，也是学生学习兴趣和能力得到培养发展的前提。在教育中的开放，就是让学生成为被教育者，更是成为教育者，把学校教育的价值观转化成为学生自我内在需求，使学生在参与体验中获得自我的重生和灵魂的塑造。在青岛二中的校园道德实践中，在学校的社团活动中，在学生的志愿者活动中，在关爱教育等活动中，学生的灵魂获得了自我的净化和升华。在管理中的开放，就是按照主体多元的观念，让学生担当管理的主角，为学生创造充分参与学校管理的机会。

• 创新：学校发展的动力与灵魂。青岛二中发展的历史就是不断创新与超越的历史。在进入 21 世纪后的学校发展中，学校积极进行发展战略创新，从“深化素质教育、优化教育资源、突显办学特色、创建国际名校”，到“教育精品化、教育国际化”，再到三步战略“以教育质量为基础的素质教育的阶段，以素质教育为基础的创新人才培养，以创新人才培养为追求的教育国际化”，无不体现出学校“领先一步、追求卓越”的理念。学校推进管理创新，积极实施扁平化管理，通过项目管理、民主评议团、教代会等方式，降低管理重心，提高管理效能。开展课堂教学创新，构建符合青岛二中实际和素质教育要求的课堂教学原则，促进课堂质量与效益的根本性变革；探索学生培养模式的创新，通过创新教育和学生自主发展模式的研究，努力为学生创造自主发展的机会和平台，促进学生实现高层次的发展。创新的意识和精神成为了学校的文化，这种文化也影响着全校师生，教师的教育教学追求创新，学生的社团活动、大型活动承办工作、公益活动、研究性学习都体现了创造的灵感，创新的品质。

• 卓越：永远做最好的自己。青岛二中从 1953 年成为山东省首批重点中学起，就将卓越的意识和文化深深地镌刻进学校的灵魂和一代代二中人的灵魂里。这种文化将青岛二中“做最好的自己，永远是最好的教育”的品质诠释出来，这是一种追求，也是一种体现。二中人始终从更高的视野，敏锐地抓住机遇，进而脱颖而出。1978 年恢复高考，青岛二中以自己优异的成绩很快就在岛城学校中超凡脱俗，赢得先机。2004 年高中课程改革，二中人再次抓住这难得的机遇，积极谋划、充分准备，研究策略、强力推进，逐层深入、确保质量，使青岛二中的课程改革不仅为学校发展奠定了基础，而且也成为中国高中新课程改革的引领者，并使学生具有了卓越的素质。卓越的文化，使青岛二中拥有超强的危机意识和发展意识，也必将引领学校更好发展，为师生卓越的人生提供精神动力。

正是基于学校的这种文化氛围，青岛二中提出了“三化五自”的学校、学生管理改革模式。通过学校管理模式的改革，给学生提供立体多样的体验舞台，促进学生的素质发展。

1. 青岛二中的“三化”模式

“三化”即通过校园管理的变化，实现校园管理的生活化、个性化、智慧化。

（1）把社会运行机制引入校园，实现校园管理的生活化

教育是为明天学生走入社会、为学生未来的社会生活奠定基础，为此，教育管理就要立足于今天这个社会的现实生活。“社会是部书”，“生活即教育”，学校管理只有与社会管理机制结合起来，才能实现学校管理的自我超越。而将学校教育融入生活，让校园充满生活气息，也是教育管理的内在需要。为此，青岛二中将社会运行机制引入校园，致力于生活化校园建设，创造引发学生热爱学校、保持对生活和知识学习浓厚兴趣的情感氛围，让学生通过教育获得知识和思维能力，更要让学生在生活中学会生活、学会学习、学会发展、学会创新。

“竞标”是学生体验社会生活的一个很好的途径，学校里包括运动会在内的各项大型活动都是分解后由学生自行举办，但举办权要通过竞标来实现。学生组织活动的费用，是他们到社会上拉赞助得来的，他们带着自己起草的“赞助意向书”走进社区，走进企业，学会了利用社会资源，丰富了情感体验。源于生活的研究性学习课题，如“潮汐发电机研制”、“青岛市建筑风格研究”等课题，紧密联系社会现实与身边生活，学生在一个个生活的情境中获得了生活化的情感体验。

让学生把目光投向社会、放眼世界，这可以让学生在人生观、世界观和价值观养成的重要时期及早感知世界，明确人生发展方向和素质发展目标。模拟申奥、模拟世界经济峰会、模拟人代会等，让学生扮演不同的角色，他们的思辨技能得以提升，同时也在对国际问题的关注中增强了自己的社会责任感和主人翁意识。学校把学生的目光直接引向社会微观生活，引向民生基层。学校在岛城挂牌建立了50余个社区实践基地，学生走进社区担任“社区助理”角色，帮助社区进行文化建设，更深入社区开展国计民生调查，在将目光深入社区的同时，学生的情感体验得到升华，社会视角随之拓宽。

（2）构建学生优势智能的管理系统，实现校园管理的个性化

凸显学生的个性发展，让每一个学生的个性在全面发展的基础上得到最大程度的发挥，这是学生可持续发展的根本所在，也是学校管理的根本所在。胡适先生说过：人的千分之九百九十九是社会性的，而能够

促使社会进化的是其中的千分之一。为了让每一个学生能够有个性发展的机会，学校设立了“周末大舞台”，让学生在参与中找到适合自己的舞台，强化了其基于特长的自主发展。基于对未来人工智能系统发展方向的考虑，以王伟健同学为核心的设计制造团队在参考了目前国际上比较先进的机器人后，富有创造性地提出了自己的设计——全地形智能载具S0，并期盼这台每一个细节都承载着全新设计概念的载具能够影响未来数年的技术潮流。学校为他们专门提供了工作室，而全国创意大赛的金牌是对于他们劳动成果的初步回报。

学校为学生优势智能的发展提供系统支持。教育的目的不是要让每个孩子成为完人，而是要让孩子的独特智能得以发展。学校出台了《青岛二中发现并支持学生优势智能发展方案》，通过调查学生的优势智能、导师观察、教师集体交流等方法了解学生智能倾向。在此基础上，建立对学生优势智能发展的支持系统，包括：建立学生多元智能个人电子档案，确定培养计划，提供多样化的教学策略和方法支持、课程支撑、特长支持、人生规划支持等。为满足学生更高层次的需求，学校重视利用各种社会资源，相继与中国海洋大学、青岛大学、青岛科技大学签订了《教学合作意向书》。聘请高校的专家、学者指导学生开展人生规划，发展自身的智能优势。

（3）创设机会、丰富课程，实现校园管理的智慧化

智慧化管理就是通过创设实践机会，丰富学校课程，让学生主动参与其中，从而实现校园管理的智慧化。

学校积极开设技术类课程，让学生在学农、手工制作、服装裁剪、机件加工等实践活动中形成动手能力。学校开设了许多校本选修课程，如陶艺、茶艺、中国结编织、布艺等，学生们时常陶醉在其中，在手工技术的学习过程中获得更多的知识和能力。

学校重视实践性课程的开设。学校开设的校本课程如“机器人制作”、“天文观测”和“气象观测”等，让学生通过动手实践获得科学素质的提升。学生们开展课题研究、社会调查如“结识身边的成功人士”等，不断丰富自己的社会阅历和情感体验。学生们在校园创意活动

中，制作机械多米诺模型，组装太阳能小车，设计校园中水处理方案等，其想象力和创造力都获得了锻炼。这些都为学生创造了充分参与、挑战自我、锻炼能力的机会。

2. 青岛二中的“五自”模式

“五自”即通过学生管理模式的改革，创设“自主教育、自主管理、自我锻造、自创社团、自主研究”的学生自主管理模式。

（1）自主教育、自主管理，唤醒主体意识

学生管理的最高层次是通过自主教育、自我管理，实现“零管理”。青岛二中特别重视把学生作为管理主体来看待，相信学生能够自我教育和管理好自己，能够管理好团队。在管理中，学生的管理能力和应当具备的基本素养都得到提升。

在青岛二中的浓厚的民主氛围中，诞生了一个又一个新型学生管理组织。学校设立校长助理，架起学校与学生之间的桥梁。学生最早成立的民主评议团和学生自律委员会，首开学生参与学校管理之先河。学生的每一次民主评议团会议，小到学生食堂的饭菜质量和价格，大到学校的课程设计，学校从各部门干部到校长都要出席，并认真回答学生的提问。在此基础上，学生又成立了新型的学生管理组织——学生自治会，学生校长助理兼任学生自治会主席。学生自治会下设学生自律委员会、生活部、礼仪团等，使学生由只是提出问题到全面承担起学生常规管理，由被管理者走到了前台成为管理者。随着学生参与学校管理的意识不断增强，自治会逐渐发展为城市化管理委员会。学生按照城市的管理模式来运作学校，整个城市化管理委员会有比较完整的管理组织架构，既有市长，又有各部的部长；为了监督城市化管理委员会的运转，还设立了学生议事会。学生参与管理的范围更广，涉及的管理内容的层次更高。

（2）自我锻造，让学生体验社会运行机制

教育应当而且必须通过各种手段和方式，来满足人的发展的要求和实现人的发展的最优化。学校虽然是独立的，但这绝不意味着学校能够脱离社会。青岛二中将社会的运行机制引入校园，提供一种生活化的校园环境来给学生创造更多的机会，让学生在自我锻造中不断提升素质。在青岛二中，像运动会、艺术节这样的大型活动早已超出了其活动本身的范畴，它们已经成为一个学生施展才华、经受磨炼的大舞台。竞标、拉赞助这些看似离学生很远的事情，青岛二中的学生都有机会去尝试、去体验。经过这样多次的锻炼，学生变得更加成熟，更重要的是学生的思维能力也在组织活动中得到了培养。正是在这样的氛围中，青岛二中学生保持了对于校园生活的浓厚兴趣，学生的社会责任感不断增强，学生的领袖气质、国际视野以及独特的智能品质获得了更加充分的发展。

今天的教育必须敢于让学生去尝试、体验，允许学生失败，只有失败才能让学生更加感受到成功的快乐，只有这样教育才能达到全新境界。

（3）自创社团，把学生个性发展的主动权和机会交给学生

学校要把学生个性发展的主动权和机会交给学生。许多成功人士的卓越成就表明，一个人的成功取决于其所具有的独特智慧。

“木桶理论”认为，水的容量取决于组成木桶的最短木块，但在个体发展中一个人的成就却取决于最长的“木块”。学校应当有规范和约束，但更应当是搭建平台、提供服务，即要服务于学生的个性张扬和发展。

在发现和培养学生潜能、为学生的个性发展提供支持方面，社团具有无与伦比的价值。青岛二中学生自主创设了模拟联合国社、时政评论社、动漫社、电视台、创意社等五十多个社团，社团管理从章程到组织机构、从活动方式到活动内容，都是由学生自主研究确定的。社团是学生发展的重要形式，学校规定每一名学生在高中三年至少参加一个社团的活动。各种不同形式的社团既培养了学生的兴趣，更提升了学生的领袖气质。

（4）自主研究，以科学家工作的方式学习

研究不仅是获得新的知识，更是一种解决问题的意识和方法。自2000年以来，青岛二中积极探索和推进研究性学习，学生的学习热情

以及创新思维被激发起来。学生利用节假日等到大学、科研院所实验室，到企业、政府机构，到山林海滩开展调查研究和实验。一个个精彩的课题，一场场报告会，一本本研究性学习论文集，所展现的不仅是智慧，更是责任，不仅是参与，更是生命的升华。2003 年，在高考即将来临之际，顾成、房帅等五位学生向学校提交了“青岛二中中水回收利用”的研究成果，经过专家论证，此成果能够给学校带来可观的经济效益。2010 年夏天，青岛二中学生所做的“中山路商圈改造方案”引起市长的高度重视，有关人员到校听取学生的汇报后，给予高度的评价。学生在研究过程中所表现出来的良好的责任感和研究能力令教育者感动和欣慰。

三、一个他人眼中的校长，一幅教育理想的蓝图

“孙校长给你印象最深刻的是什么?”这个问题的答案可能是五花八门：爱学生，好读书，善思考，责任心强，思维开阔，富于激情，勇于创新，敢为人先……从这些形形色色的答案中，一个博学、智慧、思想超前、敢作敢为的校长形象呼之欲出。

如果你再问：“孙校长是个什么样的校长?”

老师们会说，孙校长是带领我们办好教育的好领导；学生们会说，这是对我们终身发展教育负责的好校长；而家长们则会说，这个校长，把自己的一切全部献给了学校，把孩子交给他管理的学校我们一百个放心。

从青岛二中的老师、学生、家长的回答里，我们看到了这样一位校长：他具有先进的理想、厚重的良知、永于奉献的品质，等等。而如果你亲身走近他，你更能强烈地感受到他所散发出的这种人格魅力。

但是当有记者问及孙校长本人任职数年的感受时，他的回答却是：“战战兢兢，如履薄冰!”

短短八字，如千斤压顶，发人深省：同一个人，在同一个岗位上，外界的评价和其自身的感受为何竟有如此大的反差！可仔细一想，又怎

能不是这样呢？正是在这样一种内心高压之下不断经受外界的磨砺，才造就了这样一位教育理想的引领者、教育良知的守望者、教育责任的奉献者！也正是因为有了他的这份引领、守望与奉献，才有了青岛二中这样一幅教育理想的蓝图。

（一）教育理想的引领者

在普通人看来，“校长”是一种职务、一个岗位，而在青岛二中全校师生眼中，孙先亮校长却用自己的行为阐释了“校长”的另一种含义：教育理想的引领者。他不仅理解教育，勇敢地实践教育，而且还用自己走在时代前沿的教育理想，引领着学校，引领着山东甚至是全国教育向着更高的山峰奋进攀登。

作为一位名校之长，他的理想其实也很简单，就是把学生培养成优秀的人才、出类拔萃的人才，把学校办成全国闻名、世界知名的名校，用人才传播教育理想，用名校来影响和引领更多的学校实现教育的理想。

对内，他把校长职务当成事业，事业需要献身；他把领导工作当成艺术，艺术需要创新；他把教育教学当成科学，科学需要求真；他克勤克俭，身体力行；他大胆实践，与时俱进；他坚守信念，坚定不移；他科学发展放眼未来；他十年如一日，带领师生大踏步前进，坚持办学理念，执行办学方针，践行育人目标，获得了令人瞩目的成绩。

对外，他每天都要接待许多来自全国各地的学校同仁与参观者，他事无巨细，事必躬亲，每天每次都要不厌其烦地向前来参观学习的人讲述自己的教育理想，讲述如何实现这种理想。在自己的齐鲁名校长工作室中，他还把自己教育实践中的心得无私地奉献给所有关注教育的人。2011 年 3 月 5 日，在青岛二中的引领下，来自烟台、潍坊、威海、淄博、日照等地的学生组成了模联联盟、社团联盟，并在青岛二中召开了首次峰会。

让教育的理想在更多的师生中、在更多的学校中得以实现，这才是孙校长最大的欣慰。

（二）教育良知的守望者

诚然，当下不少有识之士已清醒意识到，素质教育于今日之中国何其迫切，但在高考升学率、社会成见等重重阻力之下，施行素质教育又何其不易！在这条路上，中途倒下或退回起点者屡见不鲜。那么是什么支撑着孙校长引领青岛二中在素质教育的崎岖之路上克服重重困难、义无反顾地走到今日？是良知，是教育者的良知！是教育者的良知给了孙校长无穷的力量，并让他勇敢地面对并坚持了下来；是教育者的良知让孙校长坚强地执著于自己的教育理想，虽九死而不悔，历艰险而不屈；是教育者的良知给了孙校长一个守望者的魄力，将智慧、责任、勇气、毅力集于一身，凝聚起一大批有识之士将素质教育进行到底！

良知是什么？孙校长认为教育者的良知就是对学生终生发展的关怀，是对整个国家整个民族未来发展的关怀。良知作为教育者人性的表达，是人性的光芒在学生身上的投射，它将在很大程度上制约着学生生命成长的质量和水平。

正是因为有了这份对教育良知的守望，孙校长才能够驾驭青岛二中这所名校，在世人面前呈现出他的事业、他的光辉、他的魄力、他的智慧，以及他的教育理想与理想的教育。正是因为有了这份对教育良知的守望，面对困难与挫折时，孙校长才能够如此淡定、如此大度。他曾经这样说过："学校就像一条大河，河底可能有些石头，只要我们水涨船高，那些石头不会影响航行。我们不可以把精力用于清理石头，而要竭力抬高水位加快航速。"话虽普通，却一语道破事物的本质，更昭示出孙校长的淡定，尤其是他的大度胸怀。

（三）教育责任的奉献者

秉着教育者的良知，孙校长时时叩问自己：当今教育的责任是什么？在过去，是传承文明、教化后代；今天，它已不仅仅是一种文明的延续，更重要的是开拓与创新，是对于人类文明的丰富和完善。而学校教育的一个重要责任，就是让学生未来在步入社会之后适应社会发展，以至推动社会发展。身为教育者，他深知重任在肩，于是他把他全部的爱、全部的时间甚至于自己全部的人生都奉献给了教育。

生活中，孙校长甘于奉献，真情付出。2005 年，他曾将获得的“山东省 2005 年教育创新人物”1 万元奖金悄悄捐给了学校爱心基金；同时，他常年默默资助春蕾女童。在平常的每个工作日，虽然学校规定 11 点半教师即可就餐，但总是要到 12 点以后才能在食堂看到孙校长就餐的身影——只是为了陪伴上最后一节课的教师、学生一同进餐。这看似平常的奉献却饱含着他对师生的关爱、对教育的挚爱。正如一位教师所言：“每次看到校长，我们心里就觉着特别的踏实、特别的温暖!”因为在这涓涓流淌的无声的奉献之中，有着一种动人的平凡与质朴，更有着一种浓浓的爱意，它让身处其中的师生安然、欣然；让旁观者肃然、敬然。

在工作中，他深知思想的深度会成就事业的高度，决定生命的力度。在繁忙的工作之余，孙校长把点滴的时间全部奉献给了阅读与思考，他努力地寻找着学生和青岛二中的成长发展之路。办公桌上、出差途中，摆放在他身边的都是他阅读的书籍：《多元智能理论》、《一生的学习》、《南怀瑾选集》、《沉思录》等。办公室里，校园之中，很晚很晚了，我们却还能看到他思考的身影。长期的读书提升了他日常的工作能力，而深入的思考则把他思想的火花整合起来，诞生了一个又一个迎合时代发展而又促进学校更好发展的办学举措。

孙校长意识到：走“应试教育”的老路，虽说是熟门熟路，大多数家长都满意，可是，那样教育出来的生命是残缺的生命，那样教育出来的孩子是只有今天没有未来、只有知识没有能力的孩子。谁来对孩子一生的生命成长负责？谁来对国家、民族的明天负责？身为教育者，他无法回避这样的心灵诘问。纵然是如履薄冰、举步维艰，他仍义无反顾地扛起了素质教育的大旗。而这样的奉献，不能博名，更不能谋利，只能给自己带来无尽的非难和质疑。但是这种奉献，是出于教育者的良知，是出于对教育责任的勇于担当。这样的奉献才是对教育事业的最大奉献，这样的奉献才是一个教育者最高的奉献，因为他献出来的是自己的全部人生。

就是在他这种乐于奉献的无声浸润中，全校师生感受着教育的真谛；就是在他这种勇于奉献的默默感召之下，全体师生坚定不移地跟随他走在素质教育的最高处。一届又一届的学生把孙校长的激情、智慧、勇气引以为自豪，一批又一批的教师更是把他的奉献、担当奉之为榜样，孙校长的人格与行为，已经成为青岛二中文化不可分割的一个部分，它必将作为青岛二中一份宝贵的精神财富引领更多的师生走上素质教育的光明之途。

结束语

十年光阴转瞬即逝，这期间中国的基础教育改革跌宕起伏。在青岛二中这片绿野中，我一直在努力地思考并追随教育先行者的步伐，力图在创新人才培养的实践中开始一些积极的探索，但深感“路漫漫其修远兮”。

一所学校的历史与传统是学校改革发展的基础，而赋予其新的文化内涵是保持其年轻和富有朝气的关键。

“以人为本”是这个时代的标志。

“海不辞水，故能成其大；山不辞土石，故能成其高。”蔡元培先生“兼容并包，思想自由”的治学思想在当代的学校教育中更有其深刻的含义。一个缤纷的世界需要多种不同的颜色去点缀，而差异恰恰是构成和谐的基础。

创造满足个体发展需要的各类学习组织，以使学习能够有更多的途径与方法。而团队的成长也应让每一位成员的独特价值得以实现，在各自的领域中形成自己的建树。

校长的教育理念与学者气质是影响团队的关键。学者的气质来自于对学习目的与学习过程的思考，来自于实践。校长的教育与教学理念应深入到每一位教师的价值判断中，应内化到每一位学生的自主发展中。

以课题研究引领学校诸多方面的工作，鼓励教师加强对教育本质的认识显得尤为重要，这可以使教师始终保持对教育规律探究的创新力。

我们不能生活在别人的思维中，而应广泛借鉴，辩证地分析利弊及实施的时机。在实践研究中形成简约的成果，并迅速融入到学校的管理体系中。校长的特质体现在对学校特色工作的设计上，体现在对教育的前瞻性的考虑中。

本书概述了青岛二中的历史及近十年的发展历程，很多的探索已随时间的推移得以印证，这让我非常欣慰。

本书的撰写得到了学校德育、教学各个团队的协助，并在北京师范大学裴娣娜教授的关心下完成，是他们的坚持使这本书得以与读者见面。

教育并不是年复一年地简单重复，而是要受到“时间、空间、人”这三个关键因素的影响，教育的方式、方法是不断变化的。我们只能更加接近教育的本质规律而却永远无法获得绝对的答案。因此，对教育的思考是永恒的。

这或许正是教育的魅力所在。

孙先亮

出 版 人　所广一
责任编辑　何　艺
版式设计　宗沅雅轩　杨玲玲
责任校对　贾静芳
责任印制　曲凤玲

图书在版编目（CIP）数据

泉水潺潺蕴涛声：青岛二中教育创新研究/孙先亮等著. —北京：教育科学出版社，2012. 5（2013. 3 重印）
（“守望者的凝思：读懂学校、读懂校长”系列论丛/裴娣娜主编）
ISBN 978 - 7 - 5041 - 6239 - 7

Ⅰ. ①泉…　Ⅱ. ①孙…　Ⅲ. ①中学教育—研究—青岛市　Ⅳ. ①G629. 285. 23

中国版本图书馆 CIP 数据核字（2011）第 274154 号

守望者的凝思：读懂学校、读懂校长
泉水潺潺蕴涛声
QUANSHUI CHANCHAN YUN TAOSHENG

出版发行	教育科学出版社		
社　址	北京·朝阳区安慧北里安园甲 9 号	市场部电话	010 - 64989009
邮　编	100101	编辑部电话	010 - 64981167
传　真	010 - 64891796	网　址	http://www.esph.com.cn
经　销	各地新华书店		
制　作	北京金奥都图文制作中心		
印　刷	保定市中画美凯印刷有限公司	版　次	2012 年 5 月第 1 版
开　本	169 毫米×239 毫米　16 开	印　次	2013 年 3 月第 2 次印刷
印　张	23. 75	印　数	3 001—4 000 册
字　数	323 千	定　价	48. 00 元

如有印装质量问题，请到所购图书销售部门联系调换。